Chères lectrices,

Bien sûr, le froid est encore là, et il n'est pas question de nous défaire de nos manteaux et de nos écharpes. Pourtant, ne trouvez-vous pas que le soleil fait de plus fréquentes apparitions derrière les nuages ? Que le ciel se fait plus vaste et animé ? Que l'air a comme un parfum printanier ?

En attendant de pouvoir profiter des terrasses des cafés, des jardins et des parcs, je vous propose de merveilleuses histoires à lire bien confortablement à la maison. Parmi les romans du mois, j'aimerais vous recommander celui de Susan Stephens (n° 2868), dont la lecture m'a véritablement enchantée. Vous y ferez la connaissance de Lucy, une héroïne touchante et romantique qui, sans le savoir, a rendez-vous avec l'inconnu dans les bras duquel elle s'est abandonnée avec passion, deux ans plus tôt. Un inconnu qui n'est autre qu'un puissant cheikh…

Vous aurez également le plaisir de retrouver les auteurs que vous aimez, particulièrement à l'honneur en ce mois de mars : Miranda Lee, Maggie Cox, Helen Bianchin…

Enfin, vous le savez, « La Saga des Gambrelli » s'achève avec un troisième et dernier volume (n° 2870). J'espère que, comme moi, vous aurez beaucoup de plaisir à découvrir le destin du dernier Gambrelli encore célibataire, dont la vie va être transformée à tout jamais par une rencontre inattendue…

Très bonne lecture !

esponsable de collection

D0773784

Passion à Santiago

*

Une troublante amitié

JACQUELINE BAIRD

Passion à Santiago

COLLECTION AZUR

éditions Harlequin

Cet ouvrage a été publié en langue anglaise sous le titre :
HIS INHERITED BRIDE

Traduction française de
FLORENCE JAMIN

HARLEQUIN®

est une marque déposée du Groupe Harlequin
et Azur ® est une marque déposée d'Harlequin S.A.

Toute représentation ou reproduction, par quelque procédé que ce soit, constituerait une contrefaçon sanctionnée par les articles 425 et suivants du Code pénal.
© 2003, Jacqueline Baird. © 2009, Traduction française : Harlequin S.A.
83-85, boulevard Vincent-Auriol, 75013 PARIS — Tél. : 01 42 16 63 63

Service Lectrices — Tél. : 01 45 82 47 47
www.harlequin.fr

ISBN 978-2-2808-5049-0 — ISSN 0993-4448

1.

Julia Diez jeta un coup d'œil distrait aux magnifiques sculptures de pierre qui ornaient la façade du bâtiment séculaire et frissonna. Non de froid, puisqu'elle venait en quelques heures de passer de la grisaille de l'hiver anglais à la douce chaleur de l'été chilien, mais de fatigue sûrement et d'appréhension sans doute. Elle avait atterri à Santiago tard la veille au soir, et à cet instant la perspective de ce séjour forcé dans le pays d'un père qu'elle avait à peine connu ne la réjouissait guère...

Après une nuit d'un sommeil perturbé par le décalage horaire, elle s'était précipitée sur le téléphone pour prendre des nouvelles de Liz, sa mère. Leur conversation l'avait rassurée sur son état de santé mais elle ne s'était pas sentie apaisée pour autant. Bien au contraire l'idée de la confrontation qui l'attendait la rendait de plus en plus nerveuse. Elle avait à peine mangé et s'était contentée de boire café sur café, ce qui bien sûr n'avait fait qu'aggraver sa fébrilité. En réalité, elle était incapable de fixer son attention sur autre chose que ce rendez-vous qui lui avait été donné à midi précise.

Un regard rapide à sa montre lui confirma que l'heure fatidique de sa rencontre avec Randolfo Carducci approchait, et elle sentit une sourde appréhension monter en elle. Pourtant, elle ne pouvait éviter cette entrevue avec l'exécuteur testamentaire de son père : c'est de la bouche de Randolfo

Carducci qu'elle apprendrait le sort qui lui avait été réservé et quelle part elle recevrait de son héritage.

Si elle avait eu le choix, elle aurait mille fois préféré ne rien devoir à ce père qui s'était si peu intéressé à elle, songea-t-elle en pénétrant dans le hall dallé de marbre du vaste bâtiment. Mais ce n'était pas le cas : bien au contraire, elle accepterait plus que volontiers quelques milliers de livres pour payer les frais médicaux de sa mère. Pour l'y aider tout du moins car un traitement pour un cancer du sein représentait un gros budget…

Du reste, il semblait à la jeune femme que ce ne serait que justice. Même de façon posthume, son père devait bien ça à sa mère !

Leur histoire avait commencé comme tant d'autres, par un coup de foudre aussi subit qu'éphémère… Liz, jeune et naïve anglaise de dix-huit ans, était tombée follement amoureuse de Carlos Diez, un joueur de polo beaucoup plus âgé qu'elle venu disputer un match en Angleterre. Une grossesse était survenue, puis un mariage à la hâte pour régulariser cette situation inacceptable à l'époque. C'est dans ces conditions que Julia avait vu le jour…

Au début, mère et fille étaient restées en Angleterre tandis que Carlos continuait à se produire sur le circuit professionnel. Quelques mois plus tard, Liz et son bébé s'étaient installées au Chili où il les avait rejointes, mais le mariage s'était rapidement détérioré.

Bien plus tard, sa mère avait confié à Julia qu'à peine de retour à Santiago, Carlos lui avait annoncé y avoir une maîtresse. Il avait poussé le cynisme jusqu'à lui préciser qu'il n'avait pas la moindre intention de rester célibataire lors de ses concours à l'étranger, qui l'éloignaient en fait près de la moitié de l'année. Alors Liz, sa fille sous le bras, avait repris l'avion pour l'Angleterre où elle avait aussitôt demandé le divorce. Elle n'était jamais retournée au Chili et n'avait jamais revu son ex-mari.

Ce dont Julia ne pouvait la blâmer...

En effet, ses propres rapports avec son père avaient été source de désillusions. Pendant quatorze ans, elle n'avait pas entendu parler de Carlos Diez. Puis, un jour, il semblait s'être brusquement souvenu qu'il avait une fille et avait exigé que Liz envoie Julia en vacances au Chili. Ravie de découvrir enfin ce père sur lequel elle avait projeté tant de rêves, Julia était arrivée pleine d'espoir et d'enthousiasme. Tout s'était d'abord parfaitement déroulé, d'autant qu'à peine installée elle était tombée follement amoureuse d'Enrique Eiga, le fils du voisin de son père, un riche propriétaire terrien.

Cette idylle ayant l'assentiment de Carlos Diez, elle avait été invitée les trois étés suivants. A l'âge de dix-sept ans, Julia et Enrique s'étaient fiancés officiellement et le mariage avait été programmé pour la fin de la même année.

Mais, brutalement confrontée à l'infidélité de Enrique dans des circonstances particulièrement pénibles, Julia avait rompu soudainement et décidé de ne plus jamais remettre les pieds au Chili.

Cependant le décès de son père, et cet héritage providentiel qui tombait à pic pour lui permettre de payer les coûteux soins médicaux de sa mère avaient changé la donne : contrairement à la promesse qu'elle s'était faite, elle était de retour à Santiago...

Après avoir pris une profonde inspiration pour se donner du courage, Julia pénétra à l'intérieur du bâtiment qui avait été magnifiquement modernisé pour abriter les bureaux de Randolfo Carducci.

En passant devant un grand miroir, elle s'assura d'un coup d'œil discret qu'elle était présentable et fut aussitôt rassurée.

Son tailleur conjuguait élégance et simplicité, ses sandales à talons hauts mettaient en valeur le galbe de ses longues jambes fuselées : elle ne manquait pas d'allure. Exactement ce qu'elle souhaitait pour affronter Randolfo Carducci.

Elle nota avec plaisir l'admiration dans le regard du réceptionniste qui accueillait les visiteurs derrière son bureau.

— Monsieur Carducci vous attend, précisa-t-il avec un sourire ébloui. Le veinard…, ajouta-t-il dans sa barbe, ignorant qu'elle comprenait l'espagnol.

Elle répondit d'un signe de tête, étonnée comme toujours de l'effet qu'elle avait sur les hommes. Pourtant, en tant que chef cuisinier, à la tête avec sa mère d'une boulangerie pâtisserie florissante, elle n'avait en rien la ligne éthérée de ces mannequins anorexiques que l'on voyait trop souvent dans les magazines.

Elle arborait au contraire sans aucun complexe des courbes féminines qui, associées à ses grands yeux au vert limpide et ses cheveux auburn aux boucles folles, attiraient bien trop souvent à son goût les regards masculins.

Pendant les quelques secondes qu'il fallut à l'ascenseur pour la mener au deuxième étage, son appréhension redoubla.

Les portes glissèrent devant elle et elle s'avança sur un vaste palier couvert d'une épaisse moquette rouge carmin. Personne en vue, constata-t-elle, surprise. Où était la secrétaire censée l'accueillir ?

Il était pourtant exactement midi, l'heure de son rendez-vous ! Randolfo Carducci la laissait-il attendre délibérément, pour bien lui montrer qu'il contrôlait la situation ? Pour la punir de n'avoir pas répondu à sa suggestion de se réconcilier avec son père malade ?

Il l'avait d'abord appelée pour lui annoncer que son père souffrait de problèmes cardiaques. Mais il ignorait qu'exactement au même moment, Liz venait d'apprendre qu'elle avait un cancer du sein et devait subir une opération de toute urgence.

Naturellement, Julia n'avait prêté qu'une oreille distraite aux propos de Randolfo, tant elle s'inquiétait pour sa mère.

Elle s'était contentée de le remercier de l'avoir prévenue, mais n'avait pas suivi sa suggestion d'appeler Carlos pour enterrer la hache de guerre et normaliser leurs rapports. Voilà tant d'années qu'elle n'avait pas parlé à son père, il pouvait bien attendre que l'état de santé de Liz soit stabilisé ! A l'issue de l'opération de sa mère, elle reconsidérerait peut-être la question.

Le deuxième coup de téléphone de Randolfo avait eu lieu la veille de l'opération. Cette fois, les choses s'étaient aggravées. Carlos était hospitalisé pour une deuxième attaque et Rand conseillait vivement à Julia de partir sans délai pour Santiago. Il avait même pris l'initiative de lui réserver un billet qui était à sa disposition à l'aéroport de Heathrow.

Folle d'inquiétude pour sa mère, Julia avait refusé platement, sans même prendre la peine de lui préciser ses raisons. Comment aurait-elle pu ne pas être aux côtés de Liz quand elle reprendrait conscience en salle de réveil ?

Au troisième appel, Randolfo lui avait annoncé d'une voix sèche la mort de son père et son enterrement deux jours plus tard. Là encore, un billet d'avion attendait la jeune femme, là encore elle n'avait pas donné suite. Sa mère se remettait mal de son opération et sa place était auprès d'elle.

Ils ne s'étaient pas parlé depuis, et Julia était parfaitement consciente qu'il devait la considérer comme une fille indigne. Peut-être changerait-il d'avis quand elle lui aurait exposé ses raisons...

En réalité, ce serait une reprise de contact, car ils s'étaient rencontrés autrefois lorsque Julia passait ses étés au Chili du temps de ses fiançailles avec Enrique. Lors de la première visite de Julia, Rand était en visite chez son père, entre deux rendez-vous professionnels. L'entreprise florissante qu'il dirigeait en Italie avait en effet de nombreux clients en Amérique du

Sud. Randolfo était le beau-fils d'Ester, la sœur de Carlos et donc également tante de Julia. Ils étaient en quelque sorte de lointains cousins, même s'ils n'étaient pas liés par le sang.

A l'époque, il était déjà un homme d'affaires très occupé et venait de se fiancer avec Maria, une jeune et ravissante chanteuse rencontrée à Santiago, dont la mère était cuisinière au ranch des Eiga, voisin de celui du père de Julia.

Randolfo avait près de dix ans de plus qu'elle, et pour Julia il faisait partie du monde des adultes. Elle avait même du mal à imaginer ce que Maria pouvait bien lui trouver. Ce n'est qu'après le drame qu'elle comprit…

Julia fronça les sourcils. Sachant ce qu'elle savait de cette histoire, elle redoutait d'affronter Randolfo. Pourtant, il le fallait : la guérison de sa mère dépendait de l'entretien qui s'annonçait. Elle avait tout intérêt à entretenir de bons rapports, tout au moins en apparence, avec l'exécuteur testamentaire de son père.

Elle s'avança vers une pièce au bout du couloir dont la porte était ouverte. Elle était vide…

Elle hésita un instant puis prit place sur un des canapés de cuir sable. La décoration raffinée et discrète dénotait un goût parfait, et les tableaux modernes accrochés aux murs trahissaient l'amateur d'art éclairé. A l'évidence, Randolfo Carducci n'était pas qu'un vulgaire businessman brassant des millions…, songea Julia, impressionnée malgré elle.

Mais la ponctualité n'était pas son fort, constata-t-elle avec agacement en regardant sa montre. Il avait déjà dix minutes de retard !

A cet instant un bruit de pas dans le couloir lui fit tourner la tête et dans l'embrasure de la porte elle aperçut une haute silhouette masculine. Un frisson la saisit…

Avec sa taille franchement au-dessus de la moyenne et sa large carrure d'athlète accompli, Randolfo Carducci déga-geait une forte impression de puissance virile, rendue plus impressionnante encore par le raffinement qui émanait de toute sa personne. Tout en lui évoquait l'élégance naturelle : son pas souple, son profil altier, la prestance de sa silhouette longiligne. Ses cheveux noirs bouclés et ses yeux sombres trahissaient ses origines italiennes, son costume à la coupe parfaite ne pouvait venir que de chez un grand couturier. Elle avait rarement vu un homme aussi séduisant, songea Julia en tentant de maîtriser son émotion. Certes, elle n'était pas experte en la matière, loin de là. En réalité, depuis la rupture de ses fiançailles avec Enrique elle avait été bien trop occupée par ses projets professionnels pour se lancer dans une aventure sentimentale…

Randolfo Carducci, lui, était probablement marié à cette heure…

Elle fit un effort pour se ressaisir, agacée contre elle-même. Elle avait passé l'âge d'être impressionnée par ce genre d'hommes ! Avait-elle oublié comme il semblait désapprouver sa romance avec Enrique ? Il ne lui avait jamais rien dit sur le sujet, mais elle l'avait parfaitement senti.

D'ailleurs, même à l'époque, elle avait peu de sympathie pour lui. Avec le recul, elle comprenait qu'elle était jalouse, sans vouloir se l'avouer, de la relation privilégiée qu'il entretenait avec Carlos, ce père insaisissable qui continuait à lui manifester si peu d'intérêt à elle, sa fille unique… Pour couronner le tout, elle s'était également senti exclue de l'amitié qui liait Randolfo à Enrique Eiga, qu'elle croyait alors être l'homme de sa vie.

Chassant ces souvenirs désagréables de son esprit, elle se leva du canapé et fit un pas vers Rand, un sourire plaqué sur ses lèvres rouge carmin. Il la dévisagea d'un regard froid et détaché probablement destiné à lui faire comprendre à quel point il avait d'elle une mauvaise opinion…

« Reste calme, se dit-elle. Garde ton sang-froid. Peu importe ce qu'il pense de toi, la seule chose qui compte, c'est l'argent que tu vas toucher pour les soins médicaux... »

— Ravie de vous voir après si longtemps, monsieur Carducci, déclara-t-elle.

— Rand, corrigea-t-il aussitôt. Après tout, nous sommes presque parents.

Il la dévisagea longuement, surpris par sa beauté. Jamais il n'aurait imaginé un tel changement... Avec ses grands yeux verts, sa bouche aux lèvres sensuelles et sa silhouette pulpeuse, elle était superbe, songea-t-il, admiratif. Tel un papillon sortant de sa chrysalide, l'adolescente mal à l'aise et trop maigre s'était transformée en une créature de rêve, incroyablement sexy. Il avait du mal à en croire ses yeux, pourtant rompus aux charmes féminins...

Il nota dans son regard émeraude une lueur presque craintive. Elle redoutait certainement cette entrevue, et elle avait bien raison, ajouta-t-il en son for intérieur. Son attitude envers son père l'avait infiniment choqué, et il ne se priverait pas pour le lui dire s'il le fallait.

— Désolé de vous avoir fait attendre, Julia, reprit-il de sa voix de basse. Ma secrétaire a dû s'absenter à la dernière minute et n'a pas pu vous recevoir, précisa-t-il en lui tendant la main.

Sa poignée de main était ferme, virile comme le personnage, songea Julia, et sa paume étrangement chaude contre la sienne.

— Je vous en prie, répondit-elle sur le ton de la conversation mondaine.

Il lui fit signe de s'asseoir et la guida vers le canapé en posant un instant ses doigts sur son épaule. Puis, toujours debout, il se mit à l'observer comme pour l'évaluer. Les choses sérieuses allaient commencer, se dit Julia en tentant de dissimuler sa nervosité.

— Notre dernière rencontre date d'il y a bien longtemps,

fit-il observer comme s'il se parlait à lui-même. Sept ans, huit ans ? C'était le jour de vos fiançailles, il me semble.

— En effet, fit-elle sèchement. J'avais dix-sept ans.

Pourquoi lui rappelait-il cet épisode qu'elle souhaitait ardemment oublier ? Pour la déstabiliser ? Elle ne lui ferait pas ce plaisir.

Elle fixa sans faiblir ses yeux noirs qui lui parurent désagréablement menaçants, et se remémora leur dernière conversation téléphonique, quelques jours après les funérailles de son père.

Il lui avait annoncé avec une certaine fierté qu'il était l'exécuteur testamentaire de Carlos Diez, en précisant que six semaines avant sa mort, ce dernier avait ajouté à son testament un codicille concernant Julia. Celui-ci stipulait que si la jeune fille faisait le déplacement jusqu'au Chili dans un délai de six mois après son décès, elle aurait sa part d'héritage.

Sur le coup, Julia avait platement refusé de prendre l'avion pour Santiago, décidée à ne rien accepter de ce père absent. Mais quelques semaines plus tard, les problèmes de santé de sa mère avaient modifié les données. Son médecin lui avait parlé d'un nouveau traitement américain distribué sous le manteau en Angleterre à des prix prohibitifs. Ce traitement avait déjà fait ses preuves et devait être commencé rapidement.

Julia n'avait pas hésité : elle irait au Chili pour sa mère… sans lui expliquer bien sûr les raisons de son déplacement.

Car Liz ignorait que leur capacité d'emprunt était désormais dépassée. En effet, devant le succès rencontré par leur boulangerie, mère et fille avaient décidé de monter une activité de traiteur et contracté un prêt important pour installer de nouveaux ateliers. Le banquier n'avait rien voulu entendre quand Julia était allée lui demander une extension de crédit : il souhaitait d'abord s'assurer que cette nouvelle activité serait rentable.

Mais le traitement, lui, ne pouvait pas attendre… Aussi

Julia avait-elle décidé de partir, sans préciser à sa mère que l'héritage de son père était désormais le seul moyen qu'elles avaient de payer les frais médicaux. La mort dans l'âme, elle avait rappelé Randolfo qui lui avait aussitôt fait parvenir un billet d'avion.

— J'ai été désolé d'apprendre la rupture si soudaine de vos fiançailles, dit Randolfo, la tirant de ses pensées. En fait, c'est en arrivant chez Carlos la veille de votre mariage que j'ai appris que tout était annulé. A sa grande déception, d'ailleurs... Il m'a expliqué que vous vous trouviez trop jeune et que vous vouliez profiter un peu de la vie avant de vous fixer.

Ainsi, c'est le bruit que colportait son père, alors que cette rupture avait été pour elle un véritable drame, songea Julia avec amertume. Elle croisa le regard de Randolfo et, l'espace d'un instant, crut y déceler une lueur d'émotion. Compassion ou blâme ? Elle n'aurait su le dire. Connaissait-il la vérité à propos de ces fiançailles si brusquement interrompues ? Elle n'en avait pas la moindre idée...

— J'avais mes raisons, indiqua-t-elle d'une voix monocorde.

Elle s'arrêta là. Ce n'était pas à elle de dévoiler la vérité à Rand s'il l'ignorait, songea-t-elle. Si son père avait choisi de faire courir le bruit qu'elle avait rompu pour profiter de la vie, faisant d'elle une jeune fille aussi insensible que futile, qu'il en soit ainsi. Même si la réalité était tout autre, et infiniment plus sordide...

Trois jours avant son mariage, alors que toute la maisonnée faisait la sieste, Julia avait décidé de sortir faire un tour malgré la chaleur. L'approche de la cérémonie la rendait de plus en plus nerveuse, et elle se savait incapable de dormir.

Sur un coup de tête, elle avait décidé de rendre une visite surprise à Enrique dont le ranch familial n'était séparé de celui de son père que par le lit d'une rivière. Dédaignant le petit pont de bois qui reliait les deux propriétés, elle avait traversé à gué, sautant de pierre en pierre avant d'arriver à un petit bosquet de peupliers.

Jamais de toute son existence elle n'oublierait ce qu'elle avait aperçu là…

Enrique était allongé aux côtés de Maria qu'il tenait tendrement enlacée. Leurs vêtements étaient éparpillés autour d'eux, et ils étaient complètement nus. A leurs visages enfiévrés, à leurs yeux brillants, elle comprit immédiatement qu'ils venaient de faire l'amour.

Retenant par miracle un cri perçant, elle trouva la force de s'éloigner sans éveiller leur attention et traversa la rivière en sens inverse. Ce n'est qu'une fois sur l'autre rive qu'elle tomba à genoux sur le sol, incapable de retenir ses sanglots.

C'est là que Maria la trouva et devina aussitôt ce qui s'était passé.

— Tu nous as vus ? demanda-t-elle.

Julia n'eut même pas à répondre. Alors, avec un aplomb mêlé d'une incroyable insensibilité, Maria lui révéla la vérité. Elle était la petite amie d'Enrique depuis l'âge de quatorze ans. Sa mère, désapprouvant cette liaison, l'avait envoyée vivre chez une tante à Santiago, où elle avait rencontré Rand dans un bar où elle se produisait.

— Personne à part ma mère n'est au courant de ma liaison avec Enrique, indiqua Maria d'une voix dure, et il n'est pas question que tu ébruites la chose. Je ne veux surtout pas que ça revienne aux oreilles de Rand. Tu comprends, il finance mes leçons de chant et de piano, et j'ai bien l'intention de devenir sa femme comme il me l'a proposé.

— Comment peux-tu être aussi malhonnête ! s'exclama Julia, horrifiée. Si tu étais logique avec toi-même, c'est Enrique que tu devrais épouser ! Car inutile de te dire qu'après ce que j'ai vu, il n'est plus question de mariage entre nous !

Maria se contenta de sourire en émettant un petit soupir condescendant.

— Ma pauvre Julia, fit-elle observer, comme tu es innocente ! Comment veux-tu que Enrique reste sage alors qu'il ne te voit qu'un mois par an ! Tu sais, les Chiliens ont le sang chaud... Tu croyais peut-être qu'il t'épousait par amour ? Dans ce cas, tu es encore plus naïve que je le pensais ! Ce qui l'intéresse d'abord en toi, c'est que tu hériteras de ton père et que les deux domaines seront ainsi réunis. Ouvre les yeux, ma fille ! Pourquoi penses-tu que ton père a attendu tes quatorze ans pour s'intéresser à toi ? Parce qu'il fallait que tu sois pubère pour devenir une monnaie d'échange, voilà tout... Voilà longtemps qu'il a prévu cette alliance !

Comme la jeune fille, soudain blême, restait muette, Maria asséna le coup fatal.

— Enrique m'aime, et m'épouserait demain si je le lui demandais, mais je n'ai pas la moindre envie de passer le reste de mon existence dans ce ranch perdu, lança-t-elle. Rand est un bien meilleur choix. Avec lui je voyagerai dans le monde entier et ne fréquenterai que les hôtels de luxe !

Satisfaite d'avoir mis sa rivale à terre, Maria lui fit promettre de ne pas souffler mot de sa relation avec Enrique. Trop choquée et révoltée pour protester, Julia donna sa parole.

En fin d'après-midi elle alla trouver son père pour lui annoncer qu'elle ne se mariait plus. Elle avait surpris Enrique en compagnie d'une autre femme, se contenta-t-elle d'expliquer sans révéler l'identité de cette dernière.

A sa surprise horrifiée, son père éclata d'un rire moqueur.

— Mais voyons, mon enfant, une maîtresse ne compte pas, et il y en aura d'autres ! Ce qui importe, c'est que tu portes le nom de Enrique, que tu lui donnes des enfants !

Julia avait essayé de protester, mais en vain. Alors Carlos Diez lui avait avoué la vérité : il était entendu depuis toujours entre lui et le père de Enrique que leurs deux enfants se marieraient pour pouvoir réunir les domaines. Elle était son seul enfant, elle n'avait qu'à s'exécuter, sous peine d'être déshéritée.

Toutes les illusions de Julia s'étaient alors effondrées, et elle avait enfin vu son père pour ce qu'il était réellement : un cœur insensible seulement préoccupé de la pérennité de son domaine.

Longtemps après, elle continuait à s'interroger sur son aveuglement. Elle n'avait rien vu du manège de Enrique et Maria, rien compris des desseins de son père... Comment avait-elle pu être aussi naïve ?

Rand perçut son trouble, qu'il mit sur le compte du sentiment de culpabilité que la jeune fille devait éprouver en sa présence. Trois fois il l'avait appelée, trois fois elle avait refusé de se déplacer pour faire la paix avec son père mourant, alors même qu'il prenait en charge tous les frais de voyage ! Comment ne se serait-elle pas sentie mal à l'aise en se retrouvant face à lui ?

En tout cas, il n'avait aucune raison de ménager une femme aussi insensible.

— Vous savez certainement que Enrique s'est tué dans un accident de voiture quelques mois après votre rupture... dit-il en guettant sa réaction.

— Oui, son père m'a envoyé un mot pour m'annoncer la nouvelle, confirma-t-elle, laconique.

Encore un souvenir douloureux, songea-t-elle en se remémorant le mot cinglant de M. Eiga. En quelques lignes, il l'accusait d'avoir provoqué la mort de son fils. Si Enrique s'était tué en ratant un virage qu'il avait négocié à trop grande vitesse, c'est parce qu'il était déstabilisé par leur rupture. Si tout cela n'avait pas été aussi tragique, elle en aurait presque ri !

Comment pouvait-elle manifester aussi peu d'émotion ? se

demanda Rand en lui jetant un regard courroucé. Elle ne pouvait pas ne pas savoir que Enrique avait une passagère, Maria, sa fiancée, qui avait elle aussi perdu la vie dans l'accident !

— Je présume que ça a été un choc pour vous, même si vous aviez rompu, fit-il observer comme pour la mettre à l'épreuve.

— Oui, répondit-elle d'une voix étranglée.

Une ombre voila son regard émeraude, et Rand regretta son acharnement.

— Je suis désolé de vous avoir rappelé ces moments difficiles, murmura-t-il en lui posant la main sur l'épaule dans un geste instinctif de compassion.

Surprise, elle leva les yeux vers lui. Il était toujours debout et la dominait de sa haute stature, ce qui accentuait encore l'impression de force virile qui émanait de toute sa personne.

Mais elle fut incapable de discerner dans le lac noir de son regard ce qu'il pensait vraiment.

Cherchait-il à se faire pardonner sa brusquerie, ou bien plutôt à l'entraîner vers un terrain où elle baisserait la garde ? Elle était incapable de répondre à cette question, même si à cet instant il lui paraissait soudain beaucoup plus accessible.

— Merci, murmura-t-elle. En effet, je préfère ne pas évoquer cette période.

Il lui adressa un sourire qui accentua encore son charme, et elle se demanda ce qui lui valait tant d'attentions. Après leurs différentes conversations, il devait avoir d'elle une opinion plus que négative.

Alors pourquoi cette étonnante douceur ?

S'était-il marié, avait-il eu des enfants pour l'humaniser quelque peu ?

2.

Quand donc rentrerait-il dans le vif du sujet ? songea Julia agacée. Elle n'avait pas accompli ce long voyage pour évoquer le passé, mais pour parler du présent ! Et surtout pour assurer l'avenir, celui de sa mère en particulier…

— A vrai dire, j'aimerais que nous abordions l'affaire qui nous intéresse, déclara-t-elle d'une voix ferme.

— Excusez-moi, vous n'avez en effet sûrement aucun besoin de compassion ! rétorqua-t-il aussitôt en retirant sa main d'un air faussement gêné. J'avais oublié que vous avez quasiment abandonné Enrique au pied de l'autel… De plus, pourquoi vous préoccuperiez-vous de la mort de votre ex-fiancé voilà déjà huit ans alors que la disparition récente de votre père vous a si peu affectée ? conclut-il, lapidaire.

Julia affronta son regard chargé de mépris et songea qu'effectivement, ce qu'elle avait pris pour de la compassion voilà quelques instants n'était qu'une façon de la provoquer. A l'évidence, il voulait la punir de son attitude avec Carlos.

— Vous ne savez rien de ma relation avec mon père, fit-elle observer sans se démonter. Ou plutôt de mon absence de relation, précisa-t-elle en se levant. Et de toute façon ça ne vous regarde pas…

En effet, il ne devait pas connaître sur elle beaucoup plus de détails qu'elle en avait sur lui, se dit-elle tout à coup.

Pressé de questions sur les liens qui l'unissaient à Randolfo, son père lui avait raconté l'histoire d'Ester. Jeune étudiante, son unique sœur avait milité dans un parti de gauche à l'université. Les menaces de représailles de la dictature militaire l'avaient obligée à quitter le Chili pour trouver refuge en Europe. En Italie, elle avait fait la connaissance d'un veuf, père d'un petit garçon de quatre ans, Randolfo, et l'avait épousé, devenant ainsi la mère adoptive de l'enfant. Elle n'était jamais retournée au Chili, le frère et la sœur ayant des opinions politiques diamétralement opposées qui les avaient définitivement brouillés, et elle n'avait pas eu d'enfant.

A l'époque, Carlos ne semblait pas perturbé outre mesure par cette situation, et si sa sœur n'avait pas donné elle-même signe de vie, il n'aurait probablement jamais repris contact avec elle.

Un beau jour, en proie à une bouffée de nostalgie pour son pays natal, Ester avait chargé son fils adoptif de prendre contact avec son seul parent encore vivant. Rand voyageait souvent en Amérique du Sud pour ses affaires et il devait faire escale au Chili. C'est ainsi qu'il était entré dans la vie de Carlos Diez…

— Vous vous trompez, coupa Rand, la tirant de ses réflexions. En tant qu'exécuteur testamentaire de votre père, vos rapports avec lui me concernent indirectement.

— Je présume que sur ce point vous êtes surtout attentif à défendre les intérêts de votre mère, enchaîna aussitôt Julia.

A sa grande surprise, il lui adressa un sourire détendu.

— J'ai une suggestion à vous faire, déclara-t-il. Je déteste discuter affaires l'estomac vide, et je me propose de vous inviter à déjeuner. Nous parlerons plus tranquillement…

Déjeuner en tête à tête avec lui ? Elle n'en avait aucune envie ! songea Julia. Sa présence la perturbait, et plus vite elle le quitterait, mieux elle se porterait. Mais à cet instant, avait-elle le choix ? Un bref coup d'œil à son expression décidée la convainquit du contraire. De toute façon, elle avait tout intérêt à se montrer conciliante pour que les choses avancent plus vite.

— Si vous voulez, acquiesça-t-elle, soudain docile.

Randolfo posa son regard sur elle et observa avec une lenteur parfaitement assumée ses lèvres pulpeuses, son cou gracile, ses seins que l'on devinait généreux sous sa blouse de soie. Julia Diez irradiait une extrême sensualité dont elle ne semblait même pas chercher à jouer, pensa-t-il tandis que ses yeux glissaient vers la courbe harmonieuse de ses hanches, le galbe élégant de ses jambes. Elle devait avoir des cuisses divines, se dit-il malgré lui. Et faire des étincelles au lit…

A l'évidence, une femme aussi sensuelle devait savoir jouer de ce pouvoir sur les hommes. Un clin d'œil, une moue suggestive, et elle avait tous les mâles à ses pieds, il l'aurait parié. Rien d'étonnant à ce que le pauvre Enrique se soit laissé prendre à son jeu… Et ça, il ne lui pardonnerait jamais !

Au fond, elle ne méritait pas d'hériter le moindre centime de son père, mais il n'avait ni le temps ni l'envie de se battre pour l'en empêcher. Il se contenterait de vérifier qu'elle touche un minimum. Il y avait dans la vie de Carlos Diez des gens autrement plus dignes qu'elle qui, eux, étaient en droit d'obtenir plus.

— Très bien, dit-il. Alors allons-y. Rassurez-vous, vous obtiendrez ce qui vous est dû, mais rien ne presse. Vous ne repartez que dans une semaine, et nous avons donc amplement le temps de mettre tout ça au point.

Il la prit par le coude et l'entraîna d'une main ferme vers la sortie.

— En tout cas je suis heureux de vous voir si en forme, ayant visiblement fait table rase du passé, ajouta-t-il, avec dans son regard sombre une lueur qu'elle fut incapable d'analyser.

Etait-ce un compliment, ou une critique déguisée ? s'interrogea-t-elle.

— Merci, balbutia-t-elle.

Que pouvait-elle dire d'autre ? Elle avait besoin de lui, et n'avait aucun intérêt à rentrer dans ses provocations.

Il nota la perplexité dans son regard et se remémora la jeune adolescente un peu perdue qu'elle était lors de leur première rencontre. Au fond, il n'était pas très étonné qu'elle ait fui d'abord son fiancé, puis son père malade. Elle manquait à l'évidence de maturité huit ans auparavant, et un mariage aurait probablement été une erreur.

Quant à son père, il devait admettre qu'il s'agissait d'une personnalité particulièrement difficile. Si sa mère ne lui avait pas expressément demandé de renouer les liens avec lui, il ne serait pas devenu ami avec Carlos Diez. Mais il ne pouvait pas dire non à Ester, qu'il aimait comme sa mère naturelle...

Quand Enrique s'était tué, il avait refusé de faire porter à Julia la responsabilité de l'accident, comme le faisait M. Eiga. Il s'agissait à son avis d'une banale imprudence au volant, aussi tragique que toutes les autres, plus encore même puisqu'elle avait entraîné la mort de deux jeunes gens. Il avait même éprouvé de la compassion en pensant à la douleur de la jeune femme. Même si elle l'avait quitté, Enrique avait tenu une grande place dans sa vie.

Son opinion sur Julia avait commencé à changer quand il l'avait avertie de la maladie de son père et qu'elle avait refusé de reprendre contact avec lui, comme il le lui suggérait. Peut-être n'était-elle pas aussi naïve et immature qu'il avait bien voulu le croire ? Peut-être était-elle foncièrement égoïste, tout simplement ?

Cette impression n'avait fait que s'accentuer alors que ni son deuxième ni son troisième appel n'avaient eu d'effet sur elle. Son père était mort sans la revoir, et elle n'avait même pas eu la décence de se rendre à ses funérailles. Ce point précis avait eu raison de ses derniers doutes : Julia Diez avait eu un comportement inadmissible, un point c'est tout.

Il lui fit face et darda sur elle un regard inquisiteur.

— La mort de Carlos a dû être un choc pour vous, reprit-il, même si vos rapports s'étaient distendus. On est parfois étonné de ses propres réactions…

Il n'aurait pas pu mieux exprimer ce qu'elle avait ressenti en apprenant sa disparition, songea Julia, surprise. La nuit qui avait suivi ses funérailles, elle n'avait cessé de sangloter, incapable de trouver le sommeil. Tous les bons souvenirs de ses vacances au ranch remontaient soudain à son esprit, et elle avait pleuré la disparition de cet homme qu'elle croyait détester mais qui ne lui en avait pas moins donné la vie. Et qui l'aimait probablement à sa façon… Peut-être l'avait-elle jugé trop durement ? Peut-être n'avait-elle pas suffisamment pris en compte leurs différences culturelles ? Pour lui, l'attachement à la terre primait sur le reste, et elle ne l'avait pas accepté. Carlos Diez était intransigeant, égoïste par certains côtés, mais ce n'était pas un mauvais homme…

— C'est vrai, murmura-t-elle d'une voix étranglée.

Elle releva la tête et croisa le regard de Randolfo. Alors qu'il lui posait la main sur l'avant-bras en un geste de compassion, elle prit soudain conscience de ce corps viril à côté d'elle. Elle pouvait sentir sa chaleur, respirer la senteur épicée de son eau de toilette mêlée à celle de sa peau mâle. Troublée, elle ne put retenir un frisson, tandis qu'une vague de chaleur l'envahissait, durcissant la pointe de ses seins.

— Oui, c'est vrai, répéta-t-elle, choquée par sa propre réaction.

Le trouble de Julia n'avait pas échappé à Rand. Elle était particulièrement charmante, songea-t-il, avec ses yeux brillants, ses lèvres entrouvertes, son émoi presque palpable. Et il ne lui déplaisait pas de constater qu'il avait sur elle un effet évident.

Il avait l'habitude de séduire… Sans forfanterie, il se savait très bel homme, et n'était pas dupe du fait que sa fortune et ses succès professionnels le rendaient encore plus attirant aux yeux de la gent féminine. Et quand il avait entraîné une femme dans son lit, rares étaient celles qui ne louaient pas son expertise sexuelle.

Voilà d'ailleurs trop longtemps qu'attirer une femme dans son lit ne lui était pas arrivé, songea-t-il tout à coup en admirant d'un œil de connaisseur les jambes de Julia. Et il était temps de mettre un terme à cette abstinence : la semaine qui s'annonçait promettait d'être intéressante sur ce point.

— Je dois te dire — nous pouvons nous tutoyer, me semble-t-il — que je n'ai rendu visite que quatre ou cinq fois à ton père ces huit dernières années, déclara-t-il soudain. Et toujours à l'instigation de ma mère. Elle ne voyage plus à présent, mais elle a souhaité retisser les liens avec son frère par mon intermédiaire.

— Elle vit en Italie ?

— Oui, à Rome. J'ai moi-même une villa non loin de Rome, ainsi qu'un appartement à New York, à Santiago et au Japon, où je me rends régulièrement pour affaires. Ah, j'oubliais une maison sur la Gold Coast en Australie, où je prends souvent mes vacances.

— Tu n'es pas franchement à plaindre, fit-elle observer avec une ironie à peine déguisée.

— Non, en effet, mais j'ai travaillé pour en arriver là, et j'assume ma réussite, répondit-il d'une voix ferme.

— Tu es marié ? interrogea-t-elle.

Pourquoi cette question ? se demanda-t-elle, agacée contre elle-même. Peu lui importait qu'il ait épousé Maria, qu'il y ait sur terre une Mme Randolfo Carducci, qu'il ait ou non des enfants !

— Non, je ne suis pas marié, répondit-il.

Julia cacha son étonnement. Elle aurait parié qu'il avait fini par convoler en justes noces avec Maria, qui paraissait si déterminée à se faire épouser tout en le trompant allègrement avec Enrique.

Devant l'immeuble les attendait une limousine noire. Le chauffeur en descendit pour leur ouvrir la portière et bientôt Julia se retrouva assise sur la banquette en cuir aux côtés de Randolfo. Elle se troubla quand il lui effleura la cuisse de la sienne — par accident ou délibérément, elle n'aurait su le dire — et tenta de se concentrer sur le paysage.

— Où allons-nous ? demanda-t-elle. Il me semble que nous quittons la ville…

— Surprise ! répondit-il d'un ton enjoué. Il y en a pour un petit quart d'heure, et tu ne seras pas déçue du voyage. C'est une des meilleures tables de la région. Détends-toi et profite du paysage. Nous avons tout notre temps pour parler de choses sérieuses.

Contre toute attente, Julia se laissa aller comme le lui suggérait Rand. La banquette était délicieusement confortable, la voiture silencieuse, et elle se détendit peu à peu. Au détour d'un virage, elle sentit la cuisse de Rand peser un peu plus fort contre la sienne et une langueur la saisit.

Que lui arrivait-il ? s'interrogea-t-elle, décontenancée. Jamais elle n'avait réagi aussi violemment à la présence d'un homme. D'ailleurs, que savait-elle du sexe dit fort ? Après sa rupture traumatisante avec Enrique, elle avait évité soigneusement toute relation sentimentale, à tel point qu'à vingt-cinq ans, elle était toujours vierge. Jusque-là, elle n'avait jamais ressenti d'attirance pour un homme, mais à cet instant elle se sentait soudain infiniment vulnérable assise à côté de Rand.

Elle lui jeta un coup d'œil à la dérobée et se surprit à imaginer qu'il posait les lèvres sur les siennes, qu'il lui caressait la cuisse, qu'il remontait sa jupe, qu'il…

Elle s'interrompit brusquement, choquée de nourrir de telles pensées à l'égard d'un individu dont elle avait toutes les raisons de se méfier.

Pourtant, comment ne pas admettre qu'il était incroyablement sexy ? Elle avait gardé le souvenir d'un homme sérieux, presque sévère, et elle lui découvrait un sourire ravageur, un charme redoutable.

Brusquement lui revint à la mémoire une scène qu'elle avait oubliée. Elle devait avoir quinze ans. Assise sur la barrière du paddock, elle regardait Enrique monter sa jument préférée quand Rand était arrivé.

— Tu sais ce qui ferait plaisir à Ester ? avait-il lancé en la prenant familièrement par les épaules. Que tu lui écrives un petit mot. A part toi et ton père, elle n'a plus de famille, et je sais combien c'est important pour elle de reprendre contact avec les siens. Tu le feras ?

Il lui avait lancé un sourire si confiant qu'elle s'était sentie fondre.

— Oui, avait-elle murmuré. Je lui écrirai…

— Merci, avait dit Rand en lui ébouriffant les cheveux d'un geste tendre.

Elle avait fermé les yeux, heureuse de sentir son corps puissant contre le sien, puis il l'avait lâchée et s'était éloigné sans ajouter un mot, la laissant étourdie et perplexe.

Effectivement, Julia ne regretta pas le voyage…

Le restaurant était perché sur la falaise et sa grande terrasse offrait une vue splendide sur l'océan.

— C'est magnifique ! s'exclama Julia en embrassant du regard l'immense plage et la côte qui s'étirait sur des kilomètres.

— Heureux que ça te plaise, dit Rand en s'asseyant face à elle à une petite table un peu à l'écart. A présent, nous allons commander une bouteille de champagne pour célébrer ces retrouvailles, puisque tu as fini par venir… Je commençais à désespérer, pour tout te dire.

En réalité, il avait tout d'abord admiré l'intégrité de cette jeune fille intraitable. Sachant son père gravement malade, elle

28

aurait pu tenter de renouer avec lui pour qu'il la couche sur son testament, mais elle n'en avait rien fait. Dans son refus de le voir, le moins que l'on puisse dire est qu'elle faisait preuve d'une certaine cohérence.

Mais Randolfo avait changé d'avis le jour où, contre toute attente, Julia avait fait volte-face et accepté de venir au Chili, alors même qu'elle n'avait pas jugé utile d'assister à l'enterrement. Tout cela dans l'unique but de toucher son héritage...

C'était tout simplement indigne !

Certes, Carlos n'avait peut-être pas été un père parfait, mais il avait tout fait pour reprendre contact avec sa fille adolescente. Il l'avait invitée en vacances, encouragé ses fiançailles avec Enrique, et financé un magnifique et coûteux mariage qu'elle avait tout bonnement annulé sans autre forme de procès. Décidément, entre son épouse qui l'avait quitté au bout d'un an de vie commune en lui enlevant sa fille et Julia qui l'avait délaissé, il n'avait pas eu de chance avec ses femmes...

— J'ai regretté de ne pas pouvoir assister à l'enterrement de mon père, déclara-t-elle tout à coup, mais les problèmes de santé de ma mère m'en ont empêchée.

Que cette explication lui suffise ou pas — car à l'évidence il en attendait une — peu lui importait. Elle n'avait aucunement l'intention de rentrer dans les détails et d'évoquer le cancer de Liz, mot qu'elle avait toujours du mal à prononcer.

La santé de sa mère ? se dit Rand. Et elle croyait qu'il allait mordre à l'hameçon ? Il aurait parié que c'était une fausse excuse, et qu'autre chose l'avait retenue en Angleterre. Un amant, peut-être. Soudain il imagina Julia dans les bras d'un homme et son corps réagit avec une brutalité qui le surprit. Aussitôt il essaya de se maîtriser avec un certain dépit. Cette fille produisait décidément un curieux effet sur lui...

— Ravissante comme tu l'es, tu avais certainement d'excellentes raisons de ne pas vouloir quitter l'Angleterre, fit-il remarquer d'un ton acerbe.

L'arrivée du serveur interrompit leur conversation. Julia refusa le champagne qu'il lui proposait et demanda de l'eau minérale. Elle n'avait aucune envie de donner à ce déjeuner une ambiance de fête, et le ton railleur de Rand lui déplaisait souverainement. De quel droit se permettait-il de faire des remarques sur son physique, de sous-entendre qu'elle avait des amants ?

Elle l'aurait volontiers sèchement rembarré, mais la pensée de Liz la calma aussitôt. Elle devait parvenir à un accord avec Rand, et repartir en Angleterre avec un chèque. Le temps pressait… Elle n'avait aucune idée de la part que son père lui avait réservée dans son testament, mais l'état de ses finances était si mauvais que tout était bon à prendre pour faire patienter son banquier.

Sans lui demander son avis, Rand commanda un plateau de fruits de mer pour deux.

— Tu verras, tout est d'une extrême fraîcheur, expliqua-t-il. C'est toujours ce que je prends ici, tu ne pourras qu'aimer…

— Si tu le dis, c'est certainement vrai…, fit observer Julia avec une ironie à peine déguisée.

Il se redressa sur sa chaise et lança à la jeune femme un regard inquisiteur.

— Il y a huit ans, j'ai été très surpris d'apprendre que tu abandonnais de ton plein gré une existence privilégiée, un fiancé idéal, un père fortuné, pour retrouver en Angleterre un quotidien difficile. Aurais-tu changé d'avis aujourd'hui sur le Chili ? demanda-t-il, guettant sa réponse.

— Non. Je continue à être plus attachée aux personnes qu'aux lieux ou aux biens matériels.

— Pardonne-moi, mais venant d'une fille comme toi, cette réflexion m'étonne…

— Tu ne sais rien de moi, rétorqua-t-elle sèchement, une lueur assassine dans ses yeux verts.

S'il n'avait pas connu sa duplicité, il aurait été convaincu qu'elle était réellement offusquée, pensa-t-il. Elle avait décidément de réels talents de comédienne…

— C'est vrai, reconnut-il à contrecœur, tandis que le serveur apportait les boissons.

La colère avait rosi les joues de Julia, accentuant encore son charme, et ses seins généreux se dessinaient fort agréablement sous son chemisier, nota Rand tandis qu'à son grand désarroi, son corps se réveillait de nouveau.

Il lui tendit son verre et, hasard ou pas, leurs doigts se touchèrent, attisant encore son désir. Julia s'efforça de rester de marbre, mais le trouble la gagnait. Elle n'aurait jamais dû accepter ce tête-à-tête au bord de l'eau, et regrettait infiniment l'environnement impersonnel de son bureau.

— Je sais combien ton temps est précieux, déclara-t-elle d'un ton détaché. Si nous en venions au fait sans plus attendre ? Tu as certainement un après-midi chargé…

Rand posa brusquement son verre sur la table.

— Tu as raison, fit-il. Mais avant toute chose, tu souhaites probablement avoir plus de détails sur les derniers jours de ton père.

— En effet, je ne sais rien de sa vie ces dernières années. Je n'avais pas eu de nouvelles depuis sept ans avant ton premier appel il y a quelques semaines, précisa-t-elle. J'aurais pu avoir un demi-frère ou une demi-sœur, je n'en aurais rien su.

Elle soutint le regard de Rand sans faiblir. Elle n'avait rien à se reprocher, et tenait à le lui faire savoir.

Huit ans auparavant, elle avait péché par naïveté et ignorance en faisant confiance à deux hommes aussi machos et égoïstes l'un que l'autre : son père et Enrique, qui tous deux l'avait manipulée sans qu'elle se doute de rien. Tout comme sa mère qui avait découvert l'infidélité de son mari quelques mois après son mariage, elle avait été flouée. L'histoire s'était cruellement répétée…

Et si Rand continuait à insinuer qu'elle était responsable de la mésentente entre elle et son père, elle finirait par lui expliquer la vérité. Tant pis s'il fallait lui apprendre ce qu'il semblait ignorer et qui avait tout déclenché : la liaison entre Enrique et sa propre fiancée, Maria…

Un instant, elle se rappela qu'il ne l'avait finalement pas épousée : peut-être avait-il rompu lui aussi parce qu'il avait été mis au courant de sa trahison. En tout cas, elle se garderait bien pour l'instant de lui poser la question pour vérifier cette hypothèse.

— Rassure-toi, il n'a pas eu d'autre enfant, expliqua Rand, et ne s'est jamais remarié. Il n'a pas souffert, enchaîna-t-il. Je ne venais pas très souvent, mais par chance j'étais là quand ses problèmes cardiaques se sont déclarés. Trop de cigares, trop d'alcool, trop de femmes, a dit le médecin. Il a été si pessimiste dès le début que j'ai prolongé mon séjour. J'étais à ses côtés quand il est mort, et il est parti paisiblement.

— Je suis heureuse qu'il n'ait pas été seul à cet instant, murmura Julia.

Elle se remémora soudain les moments heureux de son adolescence, quand elle croyait encore à l'amour, à la fidélité, à la profondeur de l'engagement. Quand elle faisait encore confiance à ce père retrouvé si miraculeusement…

— En fait, je le connaissais mal, reprit-elle d'une voix mal assurée. Tu étais certainement beaucoup plus proche de lui.

Dans les yeux noirs de Rand, il lui sembla déceler l'éclat d'une émotion fugitive qui s'évanouit aussitôt.

C'est de la voix ferme et légèrement railleuse qu'elle lui connaissait qu'il reprit la parole.

— Ah, voici notre plateau de fruits de mer ! s'exclamat-il. Mangeons. J'ai un appétit de loup… Et je suis insatiable, tu verras !

Il ponctua ses paroles d'un long regard ambigu qui la déstabilisa. Cherchait-il à donner un double sens à ces paroles apparemment anodines ? Elle préféra ne pas réfléchir à la question…

— Et quand nous aurons terminé, je t'emmènerai au ranch, ajouta-t-il en attaquant une huître.

— Au ranch ? répéta-t-elle.

Sans qu'ils en aient parlé, elle était persuadée qu'il retournerait au bureau dès la dernière bouchée avalée, appelé par ses affaires, et qu'elle serait débarrassée de sa présence. Pourquoi avait-il prévu d'autres plans sans même l'en informer ?

— Ne t'inquiète pas, j'ai tout organisé, expliqua-t-il avec un sourire satisfait. J'ai pensé que puisque tu n'avais pas assisté à l'enterrement, tu souhaiterais au moins voir la tombe de ton père…

Naturellement, elle ne put qu'approuver.

3.

Julia s'installa sur la banquette arrière de la voiture et ferma les yeux. Bien sûr qu'elle souhaitait se rendre sur la tombe de son père ! Pourquoi ne l'avait-elle pas suggéré elle-même, au lieu de laisser Rand le lui proposer ? Elle allait encore aggraver à ses yeux sa réputation de fille indigne... Mieux valait hâter le règlement de ses affaires, avant qu'il soit définitivement devenu son ennemi.

Allait-elle hériter de terres ? De biens immobiliers ? D'actions ? D'une somme d'argent ? Bien sûr, la dernière solution avait sa préférence, car le temps pressait.

Ils avaient une heure de trajet jusqu'au ranch, comme venait de le lui préciser Rand, et elle décida de mettre à profit ce moment pour entrer enfin dans le vif du sujet. En une heure, il aurait amplement le temps de lui expliquer ce qui allait se passer et de combien elle hériterait. Avec un peu de chance, tout serait réglé à leur arrivée à l'hacienda, et après une brève visite sur la tombe de son père elle pourrait même envisager de repartir pour Londres dès le lendemain. Une semaine au Chili, c'était beaucoup trop long !

Prenant son courage à deux mains, elle se retourna vers Rand assis à côté d'elle et lui sourit d'un air engageant. Il lui sourit à son tour, ce qui lui parut de bon augure. Mais il ne lui laissa pas le loisir de parler la première.

— Excuse-moi, Julia, mais j'ai un dossier important à

conclure, déclara-t-il en installant son ordinateur portable sur ses genoux.

— Je t'en prie, dit-elle, pestant intérieurement.

Le moment tant attendu était encore repoussé. Monsieur Randolfo Carducci avait des affaires bien plus cruciales à traiter que son ridicule problème d'héritage, se dit-elle avec un cynisme amer. Sauf que du règlement de ce ridicule problème d'héritage dépendait peut-être la guérison de sa mère…

— Pendant ce temps, je vais regarder le paysage, poursuivit-elle.

Il ne sembla pas remarquer son ton pincé.

— Bonne idée, murmura-t-il d'un air distrait, déjà occupé à pianoter sur son clavier.

Il était si absorbé par son travail que Julia put l'observer tout à loisir. Son profil racé lui rappela certaines statues d'éphèbes qu'elle avait admirées à Athènes, magnifiques avec leur front noble, leurs lèvres bien dessinées, l'arête pleine de fierté de leur nez. Mais ses mains surtout attirèrent son attention. Des mains puissantes et élégantes à la fois, des mains qui devaient merveilleusement caresser, palper, pétrir…

Elle se ressaisit brusquement, chassant les dérangeantes visions érotiques qui l'assaillaient sournoisement, et tenta de se concentrer sur le paysage qui défilait à vive allure.

Elle se rappelait comme si c'était la veille la première fois où elle avait emprunté cette route pour faire la connaissance de son père. Comme il lui semblait loin pourtant ce temps d'insouciance et d'innocence, ce temps où elle accordait sa confiance sans jamais mettre en doute l'honnêteté de l'autre ! Onze années s'étaient écoulées depuis ce premier voyage, et à présent c'est la tombe de Carlos Diez qu'elle allait découvrir…

Une larme se mit à couler discrètement sur sa joue à l'évocation de ce père qui l'avait tant déçue. Son seul véritable attachement avait été pour ses terres, se dit-elle avec une douloureuse amertume. Ni sa mère ni elle-même n'avaient pu rivaliser avec l'hacienda qu'il avait héritée de son propre père et de son grand-père avant lui. Cet amour avait-il suffi à le rendre heureux ? Elle ne pouvait que le souhaiter, malgré le ressentiment qu'elle continuait d'éprouver pour lui après toutes ces années.

Pourtant, c'est peut-être grâce à lui et à cet héritage providentiel qu'elle pourrait faire face au coût du traitement qui sauverait sa mère ! Elle avait désespérément besoin de cet argent, et ne s'était déplacée que pour cette raison. Mais elle avait expliqué à Liz qu'elle acceptait de se rendre au Chili simplement pour s'offrir des vacances gratuites, passant sous silence leurs graves difficultés financières. Sa mère était suffisamment angoissée par sa maladie pour ne pas avoir d'autres soucis en tête...

Rand continuait à taper sur son clavier, apparemment indifférent à tout ce qui n'était pas son travail, et elle se demanda s'il ne retardait pas délibérément le moment où ils parleraient du testament.

Une heure plus tard, elle sut que son impression avait été la bonne...

Ils arrivèrent au ranch en milieu d'après-midi. Sanchez, le directeur de l'hacienda, les attendait devant la maison. Il salua Rand d'une accolade, puis, après un moment d'hésitation, serra longtemps la jeune fille dans ses bras, ce qui émut profondément Julia.

Elle n'avait jamais oublié Sanchez... C'est lui qui lui avait appris à monter, lui qui lui avait fait découvrir les vastes étendues autour de l'hacienda, et elle avait toujours gardé dans son cœur le souvenir de cet homme aussi chaleureux que compétent. Donna, sa femme, avait également tout fait pour mettre à l'aise l'adolescente timide qu'elle était à son premier voyage, et elle fut heureuse de la retrouver.

— Donna ! Quel plaisir de vous revoir ! s'exclama-t-elle en l'embrassant. Mais, vous attendez un bébé ! ajouta-t-elle, stupéfaite.

— Oui, dans deux mois ! s'écria Donna, les larmes aux yeux. Une première grossesse à quarante ans après toutes ces années d'attente, c'est un vrai miracle ! Nous sommes si heureux !

Les deux femmes tombèrent dans les bras l'une de l'autre et s'étreignirent longuement.

Dix minutes plus tard, Julia partageait une coupe de champagne avec Rand dans le grand salon. Il avait tant et si bien insisté pour célébrer ainsi son retour au ranch qu'elle n'avait pas pu se dérober. Comme dans son souvenir, la pièce était magnifiquement décorée avec ses meubles anciens et ses peintures précieuses. Mais elle nota aussi qu'il n'y avait ni photo de famille ni souvenir personnel. Comme si, tout ce temps, son père avait vécu incognito dans cette maison, avec, pour toute compagnie, une profonde solitude.

— Alors, Julia, quelle impression éprouves-tu à te retrouver ici, chez toi en quelque sorte ? lança soudain Rand.

Le ton était narquois, le regard inquisiteur, mais Julia ne se laissa pas intimider. A l'évidence, Randolfo Carducci, habitué à dominer autrui, était certain d'obtenir ce qu'il souhaitait en usant de son autorité ou de son charme. Et il ne manquait ni de l'un ni de l'autre, songea Julia en admirant malgré elle encore une fois ce mélange de virilité et de raffinement qui le rendait si spécial. Mieux valait ne pas avoir à lui tenir tête, car il devait être un adversaire redoutable.

— Je ne me sentirai jamais chez moi ici, précisa-t-elle d'une voix détachée. Et ce n'est pas pour retrouver mes souvenirs d'adolescence que je suis venue.

— Non, bien sûr, c'est pour te rendre sur la tombe de ton père.

La lueur moqueuse que Julia lut dans ses yeux noirs acheva de l'exaspérer.

Elle posa sa coupe sur la table d'un geste brusque et se leva.

— Maintenant ça suffit, Rand ! s'écria-t-elle, poussée à bout.

Elle songea un peu tard qu'elle n'avait aucun intérêt à le provoquer, bien au contraire, et fit un effort pour se calmer. Il était l'exécuteur testamentaire de son père, elle ne devait à aucun prix l'oublier. Qu'elle le veuille ou non, il lui faudrait composer avec lui jusqu'à ce qu'elle obtienne ce qu'elle était venue chercher...

— Je n'ai pas beaucoup de temps ici, comme tu le sais, reprit-elle d'un ton posé. Mon travail m'attend en Angleterre, et je ne peux pas prolonger mon séjour. Aussi aimerais-je que nous discutions sans tarder de l'affaire qui m'amène ici.

Elle se força à lui sourire, en souhaitant encore une fois que leur tête-à-tête soit aussi court que possible. Il produisait sur elle un étrange effet qui la déstabilisait profondément...

Aussi décida-t-elle de se jeter à l'eau.

— Je veux savoir ce que m'a laissé mon père, et si c'est négociable, asséna-t-elle. Et je suis pressée.

Il la dévisagea avec une surprise réprobatrice.

— Où est l'urgence ? rétorqua-t-il, goguenard. Je suis persuadé que tes employés sont capables de gérer la boulangerie en ton absence... C'est une toute petite entreprise, n'est-ce pas ?

Il s'approcha d'elle, avança la main et lui souleva le menton, la forçant à le regarder comme si elle avait été une enfant de douze ans.

— Pourquoi tant de précipitation, Julia ? Nous avons

tellement de temps à rattraper tous les deux ! Aurais-tu peur de moi, par hasard ?

Comment osait-il évoquer son activité professionnelle avec un tel mépris ? songea Julia, suffoquée. Comment osait-il la toucher avec une telle familiarité, comme si elle était à sa disposition ? Il était vraiment d'une insupportable arrogance !

Et puis ils n'avaient rien à rattraper, pour la bonne raison qu'ils n'avaient jamais rien partagé ! A part indirectement Enrique et Maria, mais elle n'avait pas la moindre envie d'aborder ce sujet ô combien pénible...

— Non, je n'ai pas peur de toi, rétorqua-t-elle en s'efforçant de soutenir son regard sans faiblir.

De l'index, il lui effleura alors la lèvre inférieure dans un geste d'une telle sensualité qu'elle se sentit défaillir. Elle prit alors conscience avec horreur que malgré ses dénégations elle avait peur en effet, une peur panique de l'ascendant qu'il était en train de prendre sur elle.

— Si je ne te fais pas peur, je peux continuer, chuchota-t-il d'une voix rauque.

Il s'approcha plus encore et une vague de chaleur envahit la jeune femme. Il glissa la main dans ses cheveux, et de son autre main, l'enlaça par la taille. Julia ne comprenait plus ce qui lui arrivait : la tête lui tournait, il lui semblait que ses jambes ne la portaient plus, mais curieusement elle était incapable de repousser Rand, de mettre un terme à cette délicieuse épreuve.

Il la plaqua contre lui et elle sentit avec un extraordinaire émoi ses cuisses puissantes contre les siennes. Eperdue, elle releva la tête, ses yeux vert émeraude emplis d'une interrogation muette, mais quand il posa ses lèvres sur les siennes elle ne pensa plus à rien qu'aux sensations voluptueuses que ce contact faisait naître en elle. C'était comme si quelque chose à l'intérieur d'elle-même fondait, se délitait, comme si enfin elle se laissait aller, emportée par les flots tumultueux d'un fleuve incontrôlable qui l'entraînait vers des contrées aussi inconnues qu'excitantes.

— J'ai envie de t'embrasser depuis l'instant où j'ai posé les yeux sur toi dans mon bureau, et si tu es honnête avec toi-même, tu dois admettre qu'il en est de même pour toi, murmura Rand.

Elle ouvrit la bouche pour protester dans un dernier réflexe de pudeur et de dignité, mais il l'en empêcha d'un nouveau baiser. Cette fois, sa langue se fit audacieuse, pressante, cherchant la sienne et la trouvant. Tout à coup elle sentit qu'il glissait une cuisse entre les siennes et, sans même comprendre ce qu'elle faisait, elle écarta les jambes pour mieux sentir la délicieuse pression.

C'était comme si elle découvrait tout à coup qu'elle était une femme de chair et de sang… Jamais auparavant elle n'avait éprouvé ces sensations bouleversantes dans les bras d'Enrique. Elle s'était satisfaite de ses baisers, sans chercher à obtenir plus, sans même imaginer ce qui pouvait se passer au-delà de ces baisers.

Rand, au contraire, déchaînait en elle des émotions nouvelles, éveillant d'incroyables fantasmes. Elle répondit à son baiser avec une ardeur égale à la sienne. Plus rien ne comptait que ce corps viril pressé contre le sien, les doigts de Rand remontant dans ses cheveux, son menton un peu râpeux, son souffle tiède, et sa langue qui fouillait sa bouche avec une totale impudeur.

A cet instant, peu lui importait son père, son héritage, et même sa mère. Pour la première fois de sa vie, elle brûlait de faire l'amour avec un homme, et cette force puissante qui se déchaînait en elle la ravissait et l'effrayait tout à la fois.

Sa main glissa jusqu'à sa poitrine et du bout des doigts il lui effleura le sein gauche. Elle sentit son mamelon se durcir, tandis qu'une vague de chaleur l'inondait jusqu'au cœur de son intimité, et elle sut que son corps était désormais prêt à l'accueillir.

C'est précisément cet instant qu'il choisit pour s'éloigner...

Comme à regret, il détacha ses bras qu'elle avait noués autour de ses épaules. Puis il contempla longuement ses beaux yeux verts enfiévrés et écarta de son front une mèche indisciplinée.

— Quand je pense à la petite Julia mal à l'aise et timide, murmura-t-il enfin d'une voix rauque. Qui aurait cru que tu cachais une nature aussi passionnée ?

Elle prit tout à coup conscience avec horreur que s'il n'avait pas mis un terme à leur étreinte, elle aurait sûrement fini par se donner à lui sans se poser la moindre question !

— Je... suis moi-même... surprise, bredouilla-t-elle lamentablement.

Il aurait pu dire la même chose, pensa Rand. Il s'était littéralement jeté sur elle, faisant preuve d'un absolu manque de maîtrise de ses pulsions. Jamais le désir ne s'était abattu sur lui avec tant de violence et cette réaction l'inquiétait. D'ordinaire, c'est lui qui contrôlait les événements, qui restait aux commandes quelle que soit la situation. Cette fois, il s'était laissé emporter sans rien gérer. Il devait absolument se reprendre au lieu de se comporter aussi stupidement qu'un adolescent à son premier flirt...

Il recula d'un pas et jeta un coup d'œil à sa montre, évitant de regarder Julia. Malgré ses bonnes résolutions, il n'était pas sûr de résister à l'envie de la reprendre dans ses bras et de serrer contre lui son corps de rêve...

— A présent, si tu veux bien m'excuser, je vais te laisser, déclara-t-il d'un ton parfaitement détaché. J'ai des choses à voir avec Sanchez. Donna va te montrer ta chambre, et tu pourras te changer.

— Mais… mes vêtements sont restés dans ma chambre d'hôtel à Santiago, protesta Julia.

Un instant, il l'imagina nue sur un lit, offerte, terriblement désirable. Il s'approchait d'elle, enfouissait son visage dans ses longs cheveux et lui caressait les seins tandis qu'elle se cambrait en gémissant de plaisir… Il chassa brusquement cette vision dérangeante de son esprit en se reprochant, encore une fois, son manque de contrôle sur lui-même. Il avait tenu beaucoup d'autres filles ravissantes entre ses bras, alors pourquoi diable celle-là lui faisait-elle un tel effet ?

— Pas de problème, assura-t-il. Ta chambre d'adolescente est restée telle quelle, et le placard n'a pas été vidé. Tu devrais pouvoir remettre tes vêtements d'alors, j'en suis sûr. Même si tu t'es arrondie à certains endroits…, ajouta-t-il sans pouvoir s'empêcher de regarder sa poitrine. Prépare-toi, je reviens te chercher dans une heure. Sanchez sellera les chevaux pour que nous allions sur la tombe de ton père.

Il avait à peine ajouté ces paroles qu'il quittait la pièce, laissant Julia bouche bée, en proie à un flot de sentiments aussi déstabilisants que contradictoires.

Pourquoi s'était-elle laissé embrasser par cet homme pour lequel elle n'éprouvait que méfiance ? Pourquoi lui avait-elle répondu avec une telle ardeur, allant jusqu'à oublier la raison même de sa présence au Chili, la santé de sa mère ?

Et surtout, comment s'était-elle débrouillée pour une fois encore, à ne pas réussir à lui tirer les vers du nez sur le seul sujet qui l'intéressait, son héritage ?

Quand donc daignerait-il lui parler ?

— J'en étais sûr, ça te va comme un gant ! s'exclama Rand en la voyant descendre l'escalier.

En effet, elle n'avait eu aucun mal à enfiler un jean et un

T-shirt, même s'ils la moulaient un peu plus qu'autrefois, quand elle les portait lâches comme le voulait la mode.

En ouvrant le dressing, elle avait ressenti un véritable choc. Ses affaires étaient toutes là, parfaitement rangées comme si elle était partie la veille. Jusqu'à sa robe de mariée qui attendait encore sagement sous sa housse depuis toutes ces années. Son père avait-il tout laissé en l'état dans l'espoir inconscient qu'elle reviendrait un jour ? se demanda-t-elle, profondément troublée. Cette pensée était si dérangeante qu'elle la chassa de son esprit. Elle devait se concentrer sur son unique but, trouver l'argent pour payer les frais médicaux de sa mère. Le reste était sans importance, en tout cas pour l'instant.

Rand la dévisageait avec un regard appréciateur qui la déstabilisa. Il avait troqué son élégant costume d'homme d'affaires pour une chemise en lin noir dont les premiers boutons étaient ouverts, dévoilant la toison brune qui lui recouvrait la poitrine et accentuait son impressionnante virilité. Son pantalon de toile kaki mettait en valeur la finesse de ses hanches et la longueur de ses jambes, et elle songea qu'il avait véritablement un charme dévastateur.

Un charme décidément dangereux… Avec un homme tel que lui, elle devait non seulement rester sur ses gardes, mais ne pas hésiter à contre-attaquer pour lui montrer qu'il n'était pas seul maître à bord comme il semblait malheureusement le croire trop souvent.

— Je suis prête, affirma-t-elle en se plantant devant lui. Pour tout te dire, je préférerais ne pas être de retour trop tard à Santiago.

Elle se dirigea vers la porte et il lui emboîta le pas.

— A tes ordres, enchaîna-t-il avec un sourire ironique qu'elle ne vit pas.

Au bas des marches, Sanchez attendait entre les deux chevaux qui piaffaient. Il ne fallut que quelques secondes à Julia pour reconnaître Polly. Les larmes aux yeux, elle se précipita vers l'animal et lui flatta les naseaux.

— Quelle merveilleuse surprise ! s'écria-t-elle en se retournant vers Sanchez avec un sourire radieux. Polly, ma jument préférée, celle sur laquelle j'ai appris à monter ! Elle est encore là !

— Votre père ne s'en serait séparé pour rien au monde, dit Sanchez. Il disait que si vous reveniez, vous seriez heureuse de la retrouver.

Une soudaine émotion empêcha Julia de répondre.

— Il avait raison, balbutia-t-elle enfin quand elle eut repris le contrôle d'elle-même.

— Je croyais que tu étais pressée, Julia ! intervint alors Rand en montant en selle. On y va ?

Julia l'imita. Au moment où elle allait donner le signal du départ à Polly, Sanchez la retint et lui tendit un bouquet de fleurs des champs.

— Pour votre père, murmura-t-il.

Carlos Diez reposait au sommet d'une colline d'où le regard embrassait toute la propriété. Julia se recueillit longuement devant la simple dalle de marbre, agitée par des sentiments contradictoires. Son père demeurait pour elle une énigme, capable du meilleur comme du pire. Il l'avait accueillie avec chaleur, heureux de lui faire découvrir son fief, de la fiancer avec son voisin, de lui faire aimer ce pays si attachant. Mais, par ailleurs, il l'avait cantonnée au ranch pour lui cacher la vie dissolue qu'il menait à Santiago la moitié de la semaine, où il retrouvait ses maîtresses dans son appartement de célibataire. Et quand elle avait rompu avec Enrique, il ne lui avait pas pardonné d'avoir réduit à néant ses projets de réunion des deux propriétés, et il l'avait bel et bien rejetée… tout en laissant tout en place dans sa chambre comme s'il espérait en secret qu'elle revienne un jour.

Soudain elle regretta amèrement de n'avoir pas eu avec lui un dernier entretien qui, peut-être, lui aurait permis de le comprendre. Mais il était trop tard, songea-t-elle avec tristesse en déposant le bouquet sur la tombe. Elle ne saurait jamais qui avait vraiment été son père.

Elle se releva, décidée à contrôler son émotion devant Rand qui se tenait un peu à l'écart, mais en fut incapable. Les larmes se mirent à couler de plus belle, tandis qu'elle pensait à cette rencontre qui n'aurait jamais lieu.

Bon sang ! Elle pleurait ! constata tout à coup Rand avec stupéfaction. Il détestait les femmes qui pleuraient ! Surtout quand elles avaient les yeux rouges, le nez qui coulait et l'air dévasté parce qu'il venait de leur annoncer qu'il les quittait ! Mais en regardant de plus près, il découvrit que Julia ne pleurait pas du tout comme les autres. Elle était calme, silencieuse, et ses larmes coulaient discrètement sur ses joues. Un intense sentiment de compassion l'étreignit quand il la vit s'essuyer la joue d'un geste malhabile. Elle semblait si fragile tout à coup...

Julia ne le regardait pas. Ses pensées allaient vers son père, bien sûr, mais aussi vers ses grands-parents paternels qui reposaient eux aussi dans le cimetière familial. De la dynastie Diez, il ne restait qu'Ester, établie en Italie, et elle-même, qui s'apprêtait à repartir en Angleterre. Bientôt, selon toute vraisemblance, le ranch serait vendu, et elle se réjouit malgré elle que son père ne soit plus là : il aurait eu le cœur brisé de voir des étrangers s'installer sur ses terres...

Rand s'approcha d'elle et elle releva la tête.

— Je me demande ce qu'il va advenir du ranch, déclara-t-elle tout à coup.

L'élan de compassion qu'il avait eu pour elle s'évanouit

à ses paroles. Julia se montrait de nouveau telle qu'elle était réellement : pragmatique, intéressée, vénale…

— Je ne crois pas que la tombe de ton père soit le meilleur endroit pour évoquer le sujet de sa succession, rétorqua sèchement Rand. Nous discuterons de tout ça plus tard, si tu veux bien…

Il était donc persuadé que seul l'argent comptait pour elle ! se dit la jeune femme, choquée par son ton réprobateur. Il était inutile de tenter de lui expliquer qu'à cet instant, elle songeait avant tout à l'amour que son père avait eu pour le ranch : il ne l'aurait pas crue…

Sans un mot, elle se dirigea vers Polly et sautant en selle, s'éloigna au trot sans même attendre Rand.

Celui-ci la suivit, confus.

— Je suis désolé, Julia, dit-il. Je ne voulais pas être désagréable… Elle se raidit sur son cheval, partagée entre l'envie d'accepter ses excuses et celle de l'envoyer au diable.

— Ce n'est rien, marmonna-t-elle.

Elle lui jeta un regard furtif et admira malgré elle sa tenue en selle. C'était un cavalier chevronné, d'une élégance rare. Il avait une parfaite assise et maîtrisait sa monture de ses cuisses puissantes sans aucune difficulté.

Voilà qu'elle recommençait à fantasmer comme une idiote ! se dit-elle en se redressant brusquement. Que lui arrivait-il ? Jamais auparavant elle ne s'était raconté ce genre de fadaises !

— Détends-toi, conseilla Rand, ou Polly va sentir ta nervosité. Tu n'as pas envie de faire une chute, n'est-ce pas ?

Elle se força à détourner les yeux de cet homme qui décidément, la troublait plus qu'elle ne l'aurait voulu. Elle se sentait soudain affreusement seule, et terriblement vulnérable…

— Pour l'instant, je t'avouerai que je me fiche de tout, murmura-t-elle, cédant au découragement.

— Tu as un passage à vide, ce qui est normal compte tenu

de ton voyage et du décalage horaire, constata Rand tandis qu'ils approchaient de l'hacienda.

Il sauta à terre et tendit les rênes de son cheval à Sanchez qui était sorti les accueillir.

— Tenez, je vous le confie, dit-il. Moi, je m'occupe de Julia, elle est épuisée.

Il s'approcha de la jeune femme et la prit par la taille pour l'aider à descendre de sa monture. Elle faillit le repousser ostensiblement, mais jugea inutile de provoquer un esclandre.

Quand elle fut à terre, il la tint contre lui plus qu'il n'était nécessaire et elle respira le parfum de sa peau virile mêlé à celui de son eau de toilette. Il était si proche d'elle que son souffle lui caressait la tempe. La tête lui tourna et elle s'accrocha à son bras comme si elle craignait de tomber. Alors il resserra son étreinte, accentuant encore son trouble.

Il la guida vers la maison en gardant une main sur sa taille, et ces quelques secondes permirent à la jeune femme de reprendre le contrôle d'elle-même.

— Va te reposer, ordonna Rand.

Le ton directif qu'il avait employé l'exaspéra : elle se retourna et darda vers lui un regard courroucé.

— Non, je n'ai pas du tout sommeil, rétorqua-t-elle, poussée à bout. Je suis venue au Chili dans le seul but de connaître la teneur du codicille que mon père a ajouté en ma faveur sur son testament, au cas où tu ne l'aurais pas compris. Tu t'ingénies à éviter le sujet depuis le début de la journée, mais ton petit jeu ne m'amuse plus. Je n'attendrai pas une minute de plus. Venons-en au fait, tout de suite…

4.

Elle n'avait pas l'air de plaisanter, songea Rand en retenant un sourire à la fois méfiant et amusé.

— A tes ordres, dit-il en ouvrant grand la porte du bureau. Installons-nous ici pour discuter.

Il s'effaça galamment pour la laisser passer. Sans le vouloir, elle lui effleura la cuisse de ses hanches et ne put retenir un frisson. Voilà qui commençait mal, se dit-elle. Elle devait absolument rester concentrée sur le sujet qui l'intéressait, au lieu de réagir aussi stupidement à un bref contact épidermique !

Rand contourna la grande table et s'assit sans hésiter dans le fauteuil qui avait appartenu à Carlos Diez. Comme s'il était déjà le maître des lieux, songea Julia avec animosité.

Elle prit place en face de lui et soudain le passé remonta à sa mémoire. Elle se souvenait comme si c'était hier de la dernière et terrible fois où elle s'était trouvée face à son père dans cette même pièce. Elle revoyait son regard furieux, son visage rouge de colère tandis qu'il lui expliquait que si elle persistait à vouloir rompre ses fiançailles avec Enrique, il la chasserait à jamais.

— Je me demandais combien de temps tu réussirais à patienter, fit observer Rand en se rencognant dans son siège.

Il jeta un coup d'œil à sa montre.

— Tu as tenu six heures, calcula-t-il. Tu m'impressionnes, tu sais...

— Tu m'en vois ravie, rétorqua-t-elle, ironique. En effet, je suis pressée. Si nous arrêtions de tourner autour du pot, Rand ?

Il fixa sur elle un regard sans indulgence et sortit un dossier d'un tiroir. Après l'avoir ouvert, il prit une feuille qu'il tendit à Julia.

— Le testament de ton père, annonça-t-il, rédigé il y a sept ans, quand il ne voulait plus entendre parler de toi. Si tu prends la peine de le lire, tu constateras que tu n'y es même pas mentionnée. Tout va à ma mère, en dehors de quelques legs spécifiques aux employés et aux amis. Et moi, j'hérite du grand tableau dans le hall.

Elle prit le papier sans le regarder, attendant la suite.

— Mais comme tu le sais déjà, reprit Rand, ton père a ajouté plus tard un codicille qui te concerne tout particulièrement.

Il fouilla dans le dossier et en tira une autre feuille.

— Lis-le, asséna-t-il. Je peux te certifier qu'il est authentique, car j'étais là quand il a été rédigé.

Cette fois, Julia ne se fit pas prier et, le cœur battant, se plongea dans la lecture du texte dont, peut-être, l'avenir de sa mère dépendait.

La volonté de son père était clairement exprimée.

A la condition, d'une part que dans un délai de six mois maximum après sa mort, sa fille Julia revienne au Chili pour épouser Randolfo Carducci, et d'autre part qu'elle reste ensuite à ses côtés dans le pays au minimum un an, elle héritait de la moitié des biens de son père, l'autre moitié allant à Ester. Si ces conditions n'étaient pas respectées, Ester serait la seule et unique héritière.

Julia acheva sa lecture, le souffle coupé. Comment son père avait-il pu manigancer un scénario aussi invraisemblable ? Comment pouvait-il continuer ainsi à tenter de la manipuler, au-delà même de la tombe ? Tout cela était insensé, il devait s'agir d'un cauchemar...

Pâle comme un linge, elle posa le feuillet sur la table.

— Tu étais au courant ? balbutia-t-elle d'une voix à peine audible.

— Oui, il me l'a lu après l'avoir écrit, répondit Rand.

— Et tu l'as laissé faire ? s'écria-t-elle, atterrée. Tu es aussi fou que lui !

— Non, je me suis simplement incliné devant les souhaits d'un vieil homme.

— C'est-à-dire que je t'épouse pour pouvoir prétendre à ma part d'héritage ! C'est absurde, hallucinant !

Il y eut un silence. Julia dardait sur Rand un regard furieux qui ne semblait aucunement le gêner.

— Devenir ma femme est donc une idée si insupportable ? demanda-t-il avec un sourire amusé qui acheva de la révolter.

Carlos avait rédigé ce codicille juste après sa première alerte cardiaque. A ce moment-là, convaincu que son état de santé n'était pas vraiment inquiétant et rassuré par les médecins, Rand l'avait laissé faire, persuadé que, le temps passant, Carlos reviendrait à la raison et réécrirait son testament. Malheureusement les événements s'étaient précipités, et la mort soudaine de Carlos était intervenue sans que le codicille puisse être révisé.

Julia continuait à fixer Rand, et l'espace d'un instant elle songea malgré elle que l'épouser devait comporter de nombreux avantages, le moindre n'étant pas de l'avoir pour compagnon toutes les nuits... Par bonheur, elle se ressaisit rapidement.

— Il n'en est bien sûr pas question, répondit-elle à la hâte. De toute façon j'ai des engagements en Angleterre et je dois rentrer au plus vite.

— Tiens, tiens, fit-il en levant un sourcil. Un fiancé, peut-être ?

— Non, pas de fiancé, répondit-elle spontanément avec

une franchise qu'elle regretta aussitôt. Mais j'ai mon travail, et ma mère dont je dois m'occuper. C'est impossible !

Rand n'avait bien sûr jamais envisagé de réaliser le souhait de Carlos et d'épouser sa fille, mais Julia semblait si scandalisée qu'il eut envie de la provoquer encore un peu.

— Impossible ? Rien n'est jamais impossible quand on le souhaite vraiment, fit-il observer de sa voix grave aux accents sensuels.

Il se leva du fauteuil, fit le tour du bureau et, toujours debout, s'appuya contre le plateau, face à Julia. Elle recula aussitôt pour éviter le moindre contact entre eux et lui lança un regard furieux.

— Peut-être pas pour l'être exceptionnel que tu es, asséna-t-elle d'un ton railleur, mais pour moi, misérable créature, si !

Il ne put retenir un sourire et elle se leva brusquement, hors d'elle.

— Et en plus, tu trouves ça drôle ! fulmina-t-elle.

— Calme-toi, dit Rand en l'attrapant par les poignets. Je pense comme toi que cette histoire est ridicule, et je n'ai pas plus envie d'avoir une femme que toi un mari...

Il ne la lâchait pas. Julia sentait sur sa peau la chaleur de ses paumes, leurs visages étaient tout proches. Un instant, elle songea aux lèvres possessives de Rand sur les siennes, à sa bouche insatiable, à l'ardeur du baiser qu'ils avaient échangé, et elle mobilisa toutes ses forces pour qu'il ne perçoive pas son trouble. Elle ne voulait rien avoir à faire avec cet homme là, ni de près ni de loin, et elle était décidée à le lui faire comprendre !

— Mais pourquoi diable as-tu accepté de cautionner ce plan aberrant ? demanda-t-elle en lui lançant un regard chargé d'incompréhension.

— Tu le croiras ou non, par altruisme. Ton père était si heureux de son idée que je n'ai pas voulu la mettre à mal. Et surtout, je ne croyais pas sa fin si proche : je te rappelle que les médecins étaient rassurants à ce moment-là. Je pensais que tu viendrais le voir, que vous feriez la paix et qu'il trouverait un autre arrangement pour te léguer ses biens. Jamais je n'aurais imaginé que tu ne prennes même pas la peine de rendre visite à ton père alors qu'il était malade.

La critique était implicite, mais Julia l'ignora. Peu lui importait ce qu'il pensait d'elle, se dit-elle, furieuse. Son seul souci à présent était de toucher suffisamment d'argent pour payer les frais médicaux de sa mère sans avoir à respecter cette stupide clause de mariage. Et la partie n'était pas gagnée...

— Alors on fait quoi maintenant ? lança-t-elle avec une agressivité redoublée.

Il eut une moue rassurante qui la fit bouillir intérieurement.

— Ne t'en fais pas, je trouverai une solution, affirma-t-il posément comme s'il parlait à une enfant de cinq ans.

— Une solution ? reprit-elle d'un ton railleur. J'imagine déjà de quel ordre ! Ta mère hérite de tout et je me retrouve sans un sou ! Et bien sache que je ne marche pas !

Un éclat de colère s'alluma dans les yeux noirs de Rand et il resserra son étreinte sur les poignets de la jeune femme.

— Tu te trompes, Julia, je n'ai nullement l'intention de te spolier, asséna-t-il d'une voix dure. En tant qu'exécuteur testamentaire de ton père, je ferai en sorte de trouver un arrangement qui nous conviendra à tous les deux.

Il semblait si sérieux qu'elle se prit tout à coup à espérer.

— Tu crois que tu y arriveras ? demanda-t-elle, soudain calmée.

Il lui lâcha les poignets puis posa les mains sur ses épaules et la dévisagea longuement.

— Pour commencer, je suggère que nous fassions la paix. Par respect pour la mémoire de ton père, essayons d'être amis. Au moins pour la semaine que tu as prévu de passer au Chili.

Il vit son joli visage se rembrunir, puis elle se détendit. Une semaine, c'était déjà mieux qu'une année, pensait-elle.

— On peut essayer, admit-elle à contrecœur. Mais pour en revenir à ce codicille insensé, je ne vois pas comment mon père a pu envisager que tu allais rester ici un an, alors que tu es si occupé par tes affaires !

Rand eut un petit rire cynique.

— Pour tout te dire, je doute que ton père ait pensé ni à toi ni à moi dans cette histoire. Quand il avait une idée en tête, rien ni personne ne pouvait l'arrêter. Son intérêt primait toujours sur celui des autres, malgré tout le respect que je lui dois.

Il la prit familièrement par le bras et l'entraîna vers le canapé de cuir sable situé dans un coin de la grande pièce.

— Assieds-toi, dit-il. Je vais demander à Donna de nous apporter du café et nous discuterons tranquillement.

Quelques minutes plus tard, Julia dégustait son café en se demandant avec angoisse comment ils allaient résoudre cette situation apparemment inextricable, tandis que Rand, sourire aux lèvres, semblait parfaitement à son aise comme s'il cherchait délibérément à la pousser hors de ses gonds. Comment ne comprenait-il pas l'importance que cet enjeu avait pour elle ? se demanda-t-elle, irritée.

— Venons-en au fait. Que suggères-tu ? lança-t-elle enfin d'une voix tendue.

Il posa sa tasse et se mit à réfléchir.

— Avant toute chose, laisse-moi te donner quelques éléments. Le ranch vaut environ un million de livres, ce qui n'est pas une fortune. Le domaine est trop petit pour être vraiment rentable : les bénéfices suffisent juste à payer les employés et à renouveler le matériel. Ainsi bien sûr qu'à assurer l'existence du propriétaire, dans des conditions agréables mais pas luxueuses pour autant. Je ne sais pas ce que tu envisages pour l'avenir, Julia, mais si tu acceptes de rester un an comme l'exige ton père, je suis prêt à t'épouser.

A peine avait-il prononcé ces paroles qu'il les regretta amèrement. Ce n'est pas du tout ce qu'il avait prévu de dire… Pourquoi sa langue avait-elle fourché ainsi ?

Julia le dévisageait, stupéfaite. Epouser Rand ? C'était de la folie, même s'il était l'homme le plus séduisant qu'elle ait jamais vu de sa vie, même s'il embrassait comme un dieu !

— Si je ne te faisais pas cette proposition, tu penserais aussitôt que je souhaite récupérer la totalité de l'héritage pour ma mère ! expliqua-t-il alors en s'efforçant d'adopter un ton dégagé. Je ne peux pas être plus fair-play, avoue-le !

Elle le dévisageait toujours avec des yeux ronds, incapable d'ouvrir la bouche.

— Mais je suis certain que nous ne serons pas obligés d'en arriver là pour conclure un marché équitable, reprit-il d'une voix posée.

Un marché avec Rand, ce négociateur-né ? Elle n'était pas de taille à l'affronter sans se faire flouer…, pensa aussitôt Julia. Il devait être d'une habileté diabolique dans ce genre d'exercice…

— Je vais être on ne peut plus claire, déclara-t-elle tout à coup. Je ne veux pas le ranch, je ne veux pas rester au Chili. Je veux juste de l'argent.

Les traits de Rand se durcirent. Elle était donc aussi vénale qu'il l'avait pensé…

— Combien ? demanda-t-il, aussi direct qu'elle.

Après quelques secondes de réflexion, elle énonça un montant qui lui permettrait vraisemblablement de couvrir les frais médicaux de sa mère dans leur totalité.

La somme était modeste et Rand dissimula sa surprise. Julia se montrait étonnamment peu gourmande…

— Par an, ou par mois ? rétorqua-t-il cependant d'un ton suspicieux.

Julia lui lança un regard décontenancé.

— Non, en un seul versement, précisa-t-elle. Et après je te promets que tu n'entendras plus jamais parler de moi.

La surprise de Rand se mua en stupéfaction. Comment pouvait-elle se satisfaire d'une somme aussi ridicule ? Une somme qu'il dépensait chaque année rien que pour l'entretien de ses voitures ?

— Tu n'es pas sérieuse ! lança-t-il.

Se méprenant sur sa réaction, elle baissa les yeux et se troubla.

— S'il le faut, j'accepterai un tiers en moins, bafouilla-t-elle en calculant rapidement que si l'activité traiteur de son entreprise démarrait vraiment, elle pourrait bientôt compter sur un revenu additionnel.

— Un tiers en moins ? Mais tu plaisantes ! s'exclama Rand, ahuri.

Cette fois, elle perdit complètement son sang-froid. Elle avait absolument besoin de cet argent rapidement, et préférait trouver un accord même mauvais plutôt que se lancer dans d'interminables discussions.

— Alors la moitié, dit-elle d'une voix sourde. Mais tout de suite…

Rand resta sans voix. Pour quelqu'un d'obsédé par l'argent, elle se contentait vraiment de peu. Pourquoi était-elle si pressée ? se demanda-t-il en observant avec perplexité son regard aux abois.

— Je n'ai pas l'intention de marchander avec toi, répondit-il après un silence, et je suis prêt à te donner la somme que tu as proposée d'emblée. Sans attendre…

Il était en effet aussi désireux qu'elle de régler la succession de Carlos au plus vite, car il avait découvert dans les papiers du défunt un élément nouveau qui le poussait à accélérer les événements. Un élément inattendu dont il n'avait pas l'intention d'informer Julia, tout au moins pas tout de suite. Son seul souci était donc de solder ce dossier complexe aussi rapidement que possible, pour pouvoir se consacrer de nouveau entièrement à ses propres affaires.

Un sourire de soulagement détendit les traits de Julia.

— Tu es sûr ? demanda-t-elle, une lueur d'espoir dans ses magnifiques yeux verts.

— Certain. Je vais rédiger ce chèque de ce pas... à quelques petites conditions près. D'abord, je souhaite que tu résides ici plutôt qu'à l'hôtel pendant ton séjour au Chili, ne serait-ce que pour respecter le souhait de ton père qui tenait tant à ce que tu habites cette maison. Je suggère que tu y restes une semaine, car c'est le temps qu'il nous faudra pour finaliser la transaction avec le notaire.

— Mais, mes vêtements, mes bagages ?

— Je vais les faire chercher immédiatement à ton hôtel, expliqua Rand.

Elle réfléchit un instant. Il semblait contrôler parfaitement la situation. Allait-il lui demander d'autres concessions, sachant qu'il était en position de force ?

— Y a-t-il une autre condition ? demanda-t-elle enfin avec une appréhension à peine dissimulée.

— Oui.

Il fit une pause et l'observa longuement, prenant le temps de détailler ses traits gracieux, sa bouche aux lèvres pulpeuses, le grain transparent de sa peau, tandis qu'elle attendait sa réponse avec anxiété.

— Il y en a une autre en effet, reprit-il. Si tu changes d'avis dans les jours qui viennent et que tu souhaites rester au Chili, j'accepte de conclure avec toi un mariage de convenance, étant entendu que nous divorcerons à la fin de l'année. Tu hériteras donc de la moitié de la propriété familiale, et j'aurai un droit de préemption si tu veux revendre ta part.

Il lui posa la main sur le bras pour ponctuer ses paroles, et la jeune femme esquissa un sourire crispé. Pourquoi le simple contact de la paume de Rand sur son avant-bras avait-il sur elle un tel pouvoir déstabilisateur ? pensa-t-elle, troublée.

— Il n'y a pas de danger que ça arrive, balbutia-t-elle en affectant un air détaché.

— Très bien, fit Rand avec un petit rire ironique. J'avais espéré que ma présence te retiendrait ici… Mon ego en prend un coup, mais tant pis ! Dans ce cas, c'est moi qui t'amènerai à l'aéroport la semaine prochaine quand tu partiras pour l'Angleterre…

Il retira sa main et recula de quelques pas.

— Une dernière chose, déclara-t-il, soudain sérieux. Qui concerne ma mère.

— Ester ? J'imagine qu'elle sera ravie d'apprendre qu'elle conserve la totalité de la maison de son enfance…, fit observer Julia d'un ton railleur.

— Le problème n'est pas là. Ma mère n'est pas retournée au Chili depuis vingt-cinq ans et s'est complètement détachée de son pays natal.

— Alors où est le problème ? demanda Julia, sourcils froncés.

— Elle voudrait faire ta connaissance, expliqua Rand. Tu es la fille unique de son seul frère, et j'ai pour instruction de te réitérer l'invitation qu'elle t'a faite il y a quelques années de lui rendre visite en Italie.

Il attendait visiblement sa réponse et Julia hésita.

— C'est-à-dire que…, balbutia-t-elle, prise au dépourvu.

— Si tu pouvais lui réserver quelques jours dans ton emploi du temps surchargé, elle serait la plus heureuse des femmes, insista Rand d'un ton persifleur. Mais ce sera sûrement difficile, puisque tu n'as même pas réussi à te libérer pour venir voir ton père malade…

Il l'attaquait délibérément, mais encore une fois Julia décida de l'ignorer. Il pouvait la prendre pour une fille indigne, une femme vénale, elle n'en avait que faire !

— J'essaierai…, se contenta-t-elle de murmurer.

— Oui, je t'en prie, murmura-t-il d'une voix soudain moins assurée.

Il se rapprocha d'elle et il sembla à Julia que son expression s'assombrissait.

— Tu y tiens tant que ça ? interrogea-t-elle, décontenancée.

Brusquement, il lui prit la main et la serra dans la sienne.

— Oui, Julia, j'y tiens beaucoup.

Etait-il donc moins insensible qu'il pouvait le paraître ? songea la jeune femme. Cette femme qu'il appelait sa mère mais qui n'était que la femme de son père comptait-elle donc tant pour lui ? Elle se remémora tout à coup la lettre chaleureuse qu'Ester avait écrite à Liz quand elle n'était encore qu'une toute petite fille, les invitant toutes les deux à séjourner en Italie. Liz avait répondu qu'elle n'avait personnellement aucun désir de garder des liens avec la famille Diez, mais ne voyait pas pour autant d'inconvénient à ce que sa fille rencontre un jour sa tante. Mais le temps avait passé sans qu'Ester et Julia fassent connaissance autrement que par de brèves cartes de vœux, et au fond d'elle-même Julia l'avait toujours regretté. Le moment était peut-être venu de se rapprocher de sa famille paternelle…

Rand tenait toujours la main de Julia dans la sienne… Ils se dévisagèrent en silence, et brusquement la tension entre eux monta d'un cran : une tension qui n'avait plus rien à voir avec le conflit qui les opposait autour de la succession de Carlos, mais bien plutôt avec l'attirance qu'ils éprouvaient l'un pour l'autre sans vouloir l'admettre. Ils étaient condamnés à cohabiter une semaine entière, songea Julia avec effroi… Comment leurs rapports allaient-ils évoluer alors qu'il suffisait d'une étincelle pour allumer en eux le feu qui couvait, comme le prouvait l'ardeur de leur baiser, la violence du désir qui s'était déchaîné en eux lors de leur trop brève étreinte ?

Pourquoi s'était-elle laissé entraîner dans cette affaire ? s'interrogea la jeune femme, en plein désarroi. Elle s'apprêtait à reculer, décidée à rompre le charme étrange qui la liait à Rand, quand il avança la main et lui caressa le bras. Sa paume était délicieusement douce et chaude contre sa peau, si troublante qu'elle aurait voulu qu'il ne s'arrête jamais.

Il s'avança d'un pas et glissa ses doigts dans les cheveux de la jeune femme qui s'immobilisa, soudain paralysée. « Quelle beauté fascinante ! » songea-t-il en fixant son regard vert émeraude, ses lèvres pulpeuses. Les quelques jours qu'il allait passer en sa compagnie promettaient d'être fort intéressants…

— Si nous scellions notre accord d'un baiser ? suggéra-t-il de sa voix de basse aux accents sensuels.

Sa question était de pure forme : à l'évidence il n'attendait pas de réponse car il se pencha aussitôt vers Julia. Le cœur battant, comme hypnotisée, elle lui tendit ses lèvres entrouvertes, incapable de s'affranchir de ce pouvoir sensuel qu'il détenait.

Leurs lèvres se joignirent et la jeune femme s'abandonna au plaisir intense qu'il faisait naître en elle. Un désir violent la saisit, un spasme la parcourut et un gémissement lui échappa. La langue de Rand se fit plus audacieuse, ses lèvres plus pressantes, et son baiser s'accentua, entraînant Julia dans un tourbillon de sensations inconnues. Tremblante d'émotion, elle l'enlaça et se lova contre lui pour mieux sentir son corps musclé contre le sien…

Leur baiser fut si intense qu'il lui sembla durer des heures. Quand Rand la lâcha enfin, Julia tituba et il dut la retenir par la taille pour qu'elle ne s'effondre pas.

— Heureusement que nous ne sommes pas vraiment

cousins, lui chuchota-t-il à l'oreille avec un petit sourire amusé, ou nous aurions quelques problèmes…

— Des problèmes ? répéta-t-elle, trop étourdie encore pour comprendre ce qu'il insinuait.

Sans se départir de son sourire, il lui effleura la joue d'une caresse furtive.

— Tu sais bien ce que je veux dire, expliqua-t-il d'une voix sourde. Il y a entre nous quelque chose d'électrique, une véritable bombe à retardement, et cela depuis le premier moment où nous nous sommes vus…

Elle baissa les yeux, incapable de nier l'évidence.

— Et la bonne nouvelle, c'est que nous avons une semaine devant nous pour explorer le phénomène, ajouta-t-il en dessinant de l'index le contour de ses lèvres gonflées par leur baiser.

Il résista à l'envie de la serrer contre lui pour lui prouver à quel point il la désirait. Inutile de précipiter les événements, pensa-t-il. Sept jours, c'était long, et il avait bien l'intention de les mettre à profit…

Il recula brusquement de quelques pas.

— Réglons d'abord notre accord, déclara-t-il. Je vais chercher mon attaché-case pour te rédiger un chèque.

Un quart d'heure plus tard, assise sur le lit de sa chambre d'adolescente, Julia contemplait le chèque que Rand venait de lui remettre. Son écriture était à la fois élégante et virile, exactement comme lui, pensa-t-elle. Longtemps, elle observa sa signature qui témoignait avec panache de sa personnalité affirmée, de son inébranlable confiance en lui. Puis elle rangea avec précaution le chèque dans son sac, infiniment soulagée d'avoir une telle somme à sa disposition. Désormais, elle savait comment payer le traitement de sa mère…

Cependant, à la satisfaction d'avoir obtenu gain de cause se mêlait une indéniable appréhension. Comment allaient se passer ces quelques jours en compagnie de Rand ? La plupart des filles de son âge auraient sauté de joie à l'idée de partager un temps le quotidien d'un homme aussi séduisant, mais à elle, cette perspective paraissait infiniment inquiétante.

Elle poussa un soupir et se dirigea vers la salle de bains. Une bonne douche avant le dîner lui ferait du bien, songea-t-elle, et elle en profiterait pour se changer… si elle trouvait son bonheur dans le placard où étaient entreposés ses vieux vêtements.

Contre toute attente, elle dénicha tout de suite une robe élégante et simple à la fois qui lui parut parfaite pour l'occasion. L'essayage fut concluant et elle observa avec satisfaction son reflet dans le miroir : le crêpe vert d'eau était assorti à ses yeux, le décolleté flatteur sans être vulgaire, et la longueur au-dessus du genou mettait en valeur ses jambes fuselées.

Cédant à une brusque impulsion, elle lâcha ses cheveux sur ses épaules et rajusta son maquillage, n'hésitant pas à forcer plus que de coutume sur le rouge à lèvres.

Rand l'attendait dans le hall et la lueur d'admiration qu'elle lut dans son regard sombre quand il l'aperçut la bouleversa.

— Tu es magnifique, balbutia-t-il, visiblement impressionné.

— Oh, c'est une vieille robe toute simple ! s'exclama-t-elle en le suivant dans le salon. Une robe que mon père m'avait achetée lors de mon dernier séjour ici…

Il s'apprêtait à leur servir un cocktail et se tourna vers elle avec un sourire amusé.

— Une vieille robe toute simple ? répéta-t-il. Alors je n'ose pas imaginer à quoi tu dois ressembler dans une robe de couturier…

Elle lui sourit. Il s'était changé lui aussi et portait à présent un costume en tissu léger qui soulignait avec élégance sa silhouette d'athlète. Il était plus séduisant que jamais, songea-t-elle, la gorge soudain nouée. Beaucoup trop séduisant…

— Tu n'es qu'un vil flatteur ! lança-t-elle avec un rire un peu nerveux.

— Non, c'est la vérité, protesta-t-il sans cesser de l'observer.

Elle se troubla sous la caresse de son regard, plus déstabilisante encore que s'il l'avait touchée de ses doigts.

— J'ai besoin d'un verre, enchaîna-t-il brusquement. Si nous ouvrions une bouteille de champagne pour célébrer notre accord ?

— Avec plaisir, dit Julia.

Pourquoi refuser en effet ? N'avait-elle pas obtenu ce qu'elle cherchait en venant au Chili ? Mieux valait faire contre mauvaise fortune bon cœur, et cesser de considérer l'exécuteur testamentaire de son père comme un ennemi potentiel…

Sa mère allait pouvoir bénéficier des meilleurs traitements, et cela seul comptait.

Le reste, y compris Randolfo Carducci, était sans importance…

5.

L'apéritif, puis le dîner, se déroulèrent dans une ambiance étonnamment détendue.

Rand se montra aussi charmant que spirituel. Ils se découvrirent de multiples goûts communs en matière de lecture et de théâtre et discutèrent avec passion de leurs romans et de leurs auteurs préférés. A la fin du délicieux repas préparé par Donna, ils retournèrent dans le salon et Julia se pelotonna sur le canapé aux coussins moelleux. Voilà longtemps qu'elle ne s'était pas sentie aussi bien, pensa-t-elle. C'était si merveilleux de ne plus se faire de souci pour sa mère !

— Tu as l'air satisfait d'un chaton repu, fit observer Rand en remplissant deux coupes de champagne.

Il s'approcha d'elle et se pencha pour remettre en place une boucle qui avait glissé sur sa joue.

— Un adorable petit chat…, ajouta-t-il.

Il lui effleura le cou, puis son index s'aventura dans le creux de son décolleté, entre ses deux seins.

La bouche soudain sèche, Julia leva les yeux vers lui et un frisson la parcourut. Il avait enlevé sa veste avant de passer à table et sa chemise de fin coton dessinait avec une affolante précision sa puissante musculature. Il émanait de sa personne une virilité si prégnante qu'elle eut soudain le sentiment d'un danger, un danger délicieusement inquiétant. Que ferait-elle s'il essayait de l'embrasser ? Elle préférait ne pas y penser…

— Tu es si charmante, Julia…, murmura-t-il alors. Et nous avons tant à découvrir ensemble…

Dans un sursaut de lucidité, elle tenta de réagir.

— N'y songe même pas ! lança-t-elle d'une voix qu'elle s'efforça de rendre ferme.

Il recula d'un pas et sembla réfléchir.

— Tu as raison, concéda-t-il, prenons notre temps… Nous ne sommes pas pressés, n'est-ce pas ? Commençons donc par finir ce merveilleux champagne…

Il lui tendit sa coupe et s'assit à côté d'elle. Julia sentit la pression de sa cuisse contre la sienne et son trouble s'accentua.

— J'étais si heureuse de revoir Donna et Sanchez ! s'exclama-t-elle, changeant délibérément de sujet. Pour tout t'avouer, je me demandais comment ils me recevraient…

— Pourquoi ?

— Eh bien, parce que je ne suis pas venue à l'enterrement de mon père…

— Ce n'était pas leur souci principal, précisa Rand. S'ils attendaient ta venue avec autant d'impatience, c'est surtout pour être fixés sur leur sort.

— Que veux-tu dire ?

— Si tu avais refusé l'héritage de ton père, la maison aurait été vendue sans délai et ils auraient dû partir.

Julia posa sa coupe, choquée.

— En tant qu'exécuteur testamentaire, j'espère que tu leur as expliqué que je ne voulais en aucune façon les chasser d'ici ! protesta-t-elle avec vigueur.

— Je ne pouvais rien avancer, car je ne savais pas quelle serait ta réaction, expliqua Rand. Mais ce soir, j'ai pu les rassurer, comme les autres employés. Ils savent qu'ils ne risquent rien dans l'immédiat.

— Mon Dieu ! s'exclama Julia. Jamais je n'aurais imaginé être la cause de tant de soucis ! Pauvre Donna, comme elle a dû s'inquiéter avec ce bébé qui s'annonce !

Comment avait-elle pu être aussi égoïste ? s'interrogea-t-elle, les yeux humides. La santé de sa mère l'avait tellement inquiétée qu'elle en était venue à oublier tout le reste… Pourtant, de sa seule décision dépendait le sort de plusieurs personnes !

— Voyons, Julia, ne prends pas les choses aussi au tragique, intervint Rand.

Elle semblait si désemparée qu'il l'enlaça pour la réconforter.

— Tu n'y es pour rien, lui murmura-t-il à l'oreille d'un ton persuasif. C'est ce codicille qui a tout compliqué, mais tout est réglé à présent, ajouta-t-il du ton apaisant qu'il aurait employé pour calmer un enfant.

Submergée par l'émotion, elle se serra contre lui. Entre la maladie de sa mère et la mort de son père, ces derniers mois avaient été si denses en événements douloureux, le stress si intense qu'elle n'avait pas encore récupéré nerveusement.

Soudain — était-ce l'impression merveilleuse d'être enfin prise en charge, la voix douce de Rand, la chaleur de ses bras puissants autour de sa taille — Julia ne put retenir ses larmes.

— Ne pleure pas, implora alors Rand d'une voix étranglée. Je t'en prie, je ne peux pas le supporter.

Il la prit par le menton et la força à le regarder.

— Tout va bien, Julia, détends-toi maintenant…, chuchota-t-il.

Le cœur battant, elle fixa ses lèvres sensuelles, l'ombre de sa barbe naissante sur sa mâchoire volontaire, l'arête fière de son nez. Il était si beau, si beau ! pensa-t-elle, étourdie. Et il lui semblait si compréhensif tout à coup…

— Je suis désolée, bafouilla-t-elle. Je dois avoir l'air ridicule…

Il accentua la pression de son bras sur sa taille.

— Non, tout simplement terriblement attendrissante,

corrigea-t-il. Et tes larmes me donnent une furieuse envie de te consoler…

Il l'attira à lui et, plaquant ses mains sur ses hanches, la pressa contre son bassin. Bouleversée, elle n'eut alors plus aucun doute sur la violence de son désir.

— De te consoler, et bien plus encore…, ajouta-t-il alors d'une voix rauque qui acheva de l'affoler.

Leurs regards se croisèrent, et chacun lut dans les yeux de l'autre la réponse à la question silencieuse qu'ils se posaient mutuellement : ils étaient prêts l'un pour l'autre, incapables d'attendre plus longtemps…

Rand enlaça la jeune femme d'un geste possessif et s'empara de sa bouche. Une vague de chaleur l'engloutit, et elle répondit à son baiser avec passion, incapable de maîtriser plus longtemps l'envie qu'elle avait de lui.

— Mon Dieu, Julia, tu es un véritable volcan, balbutia-t-il en interrompant leur baiser. Ne restons pas ici, ou je vais finir par te faire l'amour sur le canapé…

Il la saisit dans ses bras aussi facilement qu'il l'aurait fait d'une plume et l'emporta vers son ancienne chambre. Eblouie, Julia se laissa faire, parfaitement consciente de ce qui allait arriver. Jamais elle n'avait été aussi sûre d'elle. Elle était prête, prête à découvrir l'amour dans les bras de Rand. Peu lui importait ce qui se passerait ensuite, ce qu'elle penserait le lendemain matin. Elle voulait être à lui. Tout son corps le réclamait, comme si pendant toutes ces années elle s'était gardée pour lui. Il saurait l'initier aux gestes mystérieux qui feraient d'elle une femme à part entière, elle en était certaine.

Il referma la porte derrière eux et la posa à terre. Puis il la contempla avec une sorte de solennité qui émut la jeune femme aux larmes. Peut-être comprenait-il sans qu'elle ait à lui expliquer à quel point ce moment était important pour elle…

— Tu es sûre ? demanda-t-il d'une voix tout à coup mal

assurée. Parce que si tu me dis oui, je ne pourrai bientôt plus m'arrêter...

Oui, elle était sûre, même si en elle l'émotion le disputait à l'appréhension. Serait-elle à la hauteur ? Ne risquait-elle pas de le décevoir ? Il devait être si expérimenté !

Les yeux brillant d'un éclat incandescent, elle hocha la tête, incapable de prononcer une parole.

Alors, surmontant un dernier réflexe de pudeur pour affirmer qu'elle se donnait à lui en toute conscience, elle prit l'initiative de défaire un à un les boutons de sa chemise et glissa la main sur sa poitrine recouverte d'une toison brune. Puis, de ses doigts d'abord timides, puis plus assurés, elle lui titilla les mamelons, constatant avec ravissement qu'il fermait les yeux et que sa respiration s'accélérait. Jamais elle n'aurait imaginé avoir un tel pouvoir sur lui..., se dit-elle, émerveillée.

— Continue, balbutia-t-il. Caresse-moi encore...

Comme c'était bon de se laisser aller ainsi ! songeait Rand. D'ordinaire, c'était lui qui menait le jeu amoureux, mais cette fois il se délectait de s'abandonner au toucher de magicienne de Julia. Où avait-elle acquis une telle maestria ?

Un moment encore il se laissa faire puis, n'y tenant plus, il l'attira à lui avec violence et plaqua sa bouche sur la sienne. Elle se cambra et il la serra fermement contre sa large poitrine. Il était si viril, si puissant, pensa-t-elle, étourdie.

— Tu es si belle, murmura-t-il alors. Je te veux nue, nue pour moi, rien que pour moi.

Il la déshabilla sans ménagement, incapable d'attendre plus longtemps pour contempler son corps parfait. Robe et soutien-gorge tombèrent bientôt à terre. Vêtue de son seul string en dentelle blanche, Julia céda à un dernier réflexe de pudeur et croisa les bras sur ses seins.

Alors Rand lui prit les deux poignets et les écarta, libérant les globes parfaits de ses seins, dont les mamelons durcis appelaient les caresses.

Longtemps il la regarda, comme s'il voulait d'abord savourer avec les yeux ce qu'il goûterait bientôt de ses lèvres. Puis n'y tenant plus, il se pencha et cueillit chacun de ses mamelons dans sa bouche. D'abord il les caressa de ses lèvres gourmandes, puis les excita de sa langue. La sensation était si exquise que Julia retint un cri. Elle aurait voulu qu'il ne s'arrête jamais... Comment savait-il doser avec tant d'expertise douleur et plaisir ? Elle allait défaillir quand il s'écarta et de ses deux mains, lui empauma les seins comme il l'aurait fait d'un fruit mûr.

— Tu es ensorcelante, Julia, murmura-t-il de sa voix de basse.

Enfin il se dévêtit à son tour sous les yeux fascinés de Julia. Sa virilité était si triomphante, si impressionnante qu'elle sentit son pouls s'accélérer. Il était prêt à la faire sienne et l'espace d'un instant elle eut presque peur... Serait-elle à la hauteur de son désir ?

Mais cet accès de crainte ne dura que quelques secondes. Elle se donnait à Rand en pleine connaissance de cause, en toute confiance, et rien ne pouvait plus arrêter le besoin qu'elle avait d'être à lui.

Il acheva de la dévêtir et l'entraîna vers le lit avant de l'enlacer avec passion. La sensation de son corps nu pressé contre le sien était si bouleversante que Julia sentit son sang bouillonner dans ses veines. Elle inspira profondément pour mieux se pénétrer du parfum enivrant de sa peau virile mêlé à celui de son eau de toilette.

De ses mains possessives Rand la caressait, parcourant sa peau douce comme s'il voulait explorer chaque centimètre de son corps, imprimer sa marque sur la chair tendre de la jeune femme. Puis ses doigts s'aventurèrent jusqu'au cœur même de sa féminité, portant au paroxysme l'émotion de Julia. Elle se cambra, pantelante, pour mieux l'accueillir en elle. Le plaisir était si fort qu'elle n'osait imaginer ce qu'elle ressentirait quand il la pénétrerait enfin.

Leurs jambes se mêlèrent, leurs souffles se confondirent, leurs respirations s'accélérèrent. Incapables désormais de contrôler les forces irrépressibles qui les poussaient l'un vers l'autre, ils s'enlacèrent avec passion.

— Julia, tu me rends fou, murmura Rand d'une voix rauque.

Elle s'accrocha à lui comme un nageur en perdition.

— Viens, supplia-t-elle, maintenant...

Alors, n'y tenant plus, il entra en elle et elle ne put retenir un léger cri de douleur. Il s'immobilisa un instant et elle crut horrifiée qu'il allait se retirer et l'abandonner. Alors elle lui entoura les hanches de ses cuisses pour le garder en elle.

— Viens, répéta-t-elle, viens !

Elle le sentit trembler, lutter un instant contre lui-même, puis s'abandonner au désir qui le submergeait, aussi puissant qu'une lame de fond. Il la pénétra plus profondément, et elle savoura les sensations voluptueuses qu'il déclenchait en elle. Leur danse d'amour s'accéléra et plus rien n'exista bientôt pour Julia que le bonheur de sentir Rand en elle, de l'entendre haleter, de deviner qu'ils allaient bientôt perdre pied. Car d'instinct, elle sentait qu'ils arrivaient au terme de ce merveilleux voyage initiatique dans laquelle il l'entraînait avec une éblouissante maestria.

Enfin ce fut l'explosion finale, et avec elle un maelström de sensations qu'elle n'aurait jamais imaginé. Puis, peu à peu, leurs souffles s'apaisèrent, leurs corps toujours enlacés s'alanguirent, leurs muscles se détendirent...

— Julia, ça va ? interrogea alors Rand d'un ton soucieux.

Encore étourdie par la merveilleuse expérience qu'ils venaient de partager, elle mit un certain temps à pouvoir lui répondre.

— Merveilleusement bien, répondit-elle enfin dans un souffle.

Elle se lova contre lui et lui passa un bras autour de la poitrine. Mais au lieu de l'enlacer à son tour comme elle l'espérait, il la repoussa légèrement, prit appui sur son coude et la dévisagea avec une expression où la contrariété se mêlait à l'incompréhension.

— Pourquoi ne m'as-tu rien dit ? lança-t-il en fronçant les sourcils.

Elle lui sourit avec une parfaite innocence qui acheva de le décontenancer.

— Pourquoi l'aurais-je fait ? répliqua-t-elle. D'abord tu ne m'as rien demandé, et ensuite en quoi est-ce si important ?

— Mais bien sûr que c'est important ! protesta-t-il d'un ton vif. Et puis comment aurais-je pu deviner qu'avec ton corps à faire damner tous les saints du paradis, tu sois encore vierge à vingt-cinq ans ! Tu aurais dû me prévenir !

Cette fois, elle comprit qu'il était réellement contrarié. Pourquoi cette réaction ? se demanda-t-elle, le cœur serré. Ne venaient-ils pas de vivre un instant de bonheur et de partage absolu ? Que demandait-il de plus ?

— Tu es furieux d'avoir été mon premier amant, c'est ça ? interrogea-t-elle d'une voix sourde.

— Je suis furieux parce qu'à l'heure qu'il est, tu es peut-être enceinte ! répliqua-t-il sèchement.

Elle s'assit brusquement sur le lit et tira le drap sur elle pour protéger sa poitrine nue. Rien ne se passait comme elle l'avait envisagé, et la réaction de Rand la blessait terriblement. C'était une véritable douche froide : alors qu'elle s'imaginait naïvement qu'il éprouvait pour elle autre chose qu'une simple attirance physique, lui ne songeait qu'au spectre d'une éventuelle grossesse !

Quel grossier personnage ! Comment avait-elle pu se méprendre à ce point ?

— Je vois, fit-elle avec un cynisme douloureux. Tout est de ma faute, naturellement… Car il est évident que ce n'était pas à toi, un homme si sensé et à l'évidence doué d'une vaste expérience en ce domaine, de te préoccuper d'une éventuelle protection…

Rand resta muet. Pour la première fois de sa vie, une femme avec laquelle il venait de faire l'amour le mettait face à ses responsabilités… D'ordinaire, il n'oubliait jamais de porter un préservatif, ou tout au moins de s'informer de la contraception de sa partenaire, mais avec Julia il avait tout oublié, jusqu'à ces précautions les plus élémentaires.

Elle l'avait tout simplement ensorcelé, lui faisant négliger ses réflexes pourtant bien établis…

Il lui jeta un regard de côté : avec ses cheveux ébouriffés, ses lèvres gonflées, ses yeux brillants, elle était plus resplendissante que jamais. Comme si leurs ébats avaient révélé en elle une sensualité qui ne demandait qu'à s'épanouir et qui irradiait désormais à travers chacun des pores de sa peau.

Et si elle l'avait manipulé, tout simplement ? songea-t-il soudain, décidé à rompre le charme qui le liait à elle et à reprendre le contrôle de la situation. Si sa pseudo innocence n'était qu'une stratégie pour le piéger en se faisant faire un enfant ? Ne disait-on pas : telle mère, telle fille ? Si elle attendait un enfant de lui, elle exigerait et obtiendrait une pension généreuse qui lui permettrait de retourner en Angleterre avec un revenu assuré… Exactement comme l'avait fait sa mère avant elle… Depuis le début, il avait deviné qu'elle était vénale, et il ne s'était pas trompé.

Soudain, une bouffée de rage le saisit.

— Ne joue pas à la sainte nitouche, Julia ! s'exclama-t-il, hors de lui. Je vois clair dans ton manège… Tu as manœuvré habilement dans l'espoir de tomber enceinte, mais j'ai le regret de te dire que je ne suis pas Carlos Diez ! Si tu espères me traîner en justice pour obtenir une pension, je te dis tout de suite que tu perds ton temps ! Si enfant il y a, j'aime autant l'élever moi-même plutôt que te donner un centime !

Julia eut l'impression que le ciel se déchirait, que la terre allait l'engloutir. Tant de violence, tant de haine après ce qu'elle avait pris pour un bonheur partagé ! Comment avait-elle pu se tromper à ce point ? C'est à cet homme abject, qui mettait en cause non seulement son honnêteté, mais celle de sa mère, qu'elle avait offert sa virginité ! Au prix d'un effort terrible, elle parvint à se maîtriser et à ne pas éclater en sanglots. Elle ne lui ferait pas le plaisir de s'effondrer.

— Rassure-toi, parvint-elle à articuler. Je ne suis pas enceinte, je peux te l'assurer.

Sa voix s'étrangla dans sa gorge et elle comprit qu'elle devait prendre congé, sous peine d'éclater en sanglots devant lui.

— Je vais prendre une douche, balbutia-t-elle en se dirigeant vers la salle de bains.

— Je n'ai pas fini, Julia, coupa-t-il avec impatience. Il faut que nous sachions si oui ou non tu es…

Le visage livide, elle se retourna et lui lança un regard chargé d'un terrible mépris.

— Je prends la pilule pour des raisons médicales, asséna-t-elle d'une voix blanche. Alors tu peux dormir tranquille, je n'exigerai rien de toi. Plus rien, jamais… A partir de maintenant, je ne veux plus rien avoir à faire avec toi…

6.

Une fois dans la salle de bains, Julia contempla longuement son reflet dans le grand miroir en pied. Tout lui rappelait Rand et leurs étreintes passionnées : ses cheveux en désordre, ses lèvres gonflées, la trace de ses morsures sur son épaule, de ses doigts sur ses cuisses. Il avait imprimé sa marque sur chaque parcelle de son corps, et ce don qu'elle lui avait accordé si spontanément lui faisait à présent horreur…

Les larmes si longtemps retenues se mirent à couler et elle n'essaya même pas de les contrôler… Le mépris que lui inspirait désormais Rand le disputait à un terrible sentiment de culpabilité devant sa propre naïveté.

Quand, plus jeune, elle rêvait du jour où elle se donnerait à un homme, elle imaginait une scène romantique, la rencontre de deux âmes sensibles, la douceur, la confiance. Avec Rand, elle avait vécu exactement l'inverse : à peine avaient-ils fini de faire l'amour qu'il lui avait manifesté défiance, animosité, froideur. Comment avait-elle pu se méprendre à ce point, imaginer que ses baisers étaient sincères, ses caresses empreintes de tendresse, sa passion véritable ? Avait-elle tout inventé ? Et, bien pire encore, aurait-elle le courage de le repousser si de nouveau il l'enlaçait et lui murmurait qu'elle était la plus séduisante et qu'il ne pouvait lui résister ? Elle n'aurait pu le jurer, car malheureusement le seul souvenir de ses mains expertes sur sa peau, de ses lèvres gourmandes, l'émouvait encore au plus profond d'elle-même...

Jamais elle ne s'était sentie aussi désemparée, partagée entre l'attirance qu'elle continuait à éprouver pour lui et la certitude qu'il se moquait d'elle.

D'un geste rageur, elle essuya ses larmes et ouvrit en grand le robinet de la douche. Puis elle se mit à se savonner avec une sorte d'acharnement, comme si elle voulait effacer toute trace de Rand sur son corps. Curieusement, cela la calma un peu, et c'est l'esprit un peu plus clair qu'elle sortit de la douche. Il était temps de reprendre le contrôle d'elle-même et de mettre les choses en perspective, se dit-elle, décidée à lutter contre le désarroi qui la paralysait.

Certes, elle avait eu la stupidité de s'imaginer que Randolfo Carducci était le prince charmant parce qu'il lui avait fait l'amour en lui susurrant qu'elle était la plus belle... Et alors ? Autant admettre son erreur, et reconnaître que, tout comme lui, elle avait avant tout succombé à l'attirance purement physique qui les avait poussés dans les bras l'un de l'autre. Le reste n'était qu'une construction romanesque digne d'une adolescente de quinze ans à son premier flirt...

Elle prit le temps de se sécher longuement et de se coiffer, et baigna d'eau froide ses yeux gonflés par les larmes. Puis, quand elle se jugea à peu près prête à affronter Rand, elle poussa la porte de la salle de bains en espérant secrètement qu'il aurait quitté la chambre.

Le cœur battant, elle constata avec soulagement que son souhait avait été exaucé : la pièce était vide.

Alors, d'un pas lourd, elle se dirigea vers le lit défait qui avait abrité leurs ébats. Il était tard, elle était épuisée nerveusement et physiquement, il fallait qu'elle dorme.

Le lendemain matin, à la première heure, elle quitterait la propriété et prendrait le premier vol pour l'Angleterre. La seule idée de se retrouver en présence de Rand lui paraissait insupportable… Jamais plus elle ne remettrait les pieds au Chili…

Elle s'allongea et ferma les yeux. L'oreiller gardait l'odeur enivrante de Rand, et son cœur se serra au souvenir des moments merveilleux qu'ils avaient partagés.

Elle chassa au plus vite les images dérangeantes de leurs ébats, refusant de se laisser aller à ce genre d'émotion puérile:

A vingt-cinq ans, elle avait enfin découvert ce qu'était l'amour ! N'était-il pas grand temps ? Tout s'était certes terminé de façon méprisable, mais il n'en restait pas moins que physiquement, la réussite avait été totale…

Randolfo Carducci était non seulement l'homme le plus séduisant qu'elle ait jamais connu, mais il l'avait initiée aux joies du sexe avec une extraordinaire maestria !

Que pouvait-elle demander de plus pour une première fois ?

Julia jeta un coup d'œil par la fenêtre et aperçut Sanchez qui se dirigeait vers les écuries. Il était 7 heures, et pour lui la journée de travail avait déjà commencé.

Elle boutonna sa veste, prit son sac et quitta sa chambre d'adolescente sans un regard derrière elle.

Avant de quitter définitivement l'hacienda et le Chili, il lui restait une chose à faire : prendre congé de Donna.

Comme elle l'espérait, la gouvernante était dans la cuisine, en train de préparer le petit déjeuner.

— Julia ! Déjà debout ! lança-t-elle avec un grand sourire. Je voulais vous apporter le petit déjeuner dans la chambre, mais le *señor* Rand m'a demandé de vous laisser dormir.

— Merci, Donna, mais je prendrai juste une tasse de votre merveilleux café avant de partir.

— Vous nous quittez ? Mais je croyais que vous restiez

toute une semaine avec nous ! s'exclama Donna, déçue. C'est ce que le *señor* Rand m'a dit en tout cas !

— J'ai changé d'avis...

Julia saisit la tasse que lui tendait Donna et s'assit à la grande table de ferme qui trônait au milieu de la cuisine.

— Mais pourquoi ? demanda Donna.

— Je dois rentrer, expliqua Julia. Pour m'occuper de ma mère, qui ne va pas bien. Pourquoi ne venez-vous pas vous asseoir à côté de moi avec une tasse de café, que nous bavardions un peu ? suggéra-t-elle tout à coup.

Donna ne se fit pas prier et prit place face à la jeune femme qu'elle observa d'un regard à la fois triste et affectueux.

— Nous avons tous été très affectés par la mort de votre père, fit-elle observer comme si elle se parlait à elle-même. Nous l'aimions beaucoup. J'appréciais aussi beaucoup votre mère, que j'ai malheureusement peu connue... Elle était si jeune et si belle... J'espère qu'elle n'a rien de grave.

Julia sourit.

— Sa santé s'améliore, expliqua-t-elle. Mais elle a encore besoin de moi, et en plus il y a notre boulangerie à gérer.

En quelques mots, elle mit Donna au courant de leurs affaires, ainsi que de leur dernier projet, le service traiteur.

— Je suis ravie que l'arrangement que nous avons trouvé avec Rand vous permette de continuer à vivre au ranch, conclut-elle. Si j'avais su que votre sort dépendait de ma décision, je serais venue plus vite, croyez-le... Toujours est-il qu'avec l'arrivée prochaine du bébé, c'est parfait que vous puissiez rester. Je suis si heureuse pour vous et pour Sanchez !

Elle se leva pour embrasser Donna, et les deux femmes s'étreignirent longuement.

— Vous me préviendrez de la naissance, n'est-ce pas ? demanda Julia. Je veux absolument savoir...

Elle s'écarta et prit son sac, le visage crispé.

— Maintenant, je vais vous laisser, balbutia-t-elle. Je dois y aller…

— Où ? lança soudain une voix masculine qu'elle ne connaissait que trop.

Elle se retourna brusquement et aperçut Rand. Il était entré dans la cuisine sans que ni elle ni Donna ne s'en aperçoivent. Vêtu d'un short et d'un T-shirt qui révélaient ses formes athlétiques, il lui sembla plus viril que jamais et elle eut du mal à contenir son trouble. Pourtant, dans un instant elle le quitterait pour toujours…

— Tu as couru ? lança-t-elle pour rompre le silence pesant qui s'était instauré dans la pièce.

— Oui, comme tous les jours, confirma-t-il.

D'un revers de la main, il essuya les gouttes de sueur qui perlaient à son front et fronça les sourcils.

— Tu n'as pas répondu à ma question, fit-il observer d'un ton suspicieux sans la quitter des yeux. Où vas-tu dans cette tenue ? Un tailleur et des escarpins, c'est pour le moins inusité au ranch.

Julia lutta pour retrouver le contrôle d'elle-même, mais à son grand désespoir le simple fait de se retrouver face à Rand la bouleversait. Comment oublier que quelques heures auparavant ils étaient les plus passionnés des amants, nus entre les draps froissés par une nuit d'amour échevelée ?

— Je rentre chez moi, expliqua-t-elle, lapidaire. Je vais changer mon vol pour partir dès que possible. Rien ne me retient plus ici puisque nous avons trouvé un accord pour la succession de mon père.

Rand ne la laissa pas poursuivre. Il la saisit familièrement par le poignet et se tourna vers Donna qui avait assisté malgré elle à toute la scène.

— Julia est un peu perturbée en ce moment, lui expliqua-t-il avec un sourire forcé. Mais je suis certain de pouvoir la convaincre de prolonger encore un peu son séjour ! Auriez-vous la gentillesse de nous servir un café dans le bureau ?

Julia hésita à se dégager, mais l'idée de se donner en spectacle devant Donna lui déplaisait fortement. Aussi suivit-elle Rand de mauvaise grâce, avec la ferme intention de mettre les choses au point avec lui une bonne fois pour toutes.

Glissant une main dans son dos, Rand la poussa dans le bureau d'un geste directif et referma la porte derrière eux. Dès qu'ils furent seuls, son sourire se figea.

— Qu'est-ce qui te prend d'essayer de filer ainsi sans même m'en avertir ? lança-t-il aussitôt d'un ton courroucé. Nous avions conclu un accord ! Tu t'étais engagée à rester !

Elle recula d'un pas et se força à soutenir son regard.

— Je sais, et j'ai toujours l'intention de respecter cet accord. Sauf que je ne vois plus aucune raison de passer la semaine ici. On a besoin de moi en Angleterre...

Ce dernier argument ne sembla pas convaincre Rand, bien au contraire.

— On a besoin de toi ici aussi, protesta-t-il avec calme. Tu m'as promis de rester une semaine et tu tiendras cette promesse.

Il plongea son regard dans le sien, et elle comprit à l'étincelle qui s'alluma dans ses yeux sombres qu'il avait toujours envie d'elle. S'il souhaitait qu'elle reste, ce n'était pas pour la forcer à honorer son engagement, mais pour l'avoir dans son lit... Il était coincé au ranch quelques jours encore pour régler les affaires de Carlos Diez, alors pourquoi ne pas joindre l'utile à l'agréable en l'incitant à lui tenir compagnie ? Sept nuits d'amour avec une femme à laquelle il était certain de ne jamais s'attacher, n'était-ce pas tout ce qu'il pouvait souhaiter ? Et peu importait l'image déplorable qu'il avait d'elle, tant qu'elle lui permettait d'assouvir ses pulsions sexuelles. Il n'attendait pas autre chose d'elle...

— Désolée, rétorqua-t-elle sèchement, mais c'est impossible. Je m'en vais. Mais avant de partir, je tiens à rapporter à ma mère un souvenir de mon père …

Elle se dirigea vers une étagère sur laquelle étaient alignées les coupes gagnées par Carlos Diez lorsqu'il jouait au polo, et choisit celle datée de l'année du mariage de ses parents.

— Voilà, je pense que le mieux est que je quitte cette maison à présent, déclara-t-elle en se tournant vers Rand.

Il continuait à la dévisager avec une intensité qui accentua son trouble tandis que l'ombre d'un sourire narquois flottait sur ses lèvres. La situation n'avait pourtant rien de drôle !

— Reste, lança-t-il alors en lui prenant le poignet. Cesse de te mentir à toi-même et admets l'évidence ! Tu n'as pas envie de me quitter ! Je sens ton pouls battre trop vite, je vois tes yeux briller ! Tu as envie de moi autant que j'ai envie de toi, Julia, comment oses-tu le nier ?

Affolée, elle tenta de se dégager, mais en vain.

— C'est faux ! s'écria-t-elle d'une voix étranglée.

Il s'approcha plus encore et elle sentit son souffle lui caresser la joue.

— Oserais-tu prétendre que tu n'as pas aimé ce que nous avons fait cette nuit ? murmura-t-il d'une voix rauque. Aurais-tu oublié quand tu nouais tes jambes autour de moi, quand tu me suppliais de te prendre, quand tu criais ton plaisir ? Moi, je me souviens de tout…

Incapable d'en entendre plus, elle tenta de se dégager d'un mouvement brusque mais ne réussit qu'à faire tomber la coupe.

— Quelle violence, Julia, tu me surprends ! fit observer Rand d'un ton réprobateur. Une vraie tigresse… ce qui au lit, me convient très bien, soit dit en passant, ajouta-t-il d'une voix rauque en se penchant vers elle.

Il l'embrassa et elle ferma les yeux, bouleversée. Il fallait absolument qu'elle trouve le courage de le repousser, songea-t-elle dans un éclair de lucidité. Dans un effort désespéré, elle tenta de se soustraire à son baiser. Mais il l'immobilisa en la saisissant par les avant-bras. Désormais, elle était sa prisonnière et il l'attira à lui avec violence.

Alors sa bouche se plaqua sur celle de Julia, sa langue força le barrage de ses lèvres. Elle se sentit défaillir, tandis qu'une vague de chaleur désormais familière l'envahissait. Pourtant, elle résista encore farouchement, détournant la tête pour se soustraire à ses assauts.

— Non, petite tigresse, tu es à ma merci, lui chuchota-t-il à l'oreille. Laisse-toi aller...

Il la poussa contre le mur, la maintint par les deux bras et plaqua son bassin contre celui de la jeune femme pour qu'elle n'ait plus aucun doute sur la réalité de son désir.

Alors elle le dévisagea de ses grands yeux émeraude étincelant de fureur.

— Lâche-moi, sale brute, ou je crie !

— Quand une femme prévient qu'elle va crier, elle ne le fait jamais, fit observer Rand d'un ton railleur.

Vexée et furieuse tout à la fois, Julia ouvrit la bouche pour protester mais il la fit taire d'un baiser. Il se mit à l'embrasser avec une telle intensité, une telle passion qu'un tremblement la saisit. Elle oublia tout pour ne plus penser qu'au bonheur d'être dans ses bras, de sentir leurs souffles mêlés. Pire encore, elle se mit à répondre à son baiser avec la même ardeur. Dans un éclair de lucidité, elle songea qu'elle était folle et méprisable, que se soumettre à Rand était absurde ; mais c'était si bon de sentir son corps viril pressé contre le sien, de savoir qu'il la désirait, qu'elle chassa au plus vite cette pensée dérangeante de son esprit.

Quelques minutes plus tard, Rand s'écartait d'elle et la dévisageait avec un sourire indulgent.

— Tu vois, ce n'est pas si difficile de te ramener à la raison, fit-il observer. Tu vas rester ici comme promis... Avec moi... Tu en as autant envie que moi...

Pantelante d'émotion après cette étreinte passionnée, Julia n'eut ni l'envie ni la force de protester.

— Tu m'as traitée comme une moins que rien, lui rappela-t-elle cependant d'une voix mal assurée. Tu as prétendu que j'étais seulement intéressée par l'argent !

Il lui prit le visage entre les mains et plongea son regard dans le sien.

— Comment ai-je pu suggérer une chose pareille ? protesta-t-il de sa voix grave aux accents sensuels. Si c'est le cas, je le regrette. Mets ça sur le compte du choc que j'ai ressenti quand j'ai pris conscience que tu étais vierge…

— Pourquoi était-ce un tel choc ? demanda-t-elle, perplexe.

Il la prit par la taille et l'attira à lui d'un geste possessif.

— Eh bien, je dois être un affreux cynique, mais je ne pouvais pas croire que tu te sois donnée à moi sans rien attendre en retour, expliqua-t-il comme s'il se parlait à lui-même.

Une ombre voila soudain son regard et il l'observa avec une acuité redoublée.

— Pourquoi est-ce moi que tu as choisi pour ta première fois, Julia ? interrogea-t-il, avec une soudaine gravité.

En plein désarroi, elle s'éloigna de lui. Il lui posait la seule question à laquelle elle se sentait incapable de répondre.

— Julia ? reprit-il.

Il la rejoignit et elle lui fit face, le visage crispé.

— Le fait de revenir dans la maison de mon père, chargée des souvenirs de mes fiançailles rompues, ou alors trop de champagne, ou bien encore le décalage horaire, proposa-t-elle pour se défausser. Choisis ce que tu veux…

Elle le défia du regard.

— En tout cas, une chose est sûre, c'est que ce n'était pas pour me faire faire un enfant et obtenir une pension, asséna-t-elle, lapidaire.

Un silence s'installa, de plus en plus pesant.

— Donc je me suis trompé hier soir, déclara-t-il, et je m'en excuse. Mais ce n'est pas une raison pour t'enfuir...

— Je ne m'enfuis pas, corrigea-t-elle, décidée cette fois à lui tenir tête, je m'en vais. Nuance.

Rand ne bougea pas. Elle se baissa pour ramasser la coupe puis se releva et rajusta sa jupe.

— Je vais demander à Sanchez de me conduire en ville.

Il restait immobile et Julia s'interrogea. Etait-il plus perturbé qu'il ne voulait l'admettre par ce qui s'était passé entre eux ? Hésitait-il sur la marche à suivre, lui l'homme si déterminé qui ne doutait jamais ?

Elle n'eut pas la réponse à ses questions car Donna entra avec le café après avoir annoncé son arrivée d'un coup discret frappé à la porte.

Alors Rand redevint l'homme sûr de lui qu'elle ne connaissait que trop.

Il s'avança vers la gouvernante et lui prit le plateau des mains.

— Merci, Donna, lança-t-il avec son sourire charmeur. Quelle délicieuse odeur ! Vous êtes décidément la reine du café !

Comment pouvait-il être aussi à l'aise tout à coup, presque mutin, alors qu'ils venaient à peine d'évoquer des sujets si graves ? s'interrogea Julia. Décidément, il n'avait aucun respect pour elle, aucune considération pour ce qu'ils venaient de partager ! Pour lui, il ne s'agissait que de quelques instants de plaisir physique sans la moindre importance.

— Je ne veux pas de café, asséna-t-elle brutalement, définitivement révoltée par son attitude. Je vais chercher Sanchez.

— Si tu pars aujourd'hui, je t'avertis que je ferai opposition au chèque que je viens de te remettre, répliqua-t-il, les traits soudain tendus.

La main sur la poignée de la porte, Julia s'immobilisa, atterrée. Rand allait-il pousser la perversité jusqu'à l'empêcher de toucher son héritage ?

— Tu ferais ça ? lança-t-elle d'une voix sifflante.

— Oui. Je suis un homme d'affaires, et pour moi un contrat est un contrat. Que je couche avec mon partenaire ou pas...

Elle se cabra sous l'insulte.

Sans se l'expliquer lui-même, Rand cherchait à la salir. Il ne parvenait pas à comprendre qui était Julia, et cette situation lui était intolérable... Etait-elle la fille indigne qui, n'ayant même pas pris la peine d'assister aux obsèques de son père, s'était engouffrée dans le premier avion dès qu'elle avait eu vent de l'héritage ? Ou cette créature ensorcelante qui lui avait fait don de sa virginité, sans rien attendre en retour ? Elle était pour lui un mystère, et il détestait être confronté à une énigme impossible à résoudre... Jamais auparavant il ne s'était senti aussi perplexe, et cette expérience nouvelle lui était infiniment désagréable.

Il était donc bien décidé à être particulièrement vigilant avec Julia...

Pour commencer, il aurait dû l'éviter à tout prix, mais elle l'attirait comme aucune femme avant elle, et c'est bien ce qui l'inquiétait. D'ordinaire, c'est lui qui prenait le pouvoir quand il séduisait une femme, pas l'inverse ! Et voilà qu'elle décidait de partir sans même lui demander son avis !

Avec une lenteur délibérée, comme pour bien lui montrer qu'elle ne lui cédait qu'à contrecœur, Julia finit par se retourner.

— Très bien, fit-elle d'un ton sec, dans ces conditions, je reste.

Un sourire de triomphe éclaira le visage de Rand.

— Parfait, enchaîna-t-il. Je savais que tu finirais par te montrer raisonnable... Viens t'asseoir ici, nous pourrons discuter autour d'une tasse de café.

S'il cherchait à l'amadouer, le procédé était grossier, songea Julia en son for intérieur. Elle restait pour une seule et unique raison : elle avait besoin de cet argent, et vite. Sinon, jamais elle n'aurait accepté de lui faire ce plaisir… Mais il n'était pas question pour autant de se montrer coopérative. Autant qu'il le comprenne au plus vite…

— Je n'ai rien à discuter avec toi, précisa-t-elle d'un ton sec. Et puisqu'il est évident que nous ne nous faisons pas confiance, je propose que nous prenions rendez-vous dès que possible à ta banque à Santiago pour effectuer un virement sur mon compte. De cette manière, au moins, tout sera clair.

Elle se redressa et le toisa d'un regard chargé d'une terrible animosité.

— Un dernier point, conclut-elle, glaciale. Le droit de cuissage n'est pas mentionné dans notre contrat, sauf erreur de ma part. En conséquence, sache que si tu oses me toucher, je quitterai immédiatement la maison.

Et sur ces paroles vengeresses elle quitta la pièce, laissant Rand bouche bée…

7.

Le jet puissant de la douche ne parvenait pas à calmer Rand. Pour la première fois de sa vie, il s'était laissé déstabiliser par une femme, et il n'en décolérait pas. Pourquoi Julia avait-elle sur lui un effet si particulier ? Certes, elle l'avait choisi pour être son premier amant — pour des raisons qu'il ne parvenait pas à comprendre — mais son indéniable virginité et son apparente innocence ne retirait rien au fait qu'elle était aussi intrigante qu'intéressée. Et comment oublier qu'elle avait quitté son fiancé Enrique dans des circonstances plus que troubles, provoquant ainsi indirectement la mort de Maria ?

En toute honnêteté, il devait admettre avoir lui aussi joué un rôle bien involontaire dans l'accident tragique qui avait coûté la vie à sa fiancée. Si Maria était venue au ranch ce jour fatal, c'était pour le voir. Mais il avait annulé leur rendez-vous à la dernière minute, et par malheur elle avait accepté l'offre de Enrique de la ramener en ville au volant de son nouveau petit bolide...

Il sortit de sa douche et se frictionna, l'esprit ailleurs. Aurait-il fini par épouser Maria ? Rien n'était moins sûr... Il avait fait la connaissance de la chanteuse débutante peu après son arrivée au Chili, et avait été aussitôt séduit par son charme exotique et sa sensualité facile. Elle le satisfaisait physiquement et le distrayait agréablement par sa gaieté et son allant, mais quand elle avait évoqué un engagement plus sérieux, il avait préféré prendre son temps.

D'une certaine façon, il avait été amoureux d'elle, mais elle ne l'avait jamais fasciné... comme le faisait Julia. Julia, encore Julia, toujours Julia ! Elle tournait pour lui à l'obsession !

C'est avec cette désagréable pensée en tête qu'il enfila sa chemise de lin immaculée avant d'aller la retrouver.

Julia prit place sur la banquette arrière à côté de Rand et lui lança un coup d'œil discret qui confirma ses craintes. Sa mine sombre et son visage fermé n'auguraient rien de bon : il était redevenu l'être distant et inaccessible qu'elle avait connu adolescente lors de ses derniers séjours chez son père. Mais au fond, n'était-ce pas préférable ? Mieux valait qu'il se montre désagréable pour qu'elle le prenne définitivement en grippe et oublie au plus vite ce qui s'était passé entre eux la nuit précédente.

Elle détourna les yeux pour ne pas voir, posées sur ses cuisses, ses longues mains élégantes et puissantes à la fois, ces mains qui l'avaient caressée avec tant d'expertise. Avec détermination, elle chassa les images qui affluaient subitement à son esprit, lui rappelant avec une cruelle précision leurs étreintes passionnées. Il avait fait d'elle une femme à part entière, elle avait découvert dans ses bras des sensations extrêmes dont elle ne soupçonnait même pas l'existence, mais à présent il n'était plus qu'un étranger pour elle...

Le directeur de la banque les accueillit avec tous les égards que méritait un client comme Rand, et ce dernier sembla prendre un malin plaisir à entretenir devant lui le doute sur la nature de ses relations avec Julia. A l'évidence, il trouvait fort amusant de laisser entendre au directeur qu'il se montrait généreux avec sa dernière maîtresse en titre en virant une importante somme d'argent sur son compte.

Julia ne tenta même pas de dissiper l'équivoque et se contenta d'ignorer les sourires appuyés et la sollicitude ostentatoire de Rand. Enfin, le banquier leur annonça posément que tout était en ordre.

— Tu es contente, chérie ? lui lança alors Rand en lui caressant la joue d'un geste familier. Tu as eu ce que tu voulais ?

Exaspérée, elle décida cette fois de le prendre à son propre jeu.

— Ravie, mon amour ! rétorqua-t-elle en lui posant la main sur la cuisse.

Elle serra fort dans l'intention de lui faire mal et retint une envie de rire en le sentant se crisper tout à coup sans oser réagir. Il n'avait que ce qu'il méritait…

Alors il se pencha sur elle et lui déposa un baiser sur le front.

— En souvenir de la nuit dernière, lui glissa-t-il à l'oreille d'un ton acerbe. Une erreur que je ne recommencerai jamais…

Sa remarque était si perfide que le cœur de la jeune femme se serra. Par bonheur, il ne perçut pas son trouble…

Cinq minutes plus tard, après avoir pris congé du directeur, ils se retrouvèrent sur le trottoir.

— Je t'accompagne à ton hôtel pour que tu récupères tes bagages, asséna-t-il sans lui laisser le loisir de protester. Tu ne connais pas la ville, tu vas te perdre…

Julia lui emboîta le pas avec un soupir de lassitude. Encore un peu de patience, et il disparaîtrait de sa vie à jamais… Dans quelques jours, elle retrouverait l'Angleterre et n'aurait plus jamais l'occasion de le revoir, puisque la succession de son père était enfin réglée.

Dans le hall de l'hôtel, Rand insista pour l'escorter jusqu'à sa chambre et elle n'eut pas la force d'argumenter. Mais alors qu'elle avait la ferme intention de ne pas le laisser entrer, il profita d'une minute d'inattention pour se glisser à sa suite. Une fois dans la place il se comporta en terrain conquis. Il ouvrit le bar, se servit à boire comme s'il était chez lui et s'allongea sur le lit, bien calé contre les oreillers, parfaitement à l'aise. Puis, avec un petit sourire aux lèvres, son verre à la main, il la regarda refaire ses bagages d'un air narquois.

Julia bouillait intérieurement, mais s'abstint de toute réaction. S'il espérait la faire sortir de ses gonds en se comportant avec un tel sans-gêne, il en serait pour ses frais...

Aussi s'efforça-t-elle de l'ignorer, mais sa présence dans cette chambre, sur ce lit, la troublait bien plus qu'elle n'aurait voulu l'admettre. Cherchait-il à la déstabiliser, à lui prouver que le pouvoir sensuel qu'il détenait sur elle était intact ? En tout cas, elle aurait donné cher pour éviter cet absurde tête-à-tête.

Elle se hâta de boucler sa valise.

— Si ça ne te gêne pas trop, déclara-t-elle enfin d'un ton acerbe, je vais appeler ma mère avant de partir.

Il la dévisagea d'un air amusé qui acheva de l'exaspérer.

— Je t'en prie, dit-il de sa voix grave. Fais comme chez toi... Mais pourquoi ne partagerais-tu pas avec moi un moment de détente en...

Il fit une pause parfaitement calculée et lui jeta un regard d'une intensité voulue. Cette fois encore, Julia dut faire un effort pour dissimuler son trouble. Ils avaient échangé tant de baisers, tant de caresses, tant de gestes impudiques cette nuit où ils avaient été amants ! Et voilà qu'ils étaient seuls dans cette chambre, dont le grand lit semblait fait pour accueillir leurs ébats ! A l'évidence, c'est à ça qu'il pensait... ou faisait mine de penser pour la mettre mal à l'aise.

— ... en dégustant un verre de vin..., acheva-t-il, une lueur provocatrice dans ses yeux sombres.

Furieuse, elle lui tourna le dos et saisit le téléphone. Liz répondit immédiatement à ses interrogations anxieuses. Tout allait bien et la jeune femme se contenta de lui annoncer qu'elle rentrait dans quelques jours.

— Tu ne lui as pas dit que tu avais touché ta part d'héritage, fit remarquer Rand dès qu'elle eut raccroché.

Elle le fusilla du regard. Non seulement il avait écouté sa conversation, mais il avait l'outrecuidance de se permettre un commentaire !

— Non, répondit-elle sèchement. Je lui en parlerai à mon retour.

— Ou tu ne lui en parleras pas... pour la bonne raison que tu comptes empocher l'intégralité de la somme, enchaîna Rand d'un ton acide.

Elle blêmit.

Pourquoi l'agressait-il ainsi ? se demanda-t-elle, stupéfaite et horrifiée. Pourquoi avait-il d'elle une image si détestable, comme s'il était convaincu que son seul intérêt dans la vie était l'argent ? Par miracle, elle parvint à ne pas laisser éclater sa colère.

— Ceci ne te regarde pas, rétorqua-t-elle avec un calme qui l'étonna elle-même. De toute façon ce que tu penses de moi m'est parfaitement égal, mon cher Rand. Je suis prête, on y va ? conclut-elle, glaciale.

Et sans lui laisser le temps de répondre, elle quitta la pièce, la mine sombre, perdue dans ses noires pensées. Elle le détestait ! Et dire que c'est dans les bras de cet être calculateur et insultant qu'elle avait perdu sa virginité ! Comment avait-elle pu ?

Tout au long du trajet de retour qui se déroula dans le silence le plus complet, Julia essaya de se calmer en se répétant que son séjour au Chili touchait à sa fin, que dans une semaine Randolfo Carducci sortirait de son existence pour toujours. Encore un peu de patience, un tout petit peu de patience et elle n'entendrait plus jamais parler de lui...

Donna leur avait servi le déjeuner dans la véranda du petit salon, mais Julia était trop perturbée pour avaler la moindre bouchée.

— Je vais faire la sieste, annonça-t-elle à Rand d'un ton déterminé.

Cette fois, Rand sentit la moutarde lui monter au nez. Exaspéré par le mutisme de Julia, par son expression hostile, il avait rongé son frein jusque-là en se disant qu'elle se détendrait une fois de retour à l'hacienda, mais là, la coupe était pleine ! Il n'allait pas supporter les caprices de cette fille impossible encore longtemps ! Elle s'était engagée à rester le laps de temps initialement prévu, et il n'avait pas l'intention de tolérer son évidente mauvaise humeur une seconde de plus ! Les femmes les plus belles auraient donné cher pour passer quelques jours en tête à tête avec lui, alors pourquoi faisait-elle la fine bouche comme si cette perspective était pour elle un enfer ?

— Pas si vite ! coupa-t-il en s'avançant d'un pas. A en juger par ton attitude extrêmement déplaisante depuis quelques heures, je crains que tu n'aies pas bien compris les termes de notre accord.

Julia se tourna vers lui, une lueur assassine dans ses yeux vert émeraude.

— Je t'ai donné mon accord pour rester, pas pour être aimable et te tenir compagnie, rétorqua-t-elle avec une agressivité qu'elle ne chercha même pas à cacher. Je suis désolée, mais je n'ai pas la moindre envie d'être amicale avec toi.

— Amicale ? rétorqua Rand. Après ce qui s'est passé entre nous la nuit dernière, le terme me paraît plutôt mal choisi…

Julia se sentit rougir. Comment avait-il la grossièreté de faire allusion à ce qu'elle regrettait si amèrement ?

— Ce qui s'est passé la nuit dernière ne se renouvellera pas, je te rassure, affirma-t-elle d'une voix blanche. D'ailleurs,

92

pour tout te dire, cette expérience ne m'a pas laissé un souvenir impérissable...

Et sur ces paroles vengeresses, elle se dirigea vers l'escalier. Mais Rand l'attrapa par la taille et l'immobilisa.

— Lâche-moi ! s'écria-t-elle.

— Je te lâcherai quand nous serons dans ta chambre. A la réflexion, faire une sieste me paraît être une excellente idée.

— Pas avec toi ! s'écria-t-elle dans un souffle.

Elle tenta désespérément de se dégager, mais en vain. Il la souleva dans ses bras puissants, et elle se mit à gigoter furieusement pour lui échapper, sans aucun résultat.

— Mais pour qui te prends-tu ? hurla-t-elle, furieuse et vexée. Pour King Kong ? Tu t'imagines peut-être que je vais succomber à tes charmes ?

Il la déposa à terre et un sourire provocateur se dessina sur ses lèvres sensuelles.

— Pourquoi te l'interdirais-tu ? répliqua-t-il en fixant sur elle un regard intense. Tu n'as plus rien à perdre, il me semble...

Outrée, elle s'approcha de lui et, cédant à une impulsion aussi subite qu'irrépressible, le gifla de toutes ses forces. Puis, le cœur battant, elle monta l'escalier quatre à quatre et se précipita dans sa chambre. Le souffle court, elle referma à la hâte la porte derrière elle, et c'est alors qu'elle réalisa ce qu'elle avait fait... Même si elle ne regrettait pas d'avoir giflé Rand, elle ne se reconnaissait pas dans ce geste violent. Il savait vraiment la pousser à bout comme personne !

Soudain la porte s'ouvrit et Rand apparut. Les traits tendus, il ne laissa pas à Julia le temps de réagir.

Il la prit dans ses bras et l'enlaça avec une telle ardeur qu'elle sentit ses jambes se dérober sous elle.

— Tu sens comme je te désire ? lui murmura-t-il à l'oreille d'une voix sourde. Tu sens comme je suis prêt pour toi ? Je

n'ai pas l'habitude qu'on me frappe, Julia, et je vais te punir…
à ma façon.

— Tu n'oseras pas, balbutia-t-elle, éperdue.

Glissant la main sous son T-shirt, il s'empara d'un sein, puis
de l'autre, et ses doigts experts jouèrent avec ses mamelons
dressés. Incapable de le repousser, Julia ferma les yeux tandis
qu'une langueur délicieuse s'emparait d'elle. Puis il se mit à
l'embrasser dans le cou, jusqu'à la naissance de ses seins, tout
en glissant une main sous sa jupe, et une vague de chaleur
inonda la jeune femme.

— Tu n'as pas encore compris que quand je veux quelque
chose, rien ne m'arrête ? murmura-t-il entre deux baisers. Si
tu étais honnête avec toi-même, tu admettrais que toi aussi
tu as envie de faire l'amour. Follement envie, ajouta-t-il en
accentuant la pression de sa main entre ses jambes.

Cette fois-ci, elle se cambra et un spasme de plaisir la
parcourut. Les lèvres de Rand se posèrent sur les siennes, et
pas un instant elle ne songea à les lui refuser. Comment aurait-
elle pu le repousser alors que son être tout entier frémissait
sous ses caresses, réclamait ses baisers ? Elle se lova contre
lui pour mieux sentir son corps viril pressé contre le sien,
heureuse de s'abandonner à sa force mâle, de s'étourdir de
son odeur enivrante. C'était un magicien, pensa-t-elle éblouie,
capable de lui faire tout oublier sauf le bonheur d'être dans
ses bras, de lui offrir sa féminité, de lui laisser lui apprendre
encore et encore les gestes de l'amour, bravant les barrières
de la pudeur jusqu'aux dernières limites.

Il l'entraîna vers le lit sans cesser de l'embrasser et ils
titubèrent avant de s'effondrer sur les draps de lin. Le souffle
court, Julia attendit, vibrante d'émotion.

Mais Rand s'immobilisa soudain et, se redressant au-dessus
d'elle, la fixa avec une intensité presque solennelle.

— Dis que tu veux faire l'amour avec moi, Julia… Dis
oui, murmura-t-il d'une voix rauque.

Bouleversée, elle balbutia le oui qu'il attendait…

Ils se perdirent alors dans un déchaînement de passion, comme si les mots durs qu'ils avaient eus l'un pour l'autre n'avaient jamais été prononcés. Plus rien n'existait que le désir brut qui les tenaillait, la volonté de s'appartenir, de libérer en eux les pulsions érotiques qui leur permettaient toutes les audaces.

Incapable d'attendre plus longtemps, Rand releva la jupe de Julia et l'aida à se débarrasser de son string avec des gestes rendus maladroits par l'impatience. Puis, incapable de maîtriser plus longtemps le désir qu'il avait d'elle, il la pénétra avec une brutalité primitive qui la combla. Ivre d'émotion, elle s'accrocha à lui comme un nageur en perdition. Ils firent l'amour avec une passion déchaînée, si pressés de s'appartenir que leur danse d'amour s'accéléra aussitôt. Ils atteignirent bientôt le point de non-retour. Leurs souffles se mêlèrent, et quand enfin l'explosion finale les surprit, le même cri leur échappa.

Longtemps après, Julia sortit de la douce torpeur dans laquelle elle se trouvait. Ce qu'elle venait de vivre était si merveilleux qu'elle n'en percevait pas encore très bien l'intensité…

— Que s'est-il passé ? balbutia-t-elle en fixant un regard brûlant sur le visage grave de Rand.

Il l'attira à lui et caressa tendrement son front moite.

— Si tu ne sais pas, peut-être devrions-nous recommencer… murmura-t-il, amusé. Mais cette fois, sans aucun vêtement pour nous séparer…

En quelques secondes, il lui ôta son T-shirt, dévoilant les globes d'albâtre de ses seins généreux. Il les admira longuement, tandis que la jeune femme se soumettait avec volupté à son regard. Puis, de ses doigts, il palpa avec émerveillement leur rondeur veloutée. Enfin ses lèvres prirent le relais de ses mains et Julia se cambra pour offrir ses mamelons dressés à sa bouche gourmande, tandis que le désir se réveillait en eux, implacable.

Cette fois, ils firent l'amour avec une lenteur calculée, cherchant à se donner l'un à l'autre le maximum de plaisir. Les caresses de Rand étaient si osées que Julia se sentit défaillir. A son tour elle se dévoila toutes les audaces, émerveillée de découvrir le pouvoir sensuel qu'elle avait sur lui.

Quand ils furent enfin comblés, ils restèrent enlacés de longues minutes, encore étourdis du merveilleux voyage qu'ils avaient partagé.

— Quand je pense que tu ne voulais pas faire la sieste avec moi…, murmura Rand en la serrant contre lui. Heureusement que je ne t'ai pas écoutée !

— Je ne suis pas une experte, comme tu le sais, mais c'était… incroyable…

— Pour une débutante, tu apprends vite.

Il se pencha et déposa un baiser furtif sur chacun de ses mamelons.

— Ici, je me sens une autre, murmura-t-elle. Comme si le Chili libérait en moi des pulsions que je ne soupçonnais même pas. Enrique, puis toi…

Il s'écarta légèrement et la dévisagea longuement en fronçant les sourcils.

— Puisque tu parles d'Enrique, peux-tu m'expliquer pourquoi tu n'as jamais fait l'amour avec lui ? demanda-t-il. Je n'arrive pas à le croire… Vous étiez fiancés, pourtant ! C'est toi qui ne voulais pas avant le mariage ?

Elle hésita un instant. Devait-elle lui révéler ce qu'elle n'avait jamais avoué à personne ? Brusquement, elle décida de se confier à lui. Ils venaient de vivre un moment si exceptionnel qu'elle n'avait plus aucune inhibition à son égard.

— La réalité, c'est qu'Enrique ne me l'a jamais demandé, expliqua-t-elle dans un souffle. En fait, il voyait une autre femme, qui devait le satisfaire dans ce domaine.

L'image traumatisante de Enrique et Maria en train de faire l'amour lui apparut soudain comme un flash.

— Tu veux dire qu'il te trompait ? demanda Rand, stupéfait.

— Oui, je l'ai surpris en flagrant délit quelques jours avant le mariage.

— Tu es sûre ? Ce n'était pas juste une amie ?

— Une amie à laquelle il faisait l'amour, Rand…

Elle s'abstint de préciser qu'il s'agissait de Maria. Tout ceci n'avait plus d'importance à présent…

— Je n'en reviens pas, murmura-t-il. Comme tu as dû souffrir… Tu étais si jeune à l'époque !

La compassion de Rand lui alla droit au cœur.

— Quand j'ai expliqué la situation à mon père, il m'a rétorqué que ce n'était pas grave, qu'Enrique m'aimait quand même, que tous les hommes trompaient leurs femmes sans que cela porte à conséquence, et que ce mariage était nécessaire pour réunir les deux propriétés. Je ne lui ai jamais pardonné, conclut Julia.

Sa voix se brisa, et Rand la serra tendrement contre lui.

— Je comprends ton désarroi, déclara-t-il avec une soudaine gravité. Et je n'approuve pas les paroles de ton père. Malheureusement, beaucoup d'hommes ici pensent encore comme lui.

Avec une infinie douceur, il lui effleura la joue d'une caresse furtive.

— Je ne te ferai jamais souffrir, Julia, affirma-t-il dans un souffle.

A cet instant, et malgré tout ce qui les opposait, elle le crut. Comment faire autrement, alors qu'une émotion profonde se lisait dans son regard intense, et qu'un sourire tendre éclairait son visage ?

Trois jours plus tard, dans la pénombre de la grande chambre aux volets clos, Julia admirait Rand qui ramassait ses vêtements dispersés sur le sol. Dans sa nudité triomphante, il avait la beauté parfaite d'un éphèbe grec.

— Celui qui ose prétendre que la sieste est faite pour dormir n'a jamais rencontré une femme comme toi, lança-t-il.

Il s'immobilisa tout à coup pour contempler le corps alangui de la jeune femme allongée sur les draps en désordre.

Julia s'étira voluptueusement comme un chat repu. Depuis trois jours qu'elle vivait aux côtés de Rand, elle avait l'impression de vivre un rêve éveillé.

Dans la journée, il l'emmenait partout avec lui. Pendant qu'il discutait avec les paysans, elle bavardait avec leurs femmes, jouait avec leurs enfants, et tous l'accueillaient à bras ouverts. Et chaque nuit, c'était un enchantement toujours renouvelé. Plus ils faisaient l'amour, plus ils avaient envie l'un de l'autre, comme si le plaisir qu'ils se donnaient exacerbait encore et toujours le désir qu'ils avaient l'un de l'autre. Comme si le caractère éphémère de leur relation attisait encore leur passion mutuelle…

Car le départ de Julia approchait : deux jours encore, et elle s'envolerait pour l'Angleterre.

Mais elle ne voulait pas y penser…

Soudain, Rand posa ses vêtements sur une bergère et la rejoignit dans le grand lit. Prenant appui sur un coude, il l'observa longuement.

— Pourquoi ne restes-tu pas ? suggéra-t-il enfin. Tu pourrais reconsidérer le problème et accepter mon offre initiale de t'épouser…

Le ton était anodin, mais la question bouleversa Julia. Rand proposait de l'épouser, alors que plus rien ne l'y obligeait ! Commençait-il à éprouver pour elle un réel attachement ?

— Si nous nous marions, ta part d'héritage sera bien plus intéressante, ajouta-t-il alors d'une voix détachée.

Le fol espoir qui s'était emparé de Julia s'évanouit aussitôt. Elle était décidément terriblement naïve en imaginant que

Rand tenait à elle ! Il ne s'agissait pour lui que d'une vulgaire tractation commerciale…

— Et ensuite, nous nous séparerons…, murmura-t-elle d'une voix tendue.

Elle le sentit se figer.

— En effet, fit-il d'un ton brusque. Nous pourrons divorcer dès que la situation sera définitivement réglée.

La déception lui coupa le souffle. Comment avait-elle pu imaginer un instant que Rand éprouvait pour elle un quelconque sentiment ?

— Non merci, articula-t-elle avec difficulté.

Meurtrie, elle se leva en évitant de le regarder et tenta de se rendre à la raison. Rand n'était pas homme à s'engager, pensa-t-elle, les larmes aux yeux. Leur relation n'était qu'un bref moment de passion sans lendemain. Attendre autre chose de lui était puéril et sans objet.

— J'ai une vie en Angleterre, expliqua-t-elle en se retournant vers lui. Ce que nous vivons en ce moment est un intermède agréable, mais un arrangement même semi-permanent me semble impossible. Tu ne partages pas ce point de vue ?

L'espace d'un instant, elle imagina le cœur battant qu'il insisterait pour ne pas la perdre, qu'il lui proposerait une solution, quelle qu'elle soit, mais il n'en fit rien.

Il la dévisagea d'un regard étrange, mais c'est d'un ton parfaitement contrôlé qu'il lui répondit.

— Si, tu as raison, acquiesça-t-il. Mais je voulais juste que les choses soient claires avant ton départ. Oublie ce que je viens de dire.

Les traits tendus, il attira à lui la jeune femme.

— Et puisque notre temps est limité, cara, ne perdons pas une seconde, ajouta-t-il d'une voix rauque.

Il glissa une jambe entre les siennes et elle s'abandonna avec délice à son étreinte.

Rand avait raison, pensa-t-elle dans un douloureux éclair de lucidité. Leur temps était compté. Elle avait toute la vie pour regretter, mais il ne lui restait qu'une seule nuit pour l'aimer…

8.

— Je ne me suis jamais autant habillé et déshabillé que depuis que je te connais, fit observer Rand en enfilant sa veste. Et si je ne devais pas m'occuper d'affaires pressantes, je resterais volontiers tout l'après-midi au lit avec toi…, ajouta-t-il en souriant à la jeune femme.

Julia lui rendit son sourire. Faire l'amour avec Rand était une expérience si épanouissante qu'elle en avait presque oublié son départ imminent.

— A tout à l'heure, cara, murmura-t-il. Que vas-tu faire en m'attendant ?

— Aller voir les chevaux, répondit Julia.

En réalité, elle voulait dire au revoir à Polly, sa jument préférée, mais elle ne le précisa pas à Rand. Evoquer son départ prochain lui paraissait soudain insupportable…

La jument était dans son box, et Julia resta un long moment à la caresser. Puis, le cœur serré, elle s'éloigna. Sa vie n'était pas en Amérique du Sud, songeait-elle avec une douloureuse amertume. Elle avait choisi en toute connaissance de cause de rentrer en Angleterre, mais la pensée de quitter l'hacienda lui était tout à coup infiniment douloureuse…

Elle se dirigeait d'un pas lourd vers la maison quand une voiture s'immobilisa de l'autre côté de la haie. Julia stoppa net, étonnée. Qui pouvait bien arriver ? A travers les buissons qui la dissimulaient, elle vit deux silhouettes masculines sortir

101

du véhicule et reconnut avec stupéfaction Rand et Ricardo Eiga, le père de Enrique.

— Vous ne voulez vraiment pas rester pour dîner ? demanda Rand.

Julia se figea. Quelle idée Rand avait-il là ? Elle n'avait aucune envie de passer sa dernière soirée au Chili avec Ricardo Eiga !

— Non, Randolfo, merci bien, je ne veux pour rien au monde me retrouver face à cette horrible fille ! Je ne sais pas comment tu fais pour la supporter !

Choquée, Julia dressa l'oreille de plus belle pour écouter la réponse de Rand. Il allait sûrement le remettre à sa place !

— Ne vous inquiétez pas, *señor* Eiga, je contrôle parfaitement la situation, répliqua-t-il enfin avec un calme qui la glaça. Elle part demain pour ne plus revenir. Quant à notre accord, tout est en ordre : je rencontre vos avocats très prochainement pour signer la promesse de vente.

— Parfait, répondit le père de Enrique d'un ton rassuré. Quand je pense qu'il nous aura fallu sept ans pour réunir les deux propriétés ! Je dois te remercier d'avoir mené toute cette opération de main de maître, et surtout d'avoir manœuvré Julia Diez avec autant d'habileté. Pourtant, Dieu sait qu'avec elle rien n'était gagné d'avance ! Carlos aurait été fier de toi…

Les deux hommes se séparèrent, la Mercedes démarra, et bientôt il n'y eut plus que le silence.

Les jambes tremblantes, Julia s'appuya contre un arbre pour ne pas s'effondrer.

Elle n'arrivait pas à croire ce qu'elle venait d'entendre…

La nuit tombait… Dans le ciel d'une merveilleuse pureté une première étoile s'alluma, aussi vive que son désespoir…

Rand l'avait flouée du début jusqu'à la fin ! Depuis le premier jour, il avait tout organisé pour réaliser son seul but : vendre l'hacienda au père de Enrique, vraisemblablement au prix fort. Pour cela, il n'avait reculé devant rien : lui proposer de l'épouser, lui accorder une somme d'argent qui devait être une goutte d'eau par rapport aux gigantesques profits qu'il allait engranger, tout en jouant au grand seigneur généreux et honorable !

Et elle, l'imbécile, n'y avait vu que du feu ! Dans le secret de son cœur, elle avait même rêvé que leur relation se prolonge, elle s'était confiée à lui en lui dévoilant la cause de sa rupture avec Enrique ! Comme il avait dû rire d'elle, de sa naïveté, de sa stupidité !

Les larmes lui vinrent aux yeux, mais un ultime réflexe d'orgueil l'empêcha d'éclater en sanglots.

Elle n'allait pas se laisser abattre, se dit-elle en songeant brusquement à sa mère. Trahie par son père, Liz, avait redressé la tête et pris sa vie en main, en décidant une bonne fois pour toutes de se passer des hommes. Elle avait eu raison de quitter le monde des Diez, peuplé de mâles arrogants dénués du moindre respect pour leurs compagnes. Il n'y avait rien à attendre d'individus de cette espèce : dans son mépris pour les femmes, Randolfo Carducci ressemblait à s'y méprendre à son père, et elle avait failli se laisser aveugler comme sa mère vingt ans auparavant, reproduisant le même schéma avec une cruelle exactitude.

Elle serra les poings, se redressa de toute sa taille et inspira profondément pour reprendre le contrôle d'elle-même. Il lui restait à présent à accomplir le plus dur et à la fois le plus important : faire face à Rand après ce qu'elle venait d'entendre, et lui dire ce qu'elle pensait de lui sans s'effondrer en sanglots.

Une heure plus tard, quand elle poussa la porte de la salle à manger où le dîner était servi, elle était prête à affronter Rand. Physiquement, elle avait tenu à mettre tous les atouts de son côté. Dans sa robe en crêpe noir profondément décolletée qui moulait sa silhouette parfaite, avec son maquillage subtil et ses cheveux dénoués sur ses épaules, elle se savait particulièrement en beauté. Moralement également elle était déterminée, ou tout au moins elle devait s'en convaincre, car elle s'était préparée à l'épreuve : elle ne ferait pas à Rand le plaisir de craquer devant lui, même si elle était à bout de nerfs.

— Tu es ravissante, Julia, déclara Rand, une lueur admirative dans ses yeux sombres.

Debout devant la cheminée, il l'attendait, un verre de whisky à la main.

Il fixa avec une totale impudeur ses seins dont on distinguait la rondeur sous le tissu léger, ses jambes au galbe parfait mises en valeur par ses sandales à hauts talons, et ce regard de propriétaire attisa encore plus la rage sourde de Julia.

Dans sa veste en lin et sa chemise au blanc immaculé qui rehaussait son teint hâlé, il était l'archétype du don Juan ténébreux avec ses boucles noires et son regard de velours, mais cette fois elle ne se laissa pas prendre à son charme pourtant redoutable. Elle était là pour régler des comptes, pas pour jouer l'amoureuse transie… Cependant, il était encore un peu tôt pour déclarer les hostilités.

— Tu m'offres un verre ? demanda-t-elle avec un sourire.

Une moue sensuelle se dessina sur les lèvres pleines de Rand.

— Si j'ignorais que Donna est sur le point de nous servir, je te suggérerais une entrée en matière plus… intime, murmura-t-il d'une voix rauque. Tu es tout simplement irrésistible, cara…

— Un peu de patience, Rand, fit-elle d'une voix mutine. Nous avons toute la nuit devant nous, n'est-ce pas ?

Il n'insista pas, et bien lui en prit, car Donna arriva peu de temps après. Après les avoir servis, elle s'éclipsa discrètement et le repas se déroula dans une apparente décontraction…

Ils discutèrent de tout et de rien, Julia se prêtant au jeu avec une facilité qui l'étonna elle-même. Elle affichait en surface entrain et bonne humeur, mais en réalité fourbissait mentalement ses armes pour ce qui devait suivre. Puis Rand insista pour prendre le café au salon, et c'est là qu'elle décida de lui accorder une dernière chance de lui dire la vérité.

— Que va devenir l'hacienda à présent ? lui demanda-t-elle d'un ton badin en lui tendant sa tasse.

Elle s'assit à côté de lui sur le sofa et le dévisagea en dissimulant sa nervosité. De sa réponse dépendaient tant de choses…

— Pourquoi cette question ? rétorqua-t-il d'un air surpris. Rien ne va changer, bien sûr ! Donna et Sanchez restent ici, avec leur bébé, et continueront à entretenir la propriété au jour le jour. Mais ne parlons pas de ça, cara…

Il lui effleura la joue d'une caresse sensuelle, sans remarquer qu'elle avait blêmi. Le dernier espoir de Julia était parti en fumée : Rand était bien l'être vil et dissimulateur qu'elle soupçonnait…

— Tu es si incroyablement belle que j'ose à peine te toucher, ajouta-t-il.

Il se pencha et lui effleura les lèvres d'un baiser furtif.

— Je brûle de t'embrasser depuis le début de la soirée, murmura-t-il. Et j'ai envie de beaucoup d'autres choses encore avec toi, si inavouables que je te laisse les deviner…

Sa voix sourde était ensorcelante, ses mains sur sa taille affolantes… Soudain, un vertige saisit Julia et elle oublia tout sauf la présence de Rand à ses côtés… Peu lui importait ses mensonges, son entente secrète à ses dépens avec le père de Enrique : ils avaient une dernière nuit à passer ensemble, et elle ne voulait pas y renoncer. Une fois, une dernière fois, elle serait à lui. Peut-être était-ce une folie, mais elle l'assumait…

— Moi aussi, chuchota-t-elle. Si nous montions dans ma chambre ?

Elle glissa les doigts sous sa chemise et caressa sa poitrine musclée, attisant l'éclat du désir dans le regard sombre de Rand.

— Voilà une proposition qui me va très bien, répondit-il d'une voix sourde.

Main dans la main, ils s'engagèrent dans l'escalier, tandis que la tension entre eux montait inexorablement dans l'attente de ce qui allait suivre. Julia ne songeait plus qu'à ces quelques heures de passion qu'elle allait vivre dans les bras de cet homme abhorré et adoré tout à la fois, et Rand s'émerveillait de l'audace de cette femme qui lui donnait tout d'elle-même, avec une impudeur qui le ravissait.

Une fois dans la chambre, il résista à l'envie de la jeter sur le lit et de lui faire l'amour sans plus attendre, tant le désir en lui était déjà presque insoutenable.

Mais de toute façon Julia en avait décidé autrement... Rand se souviendrait toute sa vie de leur dernière nuit, songeait-elle : elle serait la plus sensuelle des partenaires, la plus imaginative des amantes, la plus impudique des maîtresses...

— Notre dernière nuit, murmura-t-elle d'une voix à peine audible en lui déboutonnant sa chemise.

D'un geste preste, elle la fit tomber à terre et posa les mains sur sa large poitrine recouverte d'une toison brune. Puis elle déposa un baiser dans le creux de son cou : Rand se laissait faire, comblé qu'elle prenne ainsi l'initiative.

— A moi maintenant, chuchota-t-elle.

Elle s'écarta légèrement et fit glisser le long de ses épaules les bretelles de sa robe. La dentelle arachnéenne de son soutien-gorge masquait à peine ses seins généreux, et elle le dégrafa sans quitter Rand des yeux. Alors elle apparut dans toute sa nudité, et se cambra pour mieux offrir au regard de Rand les globes parfaits de ses seins dont les mamelons s'étaient déjà durcis.

Réprimant un gémissement, il leva les mains pour les toucher, mais elle s'écarta avec un petit rire de gorge.

— Patience, Rand, patience, nous avons toute la nuit devant nous !

Alors elle se déhancha d'un mouvement sensuel et la robe en crêpe noir tomba sur le sol. Elle ne portait qu'un string qu'elle ôta rapidement. Elle était nue à présent et lui lança un regard provoquant.

— C'est ça que tu voudrais faire, Rand ? demanda-t-elle en s'approchant de lui, le buste dressé, un sein dans chaque main pour mieux le tenter.

Puis elle s'approcha de lui et se frotta contre sa poitrine. Le souffle de Rand s'était accéléré, ses yeux brillaient d'un éclat redoublé.

— Julia, articula-t-il avec difficulté. Tu me rends fou…

Elle s'agenouilla alors devant lui et lui enleva son pantalon, puis son caleçon. Il était prêt pour elle, et elle saisit dans ses mains sa virilité triomphante. Puis ses lèvres prirent le relais de ses doigts et il ne put retenir un gémissement.

— Tu aimes ? demanda-t-elle.

— Julia ! Tu es une magicienne…

Elle le caressa encore, et le désir en lui se fit si vif qu'il fut incapable de se contenir plus longtemps. Il attira à lui la jeune femme, l'allongea sur le lit et, reprenant l'initiative, se mit à la caresser, à l'embrasser avec une ardeur qui la laissa pantelante. C'était comme s'il avait décidé que pas une parcelle de sa peau douce n'échapperait à ses lèvres impudiques, comme s'il cherchait à imprimer sa marque sur son corps tout entier. Alors elle oublia tout, les ressentiments, les conflits, les mensonges, et s'abandonna sans aucune restriction au plaisir étourdissant qu'il lui donnait. Peu importait ce qui les opposait, peu importait la noirceur de son âme, à cet instant ils n'étaient plus qu'un homme et une femme emportés par la passion du désir, soumis aux forces primales venues du fond des temps, aux pulsions incontrôlables qui déferlaient sur eux comme un raz de marée. « Une nuit, encore une nuit, songea-t-elle en refusant de se laisser aller au désespoir. Cette dernière serait la plus belle…»

Il l'immobilisa en la maintenant par les poignets, et elle se soumit avec bonheur à l'exploration audacieuse de ses lèvres, de sa langue. Elle lui offrit la pointe de ses seins, gémit sous sa caresse, sous ses morsures, et quand il glissa vers le creux de son ventre, puis vers le cœur de sa féminité, elle crut défaillir sous l'intensité des sensations qu'elle éprouvait. Elle cria, les yeux clos, la tête en arrière, et s'agrippa à ses cheveux bouclés, tandis qu'il la fouillait de sa langue impudique. Puis, n'y tenant plus, il s'allongea sur elle et la pénétra avec une violence qui exacerba encore l'émotion de la jeune femme. Ils ne faisaient plus qu'un…

Emerveillée de le sentir au plus profond d'elle-même, elle s'abandonna aux ondes de plaisir qui la parcouraient, aux forces irrépressibles qui les entraînaient ensemble vers les contrées extraordinaires qu'il lui avait fait découvrir. Ils atteignirent ensemble l'extase ultime, accrochés l'un à l'autre comme s'ils étaient seuls au monde, et le même spasme les saisit avant qu'ils ne s'écroulent dans les bras l'un de l'autre, épuisés et comblés.

De longues minutes passèrent avant que leurs souffles ne s'apaisent. Puis Rand s'écarta légèrement, prit appui sur son coude et plongea son regard dans celui de Julia.

— Comment vais-je faire sans toi ? murmura-t-il comme s'il se parlait à lui-même. Tu es merveilleuse…

Le cœur de Julia se serra tandis que la cruelle réalité reprenait brutalement le dessus. Pourquoi cette réflexion désabusée, ce regard songeur, alors que pour lui, seul avait jamais compté dans leur relation l'intérêt financier, et qu'il l'aurait oubliée dans deux jours ?

— Toi aussi, murmura-t-elle, lui retournant son mensonge.

La vérité attendrait le lendemain matin, songea-t-elle, cédant soudain à l'envie de profiter encore de ces quelques moments dans ses bras.

Elle se lova contre son large torse et ferma les yeux pour mieux respirer son odeur enivrante, mélange subtil de sa peau mâle et de sa discrète eau de toilette. Il était le plus vil des hommes, mais aussi le plus ensorcelant des amants, et quoi qu'il arrive elle garderait à jamais dans sa chair le souvenir de ses baisers.

Ils firent l'amour de nouveau, avec lenteur cette fois, pour mieux savourer chacun de leurs gestes. Enfin, tout endolori de leurs ébats, ils s'assoupirent dans les bras l'un de l'autre. Mais alors que Rand sombrait dans un profond sommeil, Julia resta à demi éveillée.

A travers les rideaux entrouverts, les premiers rayons du soleil jouaient sur le corps athlétique de l'homme endormi à ses côtés, dessinant sa musculature parfaite, son profil altier, et un sourire amer se dessina sur les lèvres de la jeune femme. Lequel des deux avait séduit l'autre au cours de cette ultime nuit ? se demanda-t-elle avec une douloureuse perplexité. Au fond, elle n'aurait su le dire…

Quand elle s'éveilla, le soleil inondait la chambre et elle était seule dans le grand lit. Rasé et habillé de frais, Rand était en train de déposer un plateau de petit déjeuner sur sa table de nuit.

Comment pouvait-il être aussi beau, aussi glorieusement viril ? songea-t-elle douloureusement tandis qu'il lui adressait un de ces sourires renversants dont il avait le secret. Comment réussirait-elle à l'oublier malgré toutes les horreurs qu'il lui avait infligées ? Brusquement les souvenirs de leurs étreintes impudiques affluèrent à sa mémoire et un trouble affolant s'empara d'elle.

— Bonjour ! lança Rand en lui déposant un baiser sur le front. Je dois filer, j'ai un rendez-vous mais j'ai pensé que tu apprécierais un croissant au lit…

— Merci, répondit-elle d'une voix tendue.

Il la regarda longuement et le trouble de la jeune femme s'accentua.

— Tu as l'air bizarre, murmura-t-il. Quelque chose ne va pas ?

— Non, pas du tout ! répondit-elle. Il faut juste que je me dépêche, j'ai mes valises à faire…

Par bonheur, il n'insista pas. Il se contenta de lui jeter un coup d'œil étonné et s'éclipsa, laissant la jeune femme retourner à ses sombres pensées.

Trois heures plus tard, Julia montait dans la voiture aux côtés de Rand tandis que Sanchez prenait le volant. Ils avaient à peine échangé trois mots depuis que Rand était revenu de son rendez-vous, et la jeune femme réservait ce qu'elle avait à dire pour le moment où ils seraient seuls à l'aéroport. Elle était trop respectueuse de Sanchez pour régler ses comptes avec Rand devant lui.

Par une indiscrétion de Donna, elle savait que Rand avait passé la matinée chez le père de Enrique avec leurs avocats respectifs, et cette nouvelle l'avait anéantie. S'il en était encore besoin, elle avait la preuve que Rand l'avait manipulée du début jusqu'à la fin, avec pour seul objectif cette vente à Ricardo Eiga.

Le paysage défilait à travers la vitre, mais Julia ne le voyait pas. Plongée dans ses réflexions, elle réfléchissait à ce qui l'attendait à son retour en Angleterre. Comment faire admettre à sa mère qu'elle serait soignée grâce à l'argent de son ex-mari détesté ? Julia devait-elle lui cacher l'origine de ces fonds ?

Elle avait tout le vol pour se décider, conclut-elle en son for intérieur. L'essentiel à présent était pour elle de se reconstruire, d'oublier la trahison de Rand aussi bien que leurs nuits passionnées. Brusquement, la perspective d'une confrontation à l'aéroport lui parut aussi inutile qu'insupportable : elle renonça brusquement à mettre les choses au point avec lui. Mieux valait se taire, lui dire adieu sans lui révéler qu'elle savait tout de sa duplicité, et tenter de tourner la page au plus vite. Il était de toute façon trop tard pour revenir en arrière, et dans ces conditions un affrontement ne ferait que remuer le couteau dans la plaie.

Elle n'avait cependant pas prévu que l'arrogance dont ferait preuve Rand dans les derniers instants l'amènerait à modifier sa stratégie...

Elle avait déjà enregistré ses bagages et s'apprêtait à passer les formalités de douane quand il l'attira à lui.

— Tout ira bien, cara, murmura-t-il d'un ton apaisant qui la hérissa immédiatement. Tu as vécu des moments difficiles émotionnellement depuis ton arrivée, mais tu verras, la situation va se stabiliser dorénavant.

Il la serra plus fortement contre lui.

— Je pars au Japon demain mais dès mon retour je t'appelle, et on se voit au plus vite, d'accord ?

La tranquille assurance avec laquelle il prononça ces paroles révolta Julia. Croyait-il donc qu'elle était à sa disposition et qu'il suffisait qu'il la siffle pour qu'elle lui revienne, soumise et docile ? La croyait-il assez naïve pour ne pas avoir compris ce qu'il avait réellement cherché avec elle : le moyen de réaliser une belle affaire immobilière ? Il allait tomber de haut...

Une bouffée de rage et de souffrance la submergea et elle s'arracha à lui.

— Alors tu vas être déçu, Rand, asséna-t-elle d'une voix

sifflante. Tu pourras appeler tant que tu voudras, je ne te répondrai jamais.

Il fronça les sourcils, et elle eut la satisfaction de constater qu'elle l'avait déstabilisé.

— Que se passe-t-il ? interrogea-t-il, décontenancé.

— Rien, décréta-t-elle. J'ai parfaitement compris ton manège, Rand... Je sais qu'avant même mon arrivée ici, tu avais pour seul objectif de conclure cette vente avec le père d'Enrique. Je suis moins stupide que tu ne le crois, c'est tout...

— Je n'ai jamais pensé que tu étais stupide, protesta-t-il. Et il n'a jamais été question de manège. J'ai conclu une transaction avec Ricardo Eiga dans le cadre du règlement de la succession de ton père, en effet, mais tout est parfaitement officiel et je n'ai rien à cacher à ce sujet.

— N'essaie pas de m'endormir, ça ne marche plus, Rand, coupa Julia d'un ton lapidaire. Et ne perds pas ton temps à essayer de reprendre contact avec moi, je ne veux plus jamais te voir.

Livide, elle saisit son sac de voyage et s'apprêta à passer la douane.

— Est-ce bien clair ? conclut-elle d'un ton sec.

— Parfaitement, répondit-il enfin après un long silence, un éclat métallique dans ses yeux noirs. Et merci de toutes ces précisions, qui m'éviteront en effet de perdre mon temps à tenter de te joindre. A présent que je sais ce que tu penses de moi, l'envie m'en est définitivement passée...

Il recula d'un pas et la toisa d'un regard où le mépris le disputait à l'hostilité.

— On vient d'annoncer l'embarquement de ton vol, ma chère. Tu devrais y aller. Ce serait dommage que tu rates ton avion, tu ne trouves pas ?

Et sur ces paroles vengeresses, il tourna les talons et s'éloigna sans ajouter un mot...

9.

— Julia, tu crois que ça ira ? interrogea Tina avec nervosité.

— Je l'espère ! répondit Julia en jetant un dernier coup d'œil à la longue table avant l'arrivée des invités. J'ai bataillé ferme pour obtenir ce contrat, et si sir Hatton est content je suis sûre qu'il nous amènera de nouveaux clients. Il a tellement de relations !

Elle remit en place un verre mal aligné et se tourna vers sa mère.

— Tu es sûre que tu peux te charger du service, maman ? demanda-t-elle d'un ton soucieux.

Le visage de Liz s'éclaira d'un grand sourire.

— Cesse de t'inquiéter pour moi, ma chérie, je me sens en pleine forme, assura-t-elle. N'oublie pas que le dernier contrôle était parfait, et que les médecins ont été tout à fait rassurants. Je suis heureuse de pouvoir te dépanner puisque ta serveuse habituelle t'a fait faux bond…

— En tout cas, heureusement que tu es là pour nous aider…, fit Julia en échangeant un sourire avec Tina, son amie d'enfance devenue sa collaboratrice depuis peu. Ce contrat-là, on n'a pas le droit de le rater !

*
* *

113

Rand s'assit et admira la table splendidement dressée. L'argenterie brillait de tous ses feux, le cristal étincelait, les fleurs exhalaient un parfum délicat, et ce spectacle lui tira son premier sourire depuis deux mois. Julia connaissait son métier, pensa-t-il tout en échangeant quelques paroles anodines avec sa voisine.

Il avait tout manigancé depuis Santiago…

L'une de ses relations d'affaires, sir Peter Hatton, tenait absolument à le remercier de façon marquante pour un service qu'il lui avait rendu. Par le plus grand des hasards il avait appris que ce dernier possédait une grande propriété non loin de la ville où vivait Julia. Aussi Rand lui avait expliqué que son plus grand plaisir serait d'être reçu dans son château, à charge pour lui d'organiser la réception.

Et bien sûr, c'est l'entreprise de Julia qu'il avait sollicitée pour fournir le dîner, en se gardant naturellement de décliner sa véritable identité.

Jamais auparavant il n'avait usé de voies aussi détournées pour entrer en contact avec une femme, mais il savait que toute tentative pour aborder directement Julia était vouée à l'échec. Malgré tous ses efforts, il n'avait cessé de penser à elle depuis la pénible scène de l'aéroport. Il s'était assuré qu'elle serait bien présente chez sir Hatton, mais n'avait pas la moindre idée de la façon dont elle allait l'accueillir. Quoi qu'il arrive, il voulait la revoir… Et si elle l'éconduisait encore une fois, il aurait peut-être enfin moins de mal à l'oublier…

Car non seulement elle avait enchanté ses nuits comme nulle autre avant elle, mais sa personnalité affirmée, sa grâce et sa féminité l'avaient profondément marqué.

Pendant que sa voisine lui parlait de sujets plus inintéressants les uns que les autres, il guettait la porte. Lorsqu'elle s'ouvrit enfin, à sa grande déception ce ne fut pas Julia qui apparut, mais une femme d'une cinquantaine d'années à la beauté un peu fragile qui s'approcha d'eux pour leur offrir du vin.

— Liz ! s'exclama alors sa voisine en s'adressant à la nouvelle venue. Je ne m'attendais pas à vous voir ici !

— Bonjour, Pat, répondit Liz en souriant. Je dépanne ma fille qui est à court de serveuses. Ravie de vous revoir…

Elle hocha discrètement la tête et continua à faire le tour de la table, tandis que Pat se penchait vers Rand.

— J'ai connu Liz en clinique, lui glissa-t-elle sur le ton de la confidence. Elle y était traitée pour un cancer du sein et je crois qu'elle va bien à présent. Il faut dire que grâce à sa fille, elle a pu bénéficier d'un tout nouveau traitement, très efficace mais hors de prix !

Elle s'interrompit et, sur le ton de la confidence, énonça une somme à l'oreille de Rand, qui tiqua aussitôt. Cette somme était exactement celle qu'avait réclamée Julia pour sa part d'héritage…

Il s'étouffa à moitié avec sa bouchée de homard.

Soudain, tout s'éclaircissait…

Comment avait-il pu faire preuve d'aussi peu de clairvoyance ? Julia n'avait pensé qu'à sa mère, et il l'avait prise pour une femme vénale et sans scrupule !

Etait-il trop tard pour s'expliquer avec elle ?

Julia poussa un soupir de soulagement : les convives avaient à l'évidence apprécié son homard thermidor, et n'avaient pas tari d'éloges sur son tiramisu…

Depuis quelques semaines les événements prenaient enfin un tour positif, songea-t-elle tout à coup. D'abord la santé de sa mère s'était nettement améliorée grâce au traitement dont elle avait pu bénéficier, ensuite elle avait signé ce contrat providentiel, et enfin la douleur semblait s'effacer peu à peu quand elle pensait à Rand. Les premiers temps, il était sans cesse dans son esprit, dans sa chair, et la souffrance était intolérable. Mais elle constatait avec soulagement qu'elle pouvait à présent rester une heure, parfois deux, sans penser à lui… Elle était sur la bonne voie…

— Julia, imagine-toi que je connais une des invitées ! s'exclama Liz qui achevait de ranger une pile d'assiettes dans un carton. Pat Jenson, qui était suivie à la même clinique que moi et avec qui j'ai sympathisé… C'est une cousine de Peter Hatton.

Julia écoutait d'une oreille distraite tout en remettant dans leur caisse les coupes de champagne propres.

— C'est amusant, en effet, fit-elle observer en refermant la caisse. En tout cas, merci encore de ton aide, maman. Vous pouvez partir, Tina et toi, tout est en ordre, ajouta-t-elle. Je jette juste un dernier regard à la facture avant de la présenter à sir Hatton.

Après le départ de Tina et de sa mère, Julia retira son tablier, dénoua ses cheveux et se servit un grand verre d'eau. Puis elle s'assit à la table de cuisine pour s'accorder quelques instants de repos bien mérités. Elle était épuisée mais ravie : ce premier contrat se soldait par un succès.

— Bonjour, Julia …

La surprise fut telle qu'elle sursauta, renversant une partie de son verre sur la table. Rand, ici ! Etait-elle en train de rêver tout éveillée ?

— Désolé, ajouta-t-il, je t'ai fait peur…

Elle se leva d'un bond, le cœur battant, et lui fit face comme s'il s'était agi d'un fantôme.

— Que fais-tu là ? articula-t-elle avec difficulté.

Il lui posa familièrement la main sur l'épaule et ce simple geste la bouleversa.

— Je suis ici pour te voir. C'est grâce à moi que tu as obtenu ce contrat avec sir Hatton : c'est le moyen le plus simple que j'ai trouvé pour entrer en contact avec toi.

La jeune femme lutta contre le trouble qui l'envahissait. Elle n'aurait dû ressentir que dégoût et horreur en sa présence, mais le simple fait de le revoir la déstabilisait profondément. Dans son costume gris en fin lainage, avec sa chemise d'une blancheur immaculée qui rehaussait son teint hâlé, il avait un extraordinaire charisme, songea-t-elle, bouleversée. Soudain le souvenir de leurs étreintes passionnées l'envahit et elle dut se retenir au dossier de la chaise pour ne pas tomber.

Mais par bonheur cet accès de faiblesse ne se prolongea pas. Elle retrouva enfin le contrôle d'elle-même et, relevant le menton, lui adressa un regard de défi.

— Je n'ai rien à te dire, déclara-t-elle d'une voix glaciale. Tu perds ton temps. Je t'avais prévenu…

— Voyons, Julia, laisse-moi te…

Un éclat hostile dans ses yeux clairs, elle l'arrêta d'un geste.

— Tu n'as pas compris ? lança-t-elle avec une agressivité redoublée. Laisse-moi tranquille ! C'est le plus grand service que tu puisses me rendre !

Rand resta muet. Il était entré dans la cuisine avec la ferme intention de présenter ses excuses à Julia, mais son agressivité l'arrêtait brutalement dans son élan.

Mais… avec son simple T-shirt blanc qui soulignait la rondeur de ses seins, son jean près du corps qui mettait en valeur la cambrure délicieusement sensuelle de ses reins, elle était plus désirable que jamais : il n'était pas question de lui obéir et de battre en retraite.

Cédant à un irrépressible besoin de la serrer contre lui, il s'approcha et l'enlaça d'un geste possessif.

— Je n'ai pas la moindre envie de te laisser tranquille, déclara-t-il. Et tant pis si tu n'es pas d'accord ! Qu'est-ce que je risque ? L'opinion que tu as de moi ne peut pas être pire qu'elle ne l'est déjà, n'est-ce pas ?

Julia tenta de se soustraire à son étreinte, mais en vain. Il la maintenait contre son corps puissant ; elle sentait contre elle ses cuisses musclées, elle respirait son odeur mâle. Soudain un vertige la saisit, et quand il se pencha pour l'embrasser elle n'eut pas la force de le repousser. Tout son être le réclamait, et avant même de comprendre ce qui se passait elle se mit à répondre à son baiser avec ardeur. Sa soif de lui était telle qu'un gémissement lui échappa. Glissant les doigts dans ses boucles brunes, elle s'agrippa à lui comme si elle craignait qu'il ne lui échappe.

— Il faut que nous parlions, murmura-t-il tout à coup.

Ces paroles ramenèrent brutalement Julia à la cruelle réalité…

Comment pouvait-elle être assez faible pour être incapable de résister aux pulsions qui la poussaient vers lui ? se demanda-t-elle, atterrée par sa propre inconséquence. Elle devait absolument se reprendre !

— Je n'ai rien à te dire, balbutia-t-elle en reculant de quelques pas. Je…

Elle s'arrêta net, car sir Peter Hatton venait de pénétrer dans la cuisine.

— Ah, vous voilà, Rand ! s'exclama-t-il avec surprise. Je vous cherchais partout… Je vois que vous avez fait la connaissance de la charmante Julia !

Il se tourna vers la jeune femme et lui adressa un sourire chaleureux.

— Je tenais à vous féliciter, mademoiselle, tout était exquis et mes invités ont été impressionnés par vos talents.

— Merci, bredouilla Julia en remerciant le ciel que sir Peter ne les ait pas surpris en plein baiser.

— Mais laissons cette jeune personne rentrer chez elle, reprit-il, elle doit être épuisée. Je vous remercie encore, Julia et je ne manquerai pas de vous recommander à mes relations. Vous venez, Rand ? Je vais vous faire goûter un de mes cognacs préférés…

Rand se tourna vers Julia et lui lança un regard ironique.

— Bonsoir, mademoiselle, articula-t-il avec une lenteur

118

étudiée. Et permettez-moi de vous féliciter moi aussi pour vos talents… multiples.

Julia le foudroya du regard. L'allusion était claire, mais par bonheur sir Peter ne pouvait pas la saisir.

Dix minutes plus tard, Julia s'installait au volant de sa voiture, épuisée nerveusement et physiquement. Il lui tardait de se retrouver chez elle pour faire le point sur cette journée éprouvante à plus d'un titre…

Mais la tension en elle était si forte, sa main tremblait si violemment qu'elle ne réussit pas à démarrer du premier coup. Elle eut alors le tort d'insister : la voiture hoqueta, repartit, puis cala définitivement. Elle avait dû noyer le moteur…

La portière côté passager s'ouvrit brusquement et avant qu'elle ne comprenne ce qui se passait, Rand s'était glissé sur le siège.

— Tu as un problème ? demanda-t-il.

— Mon problème, c'est toi ! rétorqua-t-elle avec violence. Sors de ma voiture !

Il lui adressa un large sourire comme s'il n'avait rien entendu.

— Tu ne croyais tout de même pas que tu allais t'en tirer sans une petite explication…, dit-il en la fixant d'un regard pénétrant. Et sans ton chèque ! Je ne t'ai même pas payée…

— Tu n'as qu'à m'envoyer le chèque par la poste, coupa-t-elle d'un ton sec. En attendant, sors d'ici.

Il ne parut pas impressionné par son agressivité. Il se pencha vers elle et lui emprisonna les mains dans les siennes.

— Pas avant d'avoir eu une explication avec toi, déclara-t-il sans se départir de son calme.

Elle tenta de se dégager, mais en vain, et jugea finalement préférable de céder momentanément. L'expérience lui avait appris qu'avec un homme aussi arrogant et insensible, un

119

affrontement ne servait à rien : il avait toujours le dernier mot.

De plus, elle ne voyait vraiment pas ce qu'il y aurait eu à ajouter à leur ultime et pénible explication il y avait deux mois de cela. Mais si elle ne pouvait se débarrasser de lui qu'à ce prix…

— Parfait, dit-elle d'un ton pincé. Je t'écoute.

— Ah, te voilà enfin raisonnable ! Je te propose de t'emmener dans un endroit plus calme, où nous pourrons discuter sans être dérangés. Je prends le volant ?

Elle acquiesça de mauvaise grâce, définitivement résignée à cesser toute opposition systématique.

Si elle acceptait cette dernière discussion, peut-être la laisserait-il enfin en paix ?

C'était en tout cas son seul souhait…

10.

— Je vais te montrer un endroit que tu ne connais peut-être pas, annonça Rand après quelques minutes d'un silence pesant. Un élevage de truites, au bord d'un lac enchanteur.

Elle haussa les épaules, exaspérée, et poussa un profond soupir.

— Un élevage de truites ? Tu te moques de moi ? Je me fiche de ton élevage de truites ! Je veux juste entendre ce que tu as à me dire, avant d'être débarrassée de toi pour toujours. Est-ce clair ?

Il ne répondit pas, mais s'engagea sur un petit chemin de terre avec un sourire énigmatique. Au bout de quelques instants il stoppa la voiture au bord d'un grand lac entouré de bouleaux. On distinguait quelques bâtiments de bois non loin du rivage, mais à cet instant il n'y avait pas âme qui vive dans les parages, et les rayons argentés de la lune conféraient à toute la scène un aspect irréel.

Très gentleman, Rand se précipita pour ouvrir la portière de Julia.

— Viens, je t'en prie, dit-il en lui tendant la main.

La jeune femme l'accepta et, une fois à l'extérieur, ne put retenir un frisson. L'air était frais, et elle ressentait subitement la fatigue après sa longue journée de travail. Rand se pencha vers elle, remit en place une mèche de ses cheveux et lui effleura la joue presque tendrement.

— Qu'as-tu à me dire ? demanda Julia en luttant contre l'émotion que ce geste pourtant anodin provoquait en elle.

Il y eut un silence, seulement troublé par le chant des grenouilles.

— Je voulais te réitérer l'invitation de ma mère. Elle tient absolument à vous recevoir chez elle en Italie, ta mère et toi…

Julia resta bouche bée.

— Tu veux dire que tu m'as emmenée jusque dans cet endroit perdu simplement pour me transmettre cette invitation ? s'exclama-t-elle, partagée entre l'incrédulité et la fureur. Pourquoi ne me l'as-tu pas dit simplement tout à l'heure dans la cuisine ? De toute façon, la réponse est non, bien entendu ! Je ne veux plus rien avoir à faire avec les Diez ! Car il est clair que ta mère savait depuis le début que tu t'étais entendu avec Ricardo Eiga, sans même m'en informer ! Dans ces conditions, il est évident que je n'ai aucune envie de la rencontrer.

Rand poussa un soupir et une expression soucieuse se lut sur son visage.

— Il y a un nouvel élément, déclara-t-il enfin d'une voix hésitante. Un élément qui éclaire la situation d'un jour nouveau. Je veux que tu sois au courant.

— Si tu espères me faire changer d'avis avec une dernière entourloupe, tu te trompes, Rand. Je suis plus coriace que tu ne le crois…, rétorqua Julia sèchement.

— Il ne s'agit pas d'une entourloupe. Je te demande juste quelques instants d'attention, précisa-t-il. Seulement quelques instants, et quand je t'aurai dit ce que j'ai à te dire, je te jure que je ne t'importunerai plus.

Etonnée par son calme, sa voix solennelle, Julia leva les yeux vers lui. Il la dévisageait avec un regard si intense qu'elle décida de lui accorder les quelques minutes qu'il lui demandait.

— Très bien, fit-elle avec un soupir de lassitude. Je t'écoute.

Il s'engagea sur le chemin qui longeait le lac et elle lui emboîta le pas. Quand il lui glissa un bras autour de la taille, elle tenta de se dégager, mais il resserra son étreinte. Alors, aussi troublée que désarçonnée par ce geste familier, elle cessa de lutter.

Ils marchèrent quelque temps sans parler, puis Rand rompit le silence.

— Toi et Ester n'êtes pas les seuls membres survivants de la famille Diez, commença-t-il.

Jusque-là, rien de bien extraordinaire, songea Julia avec cynisme. Connu pour ses multiples conquêtes féminines, son père avait probablement engendré quelques enfants illégitimes. Si Rand n'avait rien d'autre à lui révéler, il n'avait pas besoin de prendre tant de précautions oratoires.

— Ah oui ? fit-elle d'un ton distrait.

— Julia, j'ai découvert qu'avant d'être le régisseur du ranch, Sanchez est surtout le demi-frère de Carlos, le fruit d'une relation cachée de ton grand-père... Pendant toutes ces années, les deux hommes ont gardé le secret pour préserver la mémoire de leur père. Quelques jours après la mort de ton père, j'ai découvert la vérité en classant ses papiers, et je m'en suis aussitôt ouvert à Sanchez. Il m'a dit que Carlos avait toujours eu l'intention de lui léguer le ranch, puisqu'il était le seul mâle porteur du nom, afin que la propriété ne quitte pas la famille. Mais l'incapacité de Donna à avoir un enfant l'a fait changer d'avis. Carlos a donc modifié son testament dans cet esprit en y rajoutant le codicille qui te concerne.

La stupéfaction laissa d'abord la jeune femme bouche bée puis, après avoir recouvré ses esprits elle s'exclama :

— Mais c'est tout à fait injuste ! D'autant qu'à présent Sanchez va avoir un enfant !

— C'est exact, répondit Rand. Mais comment Carlos

aurait-il pu imaginer que Donna serait enfin enceinte après vingt ans de mariage ? Toujours est-il qu'une fois la vérité mise à jour, j'en ai bien sûr discuté avec ma mère. Elle n'était au courant de rien, même si elle savait que son père avait été un mari volage… La première surprise passée de se découvrir un demi-frère sorti de nulle part, elle a été tout à fait d'accord pour que Sanchez garde le ranch.

— Mais pourquoi ne m'as-tu pas mise au courant de tout cela quand je suis arrivée au Chili ? interrogea Julia après quelques instants de réflexion.

— C'était mon intention première. Mais Ester et Sanchez m'en ont empêché. Ils voulaient que tu te décides en toute sérénité par rapport à l'héritage, en tant que seule enfant légitime de Carlos.

Julia resta silencieuse un moment.

— Ainsi, Sanchez est mon oncle…, murmura-t-elle. C'est incroyable, mais j'en suis à peine étonnée, tant notre complicité a été grande depuis mon premier séjour au Chili. C'est lui qui m'a appris à monter, lui qui m'a transmis sa passion des chevaux. A vrai dire, je me suis toujours sentie plus proche de lui que de mon père… Et j'adore Donna ! C'est merveilleux de se dire qu'elle est ma tante : elle a toujours été si affectueuse avec moi !

Elle se tut quelques instants puis se tourna vers Rand d'un air suspicieux. La joie de se découvrir un oncle, une tante et bientôt un cousin ne l'empêchait pas de se poser les questions qui la taraudaient.

— Si tu souhaitais tant respecter les souhaits de mon père, alors pourquoi as-tu vendu la propriété au père de Enrique ? lança-t-elle d'un ton accusateur. C'est d'autant plus incompréhensible et révoltant !

Rand écarquilla les yeux.

— Je n'ai pas vendu le ranch à Ricardo Eiga ! protesta-t-il avec vigueur. C'est lui qui m'a vendu le sien !

Ce fut au tour de Julia de lui lancer un regard incrédule.

— Comment ? balbutia-t-elle, stupéfaite.

— Peu après le décès de ton père, j'ai proposé à Ricardo de lui racheter son ranch, expliqua-t-il. Son fils unique avait disparu, il était sans descendance : il a accepté à la condition expresse de rester dans les lieux jusqu'à sa mort, condition à laquelle je ne me suis bien évidemment pas opposé. Je savais que le rêve secret de ton père était d'agrandir encore la propriété à laquelle il était si attaché, avec l'idée qu'il transmettrait ses biens à celui qui les gérait depuis trente ans déjà : Sanchez. Voilà pourquoi j'ai mené à bien cette transaction. Aujourd'hui le souhait de ton père est exaucé : agrandi de quelques centaines d'hectares, le ranch reste aux mains des Diez...

Julia resta bouche bée. Elle s'était donc complètement fourvoyée quand elle avait surpris la conversation entre Rand et le père de Enrique !

— Tout s'éclaire à présent, murmura-t-elle comme si elle se parlait à elle-même. Je n'avais rien compris quand je t'ai entendu discuter avec le père de Enrique... Je suis heureuse de cette solution ! s'exclama-t-elle tandis que la tension en elle s'apaisait soudain. Sanchez aime cette terre autant que l'a aimée mon père, et c'est un juste retour des choses.

Tout allait si vite, pensa-t-elle tout à coup. Jamais elle n'aurait imaginé de tels rebondissements...

— Mais pourquoi as-tu tant attendu pour me mettre au courant ? ajouta-t-elle subitement. Tu aurais pu me révéler la vérité le jour où tu m'as accompagnée à l'aéroport. Au lieu de cela, tu m'as laissée dans l'erreur ! J'étais persuadée que c'était toi qui avais vendu à Ricardo Eiga et non l'inverse...

Le regard de Rand se voila, mais elle ne le remarqua pas.

— J'avais l'intention de mettre les choses au point avec toi dès ton arrivée, expliqua-t-il, mais tu semblais si obnubilée par l'argent que j'ai changé d'avis. Ton attitude me choquait tellement que j'ai fait en sorte que tu hérites du minimum … Aujourd'hui, je le regrette. Et puisque nous parlons de tout ça, rassure-toi, je n'ai jamais eu réellement l'intention de t'épouser, comme Carlos l'avait si curieusement suggéré dans son testament.

Il eut un petit ricanement qui la glaça.

— D'ailleurs, je n'ai pas la moindre envie de me marier, ni aujourd'hui ni demain ! ajouta-t-il d'un ton cynique. Le célibat me va très bien…

Façon peu délicate de lui faire comprendre que l'intérêt qu'il lui avait manifesté était purement d'ordre sexuel, pensa Julia avec une douloureuse amertume. Il s'était comporté avec elle comme avec toutes ses conquêtes : aussitôt consommées, aussitôt répudiées !

Elle détourna le regard pour qu'il ne lise pas la tristesse dans ses yeux. Tout ceci n'était que la confirmation de ce qu'elle savait depuis le début. Elle ne comptait pas pour Rand, elle n'avait jamais compté pour lui. Leur brève histoire n'avait été pour lui qu'une aventure de plus, après tant d'autres, avant tant d'autres… Comment avait-elle pu imaginer un instant qu'elle était pour lui plus qu'une jolie fille destinée à agrémenter quelques-unes de ses nuits ?

Serrant les poings, elle redressa la tête et se mit à marcher à grandes enjambées en direction de la voiture. Tout était dit, pensa-t-elle. Rand allait la reconduire chez elle, et leurs chemins se sépareraient définitivement…

Les larmes lui montèrent aux yeux, et elle accéléra le pas, rageant contre sa propre émotivité. Mais Rand la retint par le bras.

— Pardonne-moi, déclara-t-il d'une voix rauque.

Elle s'immobilisa brusquement, stupéfaite. Rand était donc capable de demander pardon, de se remettre en question ? C'était incroyable ! Un instant, elle faillit céder à l'émotion, se dire qu'elle était peut-être pour lui plus qu'une simple conquête à additionner sur son tableau de chasse. Mais elle se reprit brusquement. Il n'était pas question de s'attendrir...

— Ton explication m'a ouvert les yeux, Rand, et je t'en remercie, murmura-t-elle. A présent, je souhaite rentrer chez moi. La journée a été longue, et j'ai besoin de repos.

Elle se félicita elle-même du ton détaché qu'elle avait employé et osa un sourire certes un peu crispé mais parfaitement plausible. Mais Rand fronça les sourcils et lui jeta un regard chargé d'animosité.

— Ta journée a été longue, c'est tout ce que tu trouves à me dire ? s'exclama-t-il. Et moi, comment crois-tu que je me sente ? ajouta-t-il d'une voix étranglée. Moi aussi je suis en droit de te faire des reproches ! Pourquoi ne m'as-tu pas mis au courant ?

— Au courant de quoi ? rétorqua Julia, mal à l'aise.

— Tu sais très bien de quoi je veux parler, asséna-t-il brutalement. Tu avais besoin d'argent pour soigner ta mère : je le sais par Pat, la cousine de Peter Hatton qui a été soignée dans la même clinique qu'elle. Tu n'avais pas les moyens de lui payer le traitement conseillé par les médecins, et tu es venue au Chili dans le seul but de trouver cet argent.

Julia se figea.

— En quoi les problèmes de santé de ma mère te regardent-ils ? rétorqua-t-elle d'un ton sec.

— Pourquoi ne m'as-tu pas mis au courant ? répéta-t-il en la fixant avec une intensité presque douloureuse. Pourquoi ne m'as-tu pas fait confiance ? Parce que tu me prenais pour un affreux macho, que tu me mettais dans le même sac que ton père et Enrique ?

— Je..., commença-t-elle.

— Si tu m'avais expliqué que ta mère allait être opérée, j'aurais compris pourquoi tu refusais de te rendre au chevet de ton père ! J'aurais...

Il s'interrompit brusquement, et ses traits se crispèrent

comme s'il tentait de contenir une souffrance intérieure. Jamais auparavant elle ne l'avait vu si éprouvé, pensa Julia, en plein désarroi...

— Tu aurais... ? balbutia-t-elle.

— J'aurais été moins dur avec toi, conclut-il d'une voix étranglée.

Il s'approcha d'elle et lui effleura la joue d'un geste délicat. Frémissante d'émotion, Julia baissa les yeux. La voix de Rand était si douce, son regard si tendre qu'elle ne savait plus où elle en était. Ce pouvait-il qu'il éprouve pour elle quelque chose qui ressemble à un sentiment ?

— Te rends-tu compte de ce que j'ai ressenti quand j'ai compris ? demanda-t-il. Pourquoi n'as-tu rien dit ?

Il lui glissa un bras autour de la taille et l'attira à lui. Ses yeux noirs brillaient d'un éclat intense qui la bouleversa, et elle n'eut pas la force de le repousser.

— Je ne voulais pas que ma mère apprenne l'origine de cet argent, articula-t-elle alors avec difficulté.

— Pourquoi ?

— Depuis leur séparation, elle a mis un point d'honneur à ne jamais rien accepter de mon père : j'avais peur que dans ces conditions, elle refuse le traitement. A l'heure qu'il est, elle ne sait toujours pas que c'est mon héritage qui a servi à payer la clinique.

— Peut-être devrais-tu lui avouer la vérité, suggéra Rand avec une infinie douceur. Si elle l'apprend un jour par d'autres sources, elle risque de ne pas comprendre. Peut-être même de t'en vouloir, même si ton intention était louable...

Rand avait certainement raison, songea Julia. Elle se détendit tout à coup et une étrange langueur s'empara d'elle. Le parfum viril de Rand lui tournait la tête, son bras possessif pesait délicieusement sur ses hanches. Elle aurait dû se dégager de son étreinte, mais elle en était incapable.

— Je suis désolé de t'avoir mal jugée, reprit-il d'un ton grave. Désolé de toute cette incompréhension entre nous…

Il la serra contre lui et elle ferma les yeux, bouleversée de sentir son corps mâle pressé contre le sien.

— Mais quoi qu'il arrive, Julia, sache que je ne regretterai jamais de t'avoir fait l'amour, ajouta-t-il dans un souffle.

La respiration de Julia s'accéléra, une vague de chaleur l'envahit et elle crut que ses jambes se dérobaient sous elle. Elle n'était plus qu'attente, attente de ce qu'il allait lui dire, de ce qu'il allait lui faire…

— C'est en t'accompagnant à l'aéroport que j'ai enfin compris que je ne voulais pas te perdre, mais il était trop tard, expliqua-t-il d'une voix rendue rauque par l'émotion. Tu m'en voulais tant, et à juste titre ! Mais aujourd'hui, si tu peux oublier ma dureté, mon aveuglement, si tu peux me pardonner, peut-être que…

Il se pencha vers elle, cherchant ses lèvres. L'espace d'un instant la jeune femme hésita, partagée entre la raison qui lui enjoignait de lui résister, et les forces incontrôlables qui la poussaient vers lui. Par bonheur, elle parvint à reprendre le contrôle d'elle-même.

— Non, balbutia-t-elle en levant une main tremblante pour l'arrêter. Non, Rand…

Comme il était cruel de lui refuser les lèvres qu'il lui demandait, de se priver d'un dernier baiser ! Mais elle n'avait pas d'autre choix, songea-t-elle en retenant ses larmes. L'embrasser, vivre encore quelques minutes d'exception dans ses bras, c'était à coup sûr aviver davantage la douleur qu'elle aurait à le quitter, et cela, elle ne le voulait pas. Car à l'évidence, leurs chemins allaient se séparer pour ne plus jamais se croiser… Mieux valait précipiter les adieux pour abréger cette intolérable souffrance.

— Non, répéta-t-elle avec l'énergie du désespoir.

Le regard de Rand s'assombrit, il sembla hésiter un instant, puis finalement s'écarta d'elle.

— Excuse-moi, déclara-t-il d'une voix tendue. Je m'étais promis de ne pas t'importuner, et puis...

Il fut incapable d'achever.

— Je vais prendre un taxi pour rentrer à mon hôtel, ajouta-t-il, le visage fermé.

— Non, je te ramène, déclara Julia.

Rand ne voulut rien entendre : son hôtel était à l'autre bout de la ville et il refusait que la jeune femme fasse un si long détour.

— Tu es trop fatiguée, affirma-t-il. Tu n'as qu'à me ramener jusqu'à chez toi, et là j'appellerai un taxi. De cette manière j'aurai fait la moitié du chemin et tu ne feras pas de route supplémentaire.

Julia accepta, même si la perspective de cet ultime tête-à-tête avec Rand la dévastait. Car elle avait enfin admis la réalité, cette évidence qu'elle avait refusé d'envisager pendant toute la durée de son séjour au Chili : elle aimait Rand. Elle l'aimerait toujours et elle allait le perdre. Un instant elle fut tentée de le retenir en lui avouant la profondeur de ses sentiments, mais y renonça aussitôt.

Rand proclamait haut et fort son refus de l'engagement, revendiquant avec arrogance son statut de célibataire endurci, et pour elle il n'était pas envisageable de transiger. Elle ne voulait être ni sa petite amie ni sa maîtresse en titre : elle avait trop foi en l'amour, elle croyait trop en la famille pour accepter des accommodements avec l'homme qu'elle aimait...

Mieux valait renoncer à lui que se contenter d'une relation qui ne pourrait que la faire souffrir.

Ils n'échangèrent pas une parole pendant le court trajet. Enfin, la jeune femme immobilisa la voiture devant chez elle et arrêta le moteur d'une main tremblante.

Elle vivait ses derniers instants avec Rand, songeait-elle, anéantie. Dans quelques minutes, il s'éloignerait pour toujours, et elle resterait seule avec les souvenirs de leurs baisers, de leurs étreintes, de ce qui avait été et ne serait jamais plus...

— Peux-tu m'appeler un taxi ? interrogea-t-il d'une voix tendue.

— J'ai oublié mon portable, balbutia-t-elle en évitant son regard de peur de s'effondrer.

— Et le mien n'a plus de batterie... Peut-être puis-je utiliser ton téléphone fixe ? suggéra-t-il presque timidement. De toute façon, je crains que tu ne sois obligée de me faire entrer chez toi, car à cette heure tardive un taxi risque de mettre du temps à arriver. Je suis sûr que tu ne tiens pas à ce que j'attende dans la rue...

Elle se mordit la lèvre dans un geste qui trahissait son désarroi. Pourquoi ces adieux se prolongeaient-ils si cruellement ? C'était comme s'il cherchait inconsciemment à lui enfoncer le couteau dans la plaie !

— Très bien, fit-elle sans enthousiasme. Rentrons téléphoner. Mais si ma mère n'est pas couchée, je te demande instamment de ne faire aucune allusion à ce dont nous venons de parler.

— Je serai discret, Julia. Sur tout...

Liz était dans le salon, plongée dans son journal. Dès qu'elle entendit la clé tourner dans la serrure, elle se leva et alla à leur rencontre.

— Te voilà enfin, ma chérie ! Je commençais à m'inquiéter ! Mais tu n'es pas seule...

Affreusement mal à l'aise, Julia s'apprêtait à présenter Rand à sa mère quand il la devança.

— Désolé de vous déranger à une heure si tardive, chère madame, commença-t-il en s'inclinant profondément, mais votre fille a eu la gentillesse de me conduire jusqu'ici pour que j'appelle un taxi. Je suis Rand Carducci, Julia vous a peut-être parlé de moi… Vous êtes aussi belle qu'elle me l'avait dit, si je puis me permettre, ajouta-t-il en lui adressant un de ces sourires ravageurs dont il avait le secret.

Visiblement sous le charme, Liz lui rendit aussitôt son sourire…

— C'est fort aimable à vous, s'exclama-t-elle, bien que très exagéré ! Je sais que Julia vous a vu au Chili, mais elle s'était bien gardée de me dire que vous étiez aussi bel homme… N'est-ce pas, Julia ?

La jeune femme se sentit rougir aussi stupidement qu'une adolescente à son premier flirt, et maudit intérieurement sa mère.

Liz se tourna vers Rand.

— Il est tard, mais peut-être accepteriez-vous un verre ? lui demanda-t-elle d'un ton engageant. Pendant ce temps, tu n'as qu'à aller appeler un taxi, ma chérie !

Julia s'exécuta, ravie de quitter la pièce et de se soustraire à cette scène étrange. Jamais elle n'aurait imaginé que sa mère accueille un membre de la famille Diez avec autant de chaleur. Mais bien sûr, Rand savait mettre toutes les femmes dans sa poche…

Quand elle revint pour annoncer à Rand que son taxi arriverait une vingtaine de minutes plus tard, elle les trouva en grande discussion. Ils étaient à l'évidence rentrés dans le vif du sujet : le Chili…

— Ainsi, Sanchez est le demi-frère de Carlos, déclara Liz comme si elle se parlait à elle-même. Au fond, je ne suis guère surprise, ajouta-t-elle avec une ironie cinglante. Chez les Diez, la fidélité conjugale n'est pas monnaie courante, comme je l'ai appris à mes dépens. Je me demande combien d'enfants illégitimes ils ont essaimé autour d'eux génération après génération...

Elle poussa un soupir, puis redressa la tête et sourit, chassant délibérément les fantômes du passé.

— En tout cas, j'ai un excellent souvenir de Sanchez et Donna, conclut-elle. Tant mieux pour toi, Julia, puisqu'il s'agit de ton oncle et de ta tante !

Rand reprit la parole pour transmettre à Liz l'invitation de sa mère.

— J'apprécie le geste d'Ester, répondit Liz, et je suis ravie si Julia renoue avec cette partie de sa famille paternelle, mais pour tout vous dire je n'accepterai pas cette invitation. Voyez-vous, je n'ai pas un très bon souvenir des Diez... Quand j'ai divorcé du père de Julia, j'ai fait une croix sur toute cette partie de ma vie, et je m'en porte très bien. Je ne tiens pas à faire resurgir le passé.

Au moins, c'était clair et net, songea Julia, surprise et soulagée. Reprendre contact avec Ester, ce serait nécessairement avoir des nouvelles de Rand, et elle n'y tenait pour rien au monde.

Elle lui jeta un regard à la dérobée. Qu'il parte, pensa-t-elle avec une rage sourde, qu'il la laisse seule ! Elle ne voulait plus rien avoir à faire avec lui, ni de près ni de loin...

L'arrivée du taxi mit heureusement un terme à la conversation.

Rand se leva et serra la main de Liz.

— Ravi d'avoir fait votre connaissance, dit-il en s'inclinant devant elle.

— Moi aussi, enchaîna Liz. Et transmettez mon bon souvenir à votre mère.

— Viens, Rand, le taxi s'impatiente..., lança Julia.

Elle l'escorta à contrecœur jusqu'à la voiture garée devant leur petite maison. Rand ouvrit la portière. Il allait s'installer sur le siège quand il se retourna. Malgré l'obscurité, Julia nota avec surprise que son expression était grave.

— J'ai beaucoup appris sur toi en discutant avec ta mère, déclara-t-il.

Leurs regards se croisèrent, et l'éclat qui brillait dans les yeux noirs de Rand était tel qu'elle fut incapable de détourner les siens.

— Je suis sûr qu'en réalité, tes parents tenaient plus l'un à l'autre qu'ils ne le croyaient, poursuivit-il. Mais ta mère n'a jamais pardonné à Carlos de l'avoir trahie. Elle l'a quitté, et elle est restée seule... C'est dommage...

— Dommage ? releva Julia, choquée. Ma mère mène l'existence qu'elle a choisie !

— C'est exact, mais au fond elle n'a jamais accepté cette rupture, et en tout cas elle n'a jamais refait sa vie. Ne trouves-tu pas triste qu'elle soit toujours seule après tant d'années ?

Julia resta silencieuse. Jamais, en effet, elle n'avait connu de relation amoureuse à sa mère...

— Ne laisse pas ton histoire familiale régir ton rapport avec les hommes, Julia, reprit-il d'une voix grave. Ne rejette pas la famille Diez pour suivre l'exemple de ta mère. Garde le contact avec Sanchez et Donna, ils t'aiment tant ! Et quant à moi, je sais que je suis un Diez par alliance, je sais ce que tu penses de moi, mais...

Sa voix s'étrangla, et Julia lui jeta un regard surpris. Pourquoi semblait-il si ému tout à coup, alors qu'au fond il se souciait d'elle comme d'une guigne ?

— Tu as mon numéro de téléphone, reprit-il, appelle-moi si tu viens voir ma mère en Italie et, je t'en prie, n'attends pas trop longtemps...

Et sans lui laisser le temps de réagir, il déposa un baiser furtif sur ses lèvres, s'installa dans le taxi et claqua la portière.

*
* *

Comme paralysée, Julia regarda sans la voir la voiture s'éloigner jusqu'à ce qu'elle ne soit plus qu'un point minuscule à l'horizon. Puis, en plein désarroi, elle rentra chez elle d'un pas lourd.

Cette fois, tout était vraiment fini…

Alors qu'elle aspirait à se retrouver seule pour laisser enfin éclater sa peine, elle constata avec contrariété que sa mère l'attendait dans le salon.

— Dis-moi, Julia, il n'y aurait pas anguille sous roche entre Rand et toi ? lui demanda aussitôt Liz d'un ton inquisiteur. J'ai eu la nette impression que vous me cachiez quelque chose !

Julia pesta intérieurement contre le sixième sens de sa mère : elle avait toujours eu le don de tout deviner sans qu'on lui dise quoi que ce soit ! Redressant la tête, elle s'efforça d'arborer un air dégagé.

— Pas du tout, maman ! protesta-t-elle maladroitement.

C'était le moment où jamais de faire diversion en lui révélant comment elle avait financé son traitement, songea-t-elle tout à coup. Ainsi, peut-être cesserait-elle de lui parler de Rand.

En quelques mots, elle la mit donc au courant du règlement de l'héritage, et à sa grande surprise, Liz sembla soulagée.

— Je suis ravie, expliqua-t-elle. Je me faisais tant de soucis pour notre budget, j'avais peur que tu n'aies emprunté sans me le dire. Merci, ma chérie, merci…

Elle enlaça sa fille et la garda longtemps serrée dans ses bras.

— Et tu sais, ma Julia, si tu veux renouer avec Ester et Rand, je n'y vois aucun inconvénient, lui murmura-t-elle tendrement à l'oreille. Malgré ce que j'ai vécu avec ton père, il est important que tu gardes des liens avec les Diez… Après tout, c'est ta famille…

Ce moment d'émotion passé, elle relâcha son étreinte.

— Bien, si nous allions nous coucher à présent ? reprit-elle d'un ton plus léger. Tu dois être éreintée après une si longue journée…

Une fois dans son lit, et tout épuisée qu'elle était, Julia fut cependant incapable de trouver le sommeil.

Comment aurait-elle pu s'endormir alors qu'elle venait de quitter pour toujours l'homme qu'elle aimait ?

Il y avait peu de clients dans la boulangerie en cette fin d'après-midi, et Julia attendait avec impatience l'heure de la fermeture.

Cinq semaines s'étaient écoulées depuis la soirée chez sir Peter Hatton, et Rand n'avait cessé d'occuper ses pensées. Elle avait écrit à Donna et Sanchez pour prendre de leurs nouvelles, et reçu en retour une lettre pleine de chaleur et d'affection qui lui avait mis du baume au cœur.

Décidée à normaliser ses rapports avec sa famille paternelle, elle hésitait encore cependant à entrer en contact avec sa tante Ester. Voir Ester signifiait avoir des nouvelles de Rand, et elle savait déjà qu'elle ne le supporterait pas. Peut-être un jour franchirait-elle le pas, quand la douleur se serait un peu apaisée, mais il était encore trop tôt.

Aussi, quelle ne fut pas sa surprise quand, rentrant un soir chez elle, elle trouva dans le salon deux inconnus en grande conversation avec sa mère. Deux inconnus qui n'étaient autre qu'Ester et son mari Tony Carducci, le père de Rand.

A près de soixante ans, Ester était encore une belle femme. Ses yeux verts avaient exactement la teinte de ceux de Julia, et cette dernière éprouva aussitôt de la sympathie pour cette femme directe et souriante.

Tony, lui, avait la même distinction naturelle que son fils, le même regard franc et assuré.

— Comme je suis heureuse de te connaître ! s'exclama

136

Ester en serrant la jeune femme dans ses bras. Rand avait chanté tes louanges, et il n'avait pas exagéré !

Les premières effusions passées, la conversation prit un tour plus calme, et Ester expliqua à Julia que tout était arrangé entre elle et Liz.

— Je respecte son point de vue, affirma-t-elle, mais je suis sûre qu'il évoluera quand nous aurons appris à mieux nous connaître. Un jour, Liz acceptera de me rendre visite en Italie. N'est-ce pas, Liz ?

A la grande surprise de Julia, Liz approuva d'un signe de tête. A l'évidence, Ester avait su aborder le problème par le bon côté…

Après le thé, Liz se retira quelques instants tandis que Tony feuilletait un album de photos, et Ester en profita pour prendre Julia en aparté.

Elle s'assit à côté d'elle sur le canapé et lui saisit les mains dans un geste plein d'affection.

— Ma chère Julia, il faut que tu m'expliques le problème entre toi et Rand, commença-t-elle, soudain sérieuse. J'ai beau ne pas être sa mère naturelle, c'est moi qui l'ai élevé et je le connais mieux que personne. Je suis sûre qu'il s'est passé quelque chose entre vous, quelque chose qui vous a contrariés…

— Pas du tout, protesta Julia mollement.

— Il est perturbé, c'est évident ! affirma Ester avec vigueur. Et c'est en partie pour ça que je suis ici aujourd'hui. Je voulais m'assurer qu'aucun conflit ne vous avait opposés à propos de l'héritage de Carlos.

— Non, aucun ! assura Julia.

Ester réfléchit quelques instants.

— Tu sais, j'aime Rand plus que ma vie, reprit-elle d'un ton pénétré, et c'est l'être le plus droit et le plus désintéressé que je connaisse. En tant qu'exécuteur testamentaire, il l'a d'ailleurs prouvé en nous instituant tous les quatre actionnaires du ranch.

— Tous les quatre ? répéta Julia, stupéfaite.

— Oui, tous les quatre, répéta Ester. Sanchez, Rand, toi et moi. Pourquoi as-tu l'air si surpris ? Tu ne savais pas ?

— Non, avoua Julia, décontenancée. J'étais convaincue que Sanchez héritait de tout, ce qui d'ailleurs me paraissait un juste retour des choses. Mais peu importe ce qu'a décidé Rand, poursuivit-elle d'un ton plus ferme. D'abord je n'ai heureusement pas besoin de cet argent, donc cette nouvelle ne changera pas ma vie, et ensuite, pour être franche, Ester, je préférerais ne pas parler de lui.

Interloquée, Ester resta muette quelques secondes. Puis sa nature énergique reprit le dessus, et à défaut d'avoir réussi à convaincre Liz, elle profita du trouble de Julia pour lui arracher la promesse d'une prochaine visite en Italie.

Cette scène avait eu lieu près d'une semaine plus tôt, mais Julia s'en voulait toujours amèrement de s'être engagée auprès de sa tante. Elle avait bien pensé à annuler son voyage, mais Liz avait eu l'air si déçue à cette idée qu'elle avait fait machine arrière : puisqu'il le fallait, elle irait en Italie, en priant le ciel que Rand ne séjourne pas chez sa mère en même temps qu'elle…

L'heure de la fermeture était enfin arrivée… Julia ôta son tablier, compta sa caisse et s'assura que les invendus de la journée avaient bien été placés comme tous les soirs devant la porte arrière, prêts à être collectés par l'association caritative qu'elle soutenait. Elle venait de jeter un dernier coup d'œil autour d'elle pour vérifier que tout était en ordre et se retournait pour se diriger vers la porte quand elle se retrouva nez à nez avec une haute silhouette masculine. Une silhouette qu'elle ne connaissait que trop bien : Rand…

Vêtu d'un jean et d'une veste noire, il lui sembla légèrement amaigri… et plus irrésistible que jamais.

— Rand ! balbutia-t-elle, bouleversée. Toi ici ? J'allais partir…

Il s'avança d'un pas… Il la dominait de sa haute silhouette et elle ne put retenir un frisson d'émotion, tant sa seule présence la troublait. Si seulement elle avait pu se jeter dans ses bras et le laisser l'embrasser sans plus penser à autre chose qu'au bonheur de sentir ses lèvres sur les siennes !

— Sais-tu que depuis que tu as vu Ester, elle ne cesse de me faire des reproches à ton propos ? lança-t-il d'un ton courroucé sans même lui dire bonjour.

— Mais, je…

Il ne la laissa pas achever : profitant de sa surprise, il l'enlaça sans ménagement et se mit à l'embrasser avec une telle ardeur qu'elle eut du mal à retrouver son souffle. Voulait-il la punir, lui démontrer qu'il était le plus fort, qu'elle ne pouvait pas lui résister ? Elle n'aurait su le dire, mais elle n'eut pas la force de lutter. Elle lui abandonna ses lèvres avec délice, éperdue d'émotion de sentir sa chaleur, de respirer son odeur, de retrouver le contact de son corps mâle. Sa bouche dévorait la sienne avec une telle intensité qu'elle souhaita que ce baiser ne s'arrête jamais…

Mais il la lâcha aussi brusquement qu'il l'avait enlacée, la laissant pantelante et frustrée.

— Pourquoi as-tu raconté à ma mère que tu ignorais être actionnaire ? lança-t-il avec vigueur.

— Mais… parce que je ne le savais pas, bredouilla-t-elle en reprenant péniblement ses esprits.

— Voyons, Julia, je te l'avais dit ! protesta-t-il avec un soupir agacé. Lors de notre promenade au bord du lac ! Tu as oublié ?

Elle baissa la tête, confuse.

— Je ne sais pas, avoua-t-elle. Peut-être n'ai-je pas bien

compris. Ce jour-là, tout était si bizarre… Et puis je pensais que la somme que tu m'avais donnée au Chili constituait tout mon héritage. Je ne me suis pas posé plus de questions, voilà tout.

Rand s'écarta d'elle et la dévisagea longuement.

— Ainsi, tu m'as cru capable de te spolier…, murmura-t-il enfin comme s'il se parlait à lui-même. Et comme tu avais obtenu la somme dont tu avais besoin pour payer le traitement de ta mère, tu n'as pas jugé utile d'insister.

Il fit une pause et poussa un profond soupir, une expression douloureuse sur ses traits virils.

— Quand je pense que je t'ai accusée d'être vénale, égoïste, de ne t'intéresser qu'à l'argent, alors que tu es tout le contraire ! lança-t-il d'une voix étranglée. J'ai eu tout faux, Julia, tout faux ! Me pardonneras-tu un jour ?

Un sourire timide s'ébaucha sur les lèvres de la jeune femme, et son cœur se mit à battre la chamade. Rand était si proche tout à coup, si humble, si tendre ! Jamais elle ne l'avait senti si accessible…

— Tout dépend comment tu me le demandes, répondit-elle d'un ton mutin.

Ils échangèrent un regard plus éloquent que de longues explications ou des paroles d'excuses. Puis, avec une infinie douceur, Rand enlaça Julia et prit les lèvres qu'elle lui offrait.

Rand manœuvrait avec habileté sa petite voiture décapotable au milieu des embouteillages tout en pestant contre le trafic romain tandis que Julia, assise à ses côtés, s'émerveillait encore et encore de découvrir cette ville magnifique à ses côtés…

Et dire que quinze jours seulement s'étaient écoulés depuis la visite de Rand au magasin ! En deux semaines, il lui semblait que sa vie avait basculé…

Ce jour-là, ils avaient fini la soirée à l'hôtel de Rand après un merveilleux dîner en tête à tête, et avaient enfin laissé libre cours à leur passion jusqu'aux premières lueurs de l'aube. Pour Julia, ce séjour à Rome avec lui était un bonheur de plus...

— Je me demande ce que je vais bien pouvoir répondre à ta mère quand elle me demandera ce que j'ai pensé du Colisée, murmura-t-elle en posant la main sur la cuisse musclée de Rand.

Elle s'émerveillait encore et toujours de le regarder, de le toucher, de songer que quand la nuit viendrait, ils seraient de nouveaux amants.

— Tu lui diras que de la fenêtre de la chambre d'hôtel où nous avons passé l'après-midi, la vue sur le monument était superbe, répondit Rand en riant. Et tu omettras de préciser que nous l'avons à peine admirée car nous avions d'autres impératifs beaucoup plus pressants...

— Tu exagères ! protesta-t-elle, rougissante. Tu étais supposé être mon guide touristique !

— Je préfère te guider... dans d'autres domaines, rétorqua-t-il, amusé. Et l'élève va bientôt dépasser le maître...

C'était la pure vérité, ajouta-t-il en son for intérieur. Au lit, Julia était la plus audacieuse des partenaires, tout en gardant cette fraîcheur et cette pureté qui le ravissaient. Elle était capable de rougir jusqu'aux oreilles à une de ses remarques alors qu'elle venait d'oser la caresse la plus érotique, et ce contraste attisait encore le désir insatiable qu'il avait d'elle.

Entre son propre départ d'Angleterre et l'arrivée de Julia la veille au soir, il l'avait appelée plusieurs fois par jour, impatient de savoir ce qu'elle faisait, qui elle voyait, tant elle lui manquait déjà.

Ester et Tony l'avaient accueillie avec chaleur dans leur grande et agréable maison de la banlieue romaine. Installés sur la terrasse à la lumière des bougies, ils avaient bu un excellent chianti et dégusté un osso-buco, spécialité d'Ester.

— Puisque vous ne connaissez pas Rome, il faut absolument commencer par un tour de la ville, avait suggéré Ester. Tu ne penses pas, Rand ?

— Si, bien sûr. Et je me propose de faire office de guide et de chauffeur. Qu'en dis-tu, Julia ?

Pour toute réponse, la jeune femme lui sourit, tandis que Ester et Tony approuvaient.

Et quand Rand lança l'idée de prendre quelques jours de vacances pour montrer la campagne romaine à la jeune femme, ils parurent ravis...

11.

— Alors, la Belle au bois dormant, on se réveille ? Tu ferais mieux de te protéger du soleil, tu vas brûler !

Julia entrouvrit les yeux et aperçut Rand planté devant elle. Dans son short de bain noir qui révélait ses cuisses musclées, avec son large torse recouvert d'une toison brune, il était l'archétype de la beauté virile, pensa-t-elle avec un pincement au cœur. Elle ne se lasserait jamais de l'admirer…

— Tu crois ? murmura-t-elle en s'étirant lascivement sur sa serviette.

— Arrête, à présent c'est moi qui brûle, déclara Rand les yeux fixés sur ses formes sculpturales. Ce Bikini est une incitation au viol, et je t'interdis de le porter en présence d'un autre homme que moi !

Julia éclata de rire.

— C'est toi qui me l'as offert, idiot ! s'exclama-t-elle. Mais si tu veux, je ne le mettrai que pour toi…

Il lui tendit la main pour l'aider à se lever et l'attira à lui.

— Tu es si belle que je deviens terriblement jaloux…, lui glissa-t-il à l'oreille.

Elle lui sourit et se lova contre lui.

— Il n'y a qu'un seul homme qui m'intéresse, lui susurra-t-elle à l'oreille : toi…

Depuis leur départ de Rome pour ces quelques jours en tête à tête, tout s'était déroulé comme dans un rêve, et elle

143

devait parfois se pincer pour s'assurer qu'elle n'allait pas se réveiller. Après avoir visité des sites antiques, Rand lui avait fait découvrir sa propre villa, une magnifique ferme fortifiée surplombant la mer, avec une piscine ombragée par des oliviers centenaires. Chaque seconde des deux journées qu'ils y avaient déjà passées était pour Julia un enchantement.

— Mais d'ailleurs, qu'est-ce que tu fais là ? demanda-t-elle tout à coup en affectant un air suspicieux. Je te croyais à ton bureau !

Il la serra plus fort contre lui.

— Comment veux-tu que je travaille, rétorqua-t-il d'une voix rauque, alors que je te sais à moitié nue à quelques mètres de moi ? Je n'ai pas résisté !

Joignant le geste à la parole, il s'empara d'un de ses seins, caressant la chair douce, titillant le mamelon de ses doigts experts, et la jeune femme se cambra contre lui.

— Tu aimes ça, Julia…, dit-il, les yeux mi-clos. Tendre, douce, sexy Julia…

D'un geste possessif, il plaqua une main sur ses hanches et la pressa contre son bassin, pour qu'elle n'ait plus aucun doute sur l'intensité de son désir. Puis il dégrafa son soutien-gorge qu'il jeta à terre, et admira longuement les parfaits globes d'albâtre.

— Voyons, Rand, tu exagères ! fit-elle mine de protester, ravie de voir l'étincelle familière s'allumer dans ses yeux sombres. Me déshabiller ici ! C'est tout à fait indécent…

Un éclat de rire lui échappa, tandis qu'elle glissait une main à l'intérieur de son short, s'émerveillant comme chaque fois de tenir entre ses doigts son membre viril glorieusement dressé. Cette fois, c'est lui qui ne put retenir un gémissement de plaisir sous sa caresse impudique.

Elle déposa le long de son cou une kyrielle de baisers, puis descendit vers sa poitrine. Elle allait continuer sa progression quand Rand l'arrêta.

— Non, bella, dit-il d'une voix rauque. Tu es depuis trop longtemps au soleil, rentrons faire l'amour dans la chambre...

Il la saisit dans ses bras et la porta comme si elle avait été une plume jusqu'à leur chambre, où, par jeu, il la jeta plus qu'il ne la déposa sur le lit. Puis il la rejoignit et s'allongea sur elle, pesant de tout son poids.

— Rand..., murmura-t-elle, éperdue de désir.

Les yeux brillants, il lui enleva sa culotte de maillot de bain et retira son short.

Puis, il mêla ses jambes aux siennes et ils échangèrent un baiser d'une rare intensité. Enfin il délaissa ses lèvres, lui effleura les seins de sa bouche gourmande, s'attarda sur ses mamelons, puis descendit plus bas encore, au cœur de sa féminité.

Julia gémit, bouleversée de sa caresse si intime et si tendre à la fois. Puis, n'y tenant plus, il entra profondément en elle et le plaisir déferla sur eux comme un raz-de-marée, les laissant pantelants d'émotion, bouleversés par la violence sensuelle de ce merveilleux voyage partagé.

Longtemps ils restèrent immobiles. Julia, comblée de le garder en elle, le sentit se retirer avec regret.

— Je suis trop lourd pour toi, murmura-t-il en se dégageant.

— Non, jamais ! protesta-t-elle, radieuse.

Elle se pelotonna contre lui et le regarda amoureusement.

— C'est de mieux en mieux, tu ne trouves pas ? confia-t-elle d'une voix émue.

— Et ça pourrait être encore mieux, enchaîna-t-il.

Elle lui lança un regard surpris.

— Si tu emménageais avec moi..., acheva-t-il en souriant.

Elle lui adressa un coup d'œil à la fois ébahi et ravi, tandis que son cœur se mettait à battre la chamade. Rand était-il enfin prêt à s'engager ?

— Tu veux dire, ici ? balbutia-t-elle, en proie à une étrange émotion.

— Bien sûr ! Tu aimes cette maison, n'est-ce pas ?

— Oui, mais…

— Alors, marché conclu ! coupa-t-il d'un ton qui n'admettait pas la réplique.

Elle ouvrit la bouche pour lui demander des précisions sur ses intentions, mais il l'interrompit d'un long baiser, et elle oublia tout. Au fond, rester auprès de lui, elle n'en demandait pas plus, en tout cas pour l'instant…

— Je rentrerai en Angleterre en même temps que toi, et nous rapatrierons tes affaires ensemble. Dans une semaine tout au plus, tu seras installée ici, précisa-t-il, péremptoire.

Cette fois, elle prit conscience que les choses allaient un peu trop vite.

— Minute, Rand ! lança-t-elle. Je ne t'ai pas encore dit oui ! Tu oublies que je gère une entreprise !

— Et alors ? rétorqua-t-il avec un haussement d'épaules. Je vais demander à mon D.R.H. de te trouver un remplaçant pour un contrat à durée déterminée. De cette manière, le jour où tu voudras rentrer, tu retrouveras ta place sans problème !

Il ponctua ses paroles d'un sourire satisfait qui lui ouvrit les yeux. Comment pouvait-il disposer d'elle ainsi, comme si elle n'avait pas voix au chapitre ? s'interrogea-t-elle, choquée.

Elle se leva brusquement et le toisa d'un regard courroucé.

— Et puis-je te demander comment j'occuperai mon temps, si je m'installe ici avec toi ? s'écria-t-elle d'une voix tremblante.

Il la dévisagea avec surprise.

— Tu resteras ici quand j'y serai, et tu m'accompagneras

lors de mes déplacements professionnels, expliqua-t-il. Ce sera parfait.

Il tenta de lui prendre la main, mais elle recula d'un pas.

— Mais enfin, que se passe-t-il, Julia ? s'exclama-t-il. Tu ne vas pas vivre avec ta mère toute ta vie ! Et tu sais très bien que ni toi ni moi ne supporterions d'être éloignés l'un de l'autre plus de deux nuits...

La rancœur de Julia s'accrut encore. Il la voulait dans son lit, rien de plus...

— Alors qu'en dis-tu ? Acceptes-tu ma proposition ?

Un instant, elle fut tentée de dire oui sans se poser plus de questions. Toutes les nuits avec lui, n'était-ce pas trop beau pour être vrai ? Comment pouvait-elle hésiter ? Peut-être finirait-il par l'aimer s'ils vivaient ensemble ? Ne devait-elle pas prendre ce risque ?

— Tu as déjà vécu avec une femme ? demanda-t-elle d'une voix mal assurée.

— Non, je n'en ai jamais eu envie.

— Même pas avec ta fiancée Maria ?

Elle le vit blêmir.

Il serra les poings et s'éloigna pour enfiler un peignoir. Quand il se retourna vers elle, son visage avait une expression glaciale qui la choqua.

— Ne mentionne plus jamais ce nom en ma présence, asséna-t-il d'une voix coupante.

Julia accusa le coup. Ainsi, il aimait toujours Maria, conclut-elle aussitôt, anéantie. Comment avait-elle été assez stupide pour imaginer un instant qu'elle comptait pour lui ? La seule femme qu'il aimait vraiment, c'était son ex-fiancée... Avec elle, il ne cherchait qu'une immédiate satisfaction physique. Il la voulait pour quelques semaines, quelques mois peut-être, et quand il se serait lassé d'elle il la congédierait comme on se débarrasse d'un objet qui ne sert plus à rien.

Quelle cruelle ironie du sort ! songea-t-elle tout à coup en se drapant à son tour dans un peignoir. Maria lui avait volé Enrique, et à présent elle lui volait Rand !

Elle redressa la tête et dévisagea Rand avec un terrible mépris.

— Ne t'inquiète pas, Rand, tu ne m'entendras plus jamais prononcer le nom de ta sale petite Maria, asséna-t-elle d'une voix sifflante. Je n'ai pas l'âme d'une geisha, et je refuse ta proposition. Nous n'avons rien à faire ensemble, et tu ne me reverras jamais.

Tour à tour elle lut dans son regard l'incrédulité, le désarroi, puis la haine.

— Comment ai-je pu me leurrer aussi longtemps, murmura-t-il comme s'il se parlait à lui-même. Pourtant, Ricardo Eiga m'avait bien dit que tu n'étais qu'une intrigante ! J'aurais dû l'écouter quand il me conseillait de me méfier de toi ! Enrique s'est laissé prendre à ton petit jeu, et c'est ça qui l'a tué. S'il n'avait pas broyé du noir quand tu l'as quitté, jamais il n'aurait pris de tels risques au volant. Sans toi, il serait encore vivant...

Un éclat de colère s'alluma dans les yeux verts de Julia.

— Comment oses-tu ? s'exclama-t-elle. C'est Ricardo Eiga qui t'a raconté ça, n'est-ce pas ? Sache qu'Enrique ne m'aimait pas, qu'il avait une liaison avec ta chère Maria depuis des années. Je les ai surpris au lit ensemble quelques jours avant le mariage, et c'est pour ça que j'ai tout arrêté. Il souhaitait l'épouser, mais elle ne voulait pas. Elle avait un bien meilleur parti en vue : toi, Rand ! Un homme beaucoup plus riche qu'Enrique, et donc beaucoup plus intéressant...

Rand devint livide.

— Tu ne dis rien ! reprit-elle d'un ton vengeur. Et pour cause ! Mais si tu ne me crois pas, tu n'as qu'à aller lui demander, à Maria ! Elle finira bien par t'avouer la vérité, si elle y trouve un intérêt...

— C'est indigne, murmura Rand, atterré. Je n'aurais

jamais cru que tu pouvais en arriver là. Comment peux-tu parler ainsi d'une morte ?

Cette fois, ce fut Julia qui blêmit.

— Morte ? répéta-t-elle d'une voix blanche.

— Oui, tu le sais bien ! Quand Ricardo Eiga t'a annoncé qu'Enrique avait trouvé la mort dans un accident de voiture, il a forcément mentionné que Maria était sa passagère, et qu'elle était décédée comme lui sur le coup !

La stupéfaction coupa le souffle de Julia.

— Il n'a rien écrit de tel, expliqua-t-elle enfin d'une voix blanche. Son mot ne contenait qu'une seule ligne : Enrique s'est tué en voiture à cause de toi. Je te maudis…

Un silence pesant s'établit dans la pièce. Ils se faisaient face, à quelques centimètres l'un de l'autre, mais en réalité plus éloignés qu'ils ne l'avaient jamais été.

Pour Julia, tout s'écroulait… Toutes ces nuits où il la tenait dans ses bras, il devait rêver de Maria, pensait-elle, déchirée. Elle n'avait été pour lui qu'un passe-temps, une diversion, alors que son cœur appartenait à une morte…

C'était horrible.

Elle repoussa avec violence la main qu'il tentait de lui poser sur le bras et se dirigea vers la salle de bains.

— J'ai besoin d'une douche, murmura-t-elle.

Il ne tenta pas de la retenir.

Elle referma la porte derrière elle et ouvrit grand les robinets. Ce n'est qu'une fois sous le jet puissant qu'elle laissa éclater ses larmes…

Sur l'étroite route côtière, Rand roulait vite, beaucoup trop vite…

Son esprit fonctionnait lui aussi à cent à l'heure, et il repassait inlassablement dans sa tête le film des dernières heures.

Quand Julia lui avait révélé la liaison entre Maria et

Enrique, il avait deviné qu'elle disait vrai, mais un stupide réflexe d'orgueil l'avait empêché de l'admettre devant elle. Il s'était alors emporté, l'avait accusée de mensonge, incapable d'accepter l'idée que Maria l'avait trompé pendant les cinq ans qu'avait duré leur relation.

Il était monté dans sa voiture, en proie à une rage sourde, décidé à rentrer aussitôt à Rome sans plus se préoccuper de Julia. Mais sa colère commençait enfin à retomber.

Il ralentit et revint à une vitesse raisonnable.

Puis, il prit tout à coup conscience que son brusque départ n'était en réalité qu'une fuite, et cette idée lui fit horreur : il ne se reconnaissait pas dans cette attitude. Il fit demi-tour dès qu'il le put. Il ignorait encore de quelle façon, mais il était prêt à assumer ses responsabilités et même ses erreurs face à Julia.

Une demi-heure plus tard, il était de retour chez lui. Il gara sa voiture et fit quelques pas sur la terrasse qui surplombait la mer. Les travaux de rénovation de l'ancienne ferme venaient d'être achevés et le résultat était à la hauteur de la beauté du site, mais à cet instant il ne le voyait même pas.

Plus il réfléchissait au passé, plus il comprenait que sa relation avec Maria n'avait jamais eu de signification pour lui. Elle l'avait ébloui par son côté glamour, sa volonté de faire carrière dans la chanson, mais au fond il avait toujours su qu'ils n'étaient pas faits l'un pour l'autre. Ils ne se voyaient que lorsqu'il se rendait au Chili, et ses visites s'étant espacées avec l'accroissement de sa charge de travail, leur éloignement n'avait fait que s'accentuer.

Julia était si jeune quand elle avait appris la trahison de Enrique… Comme elle avait dû souffrir en perdant tout à coup toutes ses illusions !

Soudain las, il s'assit sur une banquette en pierre face à la Méditerranée et inspira profondément pour mieux s'imprégner du parfum de la mer mêlé à celui des pins. Il avait besoin de réfléchir, de faire le point sur lui-même et les derniers événements.

A la lumière de ce qu'il venait d'apprendre, il comprenait enfin pourquoi Julia lui avait parlé avec une telle violence. Il l'avait blessée, humiliée, accusée des desseins les plus vils alors qu'elle n'avait rien à se reprocher : il n'avait que ce qu'il méritait. A présent, elle ne lui adresserait certainement plus jamais la parole.

Il se prit la tête dans les mains, incapable de comprendre comment il avait pu se conduire ainsi, faire preuve d'un tel aveuglement.

Alors, brusquement, l'évidence lui apparut : il n'envisageait plus la vie sans elle. Voilà des mois qu'il le savait inconsciemment, et il avait fallu qu'elle le rejette pour qu'il le comprenne.

Il se leva tout à coup, soudain déterminé, prêt à se lancer dans l'action. Peut-être était-il déjà trop tard pour la reconquérir ? Peut-être avait-il réussi à éloigner de lui pour toujours la seule femme qu'il aimerait jamais ? En tout cas, il était prêt à tout pour la récupérer... Car, pour la première fois de sa vie, il était sûr que ce qu'il ressentait était de l'amour...

Julia reposa le combiné avec un soupir de contrariété. Les vols pour Londres étaient complets pour toute la journée du lendemain...

— Vous restez pour le dîner ? demanda Thomas, le majordome de Rand.

— Oui, répondit-elle avec un sourire las.

Elle aurait mille fois préféré dormir à l'hôtel, mais en cette période de pont trouver une chambre dans Rome ou ses environs relevait de l'exploit. Elle s'était donc résignée à passer une dernière nuit chez Rand, puisqu'il avait eu le bon goût de quitter les lieux. Si par malheur il avait la mauvaise idée de revenir, elle l'éviterait soigneusement en restant cloîtrée dans sa chambre. Dans vingt-quatre heures elle s'envolerait pour Londres : elle devait se raccrocher à cette idée, seul point d'ancrage au milieu de l'océan de doutes et d'amertume dans lequel elle se débattait.

A 20 heures précises, elle se rendit sur la terrasse où Thomas l'avait prévenue que le dîner serait servi. Vêtue d'un jean et d'un simple T-shirt noir, ses longs cheveux dénoués sur ses épaules, le visage vierge de tout maquillage, elle avait l'allure d'une adolescente, mais les traits soucieux et les cernes d'une jeune femme que, déjà, la vie n'avait pas épargnée…

Le soleil se couchait à l'horizon, teintant le ciel d'un magnifiques camaïeu de couleurs orangées, et le jardin embaumait de mille senteurs délicieuses exaltées par la fraîcheur du soir. L'espace d'un instant, Julia ressentit un profond apaisement, et la beauté de la nature lui fit oublier les noirceurs de l'âme humaine. Mais ce moment d'harmonie fut de courte durée car elle aperçut tout à coup la silhouette familière de Rand…

Accoudé au balcon, sobre et élégant dans un costume gris clair, il dégageait plus que jamais une aura de sensualité et de virilité qui la bouleversa.

— Je me demandais si tu serais encore là, fit-il observer de sa voix grave.

Elle maîtrisa son trouble. Pas question de lui faire sentir que son pouvoir sur elle était intact.

— Je n'ai pas pu partir, expliqua-t-elle d'un ton sec. Je ne voulais pas retourner chez tes parents, et les vols pour Londres sont complets aujourd'hui : je n'ai eu un billet que pour demain soir. J'ai pensé que ta maison était suffisamment grande pour que nous supportions encore quelques heures de cohabitation forcée.

Il ne fit pas de commentaires, et lui tendit un verre comme s'il n'avait rien entendu.

— C'est du barolo, expliqua-t-il. Une très bonne année…

152

Je connais ton goût pour les rouges italiens. Ah, voici Thomas avec le dîner, ajouta-t-il. Langoustines et veau marsala, ça te va ?

Elle eut un haussement d'épaules qui trahissait son indifférence, mais, une fois devant son assiette, elle s'aperçut avec surprise qu'elle mourait de faim. En réalité, elle était si perturbée qu'elle n'avait pas avalé une bouchée depuis le matin.

Les rayons argentés de la lune inondaient la terrasse, des bougies parfumées éclairaient la table d'une lumière tamisée, le repas était exquis : en d'autres temps, Julia aurait apprécié chaque seconde de ce dîner en tête à tête. Mais la réalité n'avait rien à voir avec ce décor romantique, songeait-elle, le cœur serré. Rand était plus inaccessible qu'il ne l'avait jamais été : entre eux, tout était fini.

Ils venaient d'achever le plat principal quand Rand rompit le lourd silence qui s'était établi entre eux.

— La journée a été rude, murmura-t-il d'une voix tendue.

— Si tu fais allusion à notre conversation, je peux t'assurer que je t'ai dit la vérité, rétorqua aussitôt Julia, décidée à mettre définitivement les choses au clair.

— Je sais, enchaîna-t-il. Le premier choc passé, j'ai fini par admettre l'évidence.

Julia n'en crut pas ses oreilles. Non seulement il ne l'accusait pas des pires vilenies, mais il faisait amende honorable ! Quel incroyable changement d'attitude !

— D'ailleurs, au fond, tout ceci ne me surprend pas, poursuivit-il d'un ton lointain comme s'il se parlait à lui-même. Maria n'a jamais vraiment souhaité m'épouser, même si je ne m'en rendais pas compte à l'époque. Quand je pense que je chargeais Enrique de veiller sur elle quand je rentrais en Europe ! La vie est parfois cruelle...

Il s'interrompit, les traits crispés, et la jeune femme songea qu'il ne se remettrait jamais d'avoir été trahi par la femme qu'il aimait.

— Tu as dû tellement souffrir quand tu as compris, ajouta-t-il en dévisageant la jeune femme.

Elle se redressa brusquement, décidée à écourter cette absurde conversation. Remuer le passé ne servait à rien, et la sollicitude aussi soudaine que déplacée de Rand lui était très pénible.

— Si tu n'y vois pas d'inconvénient, je vais me coucher, lança-t-elle en se levant.

Il se leva à son tour et la retint par le bras pour l'empêcher de partir. Au passage, il renversa la bouteille heureusement presque vide, ce dont il ne sembla même pas s'apercevoir.

— Julia, murmura-t-il.

Sa voix était tremblante, ses traits douloureux : Julia s'arrêta net, désarçonnée.

— Julia, j'ai quelque chose à te dire, ajouta-t-il d'une voix mal assurée qu'elle ne lui avait jamais entendue.

Que lui voulait-il encore ? songea-t-elle, désabusée. Ne pouvait-il pas la laisser en paix ? Elle souhaitait juste s'éloigner de lui, tenter de l'oublier…

— Rand, je suis fatiguée, laisse-moi…

Il y eut un silence.

— Veux-tu m'épouser ? lança-t-il de but en blanc.

Elle se figea. Avait-elle mal entendu ? Se moquait-il d'elle ?

— Epouse-moi, répéta-t-il, le visage blême. Oublie ce que je t'ai dit aujourd'hui, oublie le mal que je t'ai fait ! Ce qui compte, c'est toi et moi…

Il était sérieux…, comprit-elle avec un sourire désabusé. Comme elle aurait voulu le croire ! Mais tout cela venait trop tard, pensa-t-elle, déchirée. Quelques jours auparavant, elle aurait éclaté de joie en entendant ces mots, mais elle avait perdu sa naïveté, ses illusions. Rand n'oublierait jamais Maria, et elle l'aimait trop pour ne pas être la première dans son cœur.

— Non, fit-elle d'une voix sourde.

— Mais pourquoi ? Nous partageons tant de choses !

— Peut-être, mais je sais que Maria était tout pour toi, et je ne veux pas vivre avec un fantôme pour rivale.

Il fronça les sourcils, incrédule.

— Mais que dis-tu ? Je n'ai jamais vraiment aimé Maria ! protesta-t-il. Et j'ai plus fait l'amour avec toi en quelques semaines qu'en plusieurs années avec elle…

— Le sexe, seulement le sexe, rétorqua Julia avec une douloureuse amertume.

Il se prit la tête dans les mains.

— Ce n'est pas ce que j'ai voulu dire, Julia, je t'en prie ! Avec toi, il s'agit de bien autre chose que de sexe. Je t'aime, Julia, je t'aime de toute mon âme…

Elle releva la tête, tandis qu'une lueur d'espoir s'allumait dans ses yeux émeraude.

— Et Maria ? murmura-t-elle.

— Maria n'a jamais compté pour moi. Je veux que tu sois ma femme, Julia, pour toujours. Dès que possible…

— Mais tu voulais l'épouser elle aussi ! insista-t-elle, refusant encore de croire ce qu'elle entendait.

— Je l'ai pensé à un moment, j'étais jeune, inconscient. En fait je la voyais très peu, et non seulement ça ne me gênait pas, mais ça m'arrangeait. C'était facile d'avoir une fiancée qui m'attendait au Chili, mais au fond je n'aurais jamais sauté le pas. Malheureusement, j'ai compris tout ça un peu tard…

Il s'interrompit et la dévisagea longuement, les yeux brillant d'émotion.

— Avant de te rencontrer, je ne savais pas ce qu'était l'amour, déclara-t-il d'un ton grave. Tu as éclairé ma vie, Julia, tu lui as donné un sens qu'elle n'avait jamais eu.

Julia croisa son regard, et un timide sourire éclaira son visage. Peu à peu, elle commençait à croire à son bonheur…

— Rentrons, suggéra-t-il, j'ai une surprise pour toi.

Bouleversée, elle se laissa faire avec une étrange docilité. Les choses allaient trop vite… Tant de bonheur après tant de larmes ! Etait-ce possible ? Elle en doutait encore…

Il la prit par la main et l'entraîna avec douceur dans le salon. Là, il la fit asseoir sur le grand canapé. Puis, après avoir servi deux verres de cognac, il la regarda longuement, avec une telle gravité que Julia sentit son pouls s'accélérer dans ses veines.

Enfin, après quelques secondes qui semblèrent une éternité à Julia, il tira un écrin de sa poche et le lui tendit.

— Pour toi, annonça-t-il d'une voix mal assurée.

Son émotion presque palpable bouleversa la jeune femme. Lui si sûr de lui, si arrogant parfois, avait soudain l'air d'un petit garçon ! Comme s'il avait peur qu'elle le repousse…

Le cœur battant, elle ouvrit la boîte et découvrit un magnifique solitaire. Le plus gros qu'elle ait jamais vu…

— Tu l'as acheté… pour moi ? balbutia-t-elle, partagée entre incrédulité et émerveillement. Mais cet après-midi, tu étais si…

— J'étais idiot, coupa-t-il. Aussi idiot que perturbé… Parce que j'avais peur de te perdre, peur de te dévoiler mes sentiments, peur que tu me quittes après quelques mois si je t'avouais mon amour.

— Tu avais peur, toi ? s'exclama-t-elle, incrédule.

— Oui. Peur que tu m'aies définitivement rangé dans la catégorie des machos indélicats. Sans toi, la vie pour moi ne vaut pas la peine d'être vécue, avoua-t-il dans un souffle. Quand je t'ai quittée tout à l'heure, j'étais dans un état second, furieux contre toi, mais surtout contre moi-même. J'ai pris le volant, j'ai avalé des kilomètres sans même savoir où j'allais, et puis brusquement tout est devenu clair dans mon esprit.

Alors j'ai fait demi-tour, je me suis arrêté chez un ami bijoutier pour lui acheter sa plus belle bague, et je suis revenu ici, avec l'angoisse de ne pas t'y trouver. Je sais que j'ai tout fait pour te dégoûter de moi, ajouta-t-il d'une voix étranglée, mais je suis prêt à t'attendre, prêt à te laisser le temps qu'il te faudra pour m'aimer, pour…

Elle l'arrêta en lui posant un doigt sur les lèvres.

— Tu n'auras pas besoin d'être patient, Rand, murmura-t-elle, radieuse. Je t'aime plus que tout, depuis notre premier baiser. C'est pour ça que je me suis donnée à toi. Je n'imaginais pas que l'amour pouvait être aussi fort.

Les larmes aux yeux, il la serra contre lui.

— Julia, murmura-t-il. C'est trop de bonheur…

— Quand as-tu compris ? demanda-t-elle.

— J'ai été conquis dès que tu es entrée dans mon bureau pour régler les affaires de ton père. J'avais le souvenir d'une adolescente effarouchée, et tu étais devenue une éblouissante jeune femme : je suis tombé sous le charme immédiatement, même si j'ai résisté comme un idiot…

Elle lui sourit tendrement.

— Idiots… nous l'avons été tous les deux, à jouer à cache-cache si longtemps. Quand je pense que si j'avais trouvé un billet pour Londres, je…

— Je t'aurais poursuivie à l'autre bout du monde si cela avait été nécessaire, coupa-t-il en lui effleurant le cou de ses lèvres.

Submergée de joie, Julia ferma les yeux et s'abandonna aux sensations exquises que sa bouche faisait naître en elle. Rand venait de lui déclarer sa flamme, il voulait l'épouser, il l'embrassait : que demander de plus à l'existence ?

*
* *

Julia remit sa tiare en place et jeta un coup d'œil nerveux par la fenêtre. Il était bientôt 3 heures, et la limousine qui devait la conduire à l'église aurait déjà dû être là.

— Voyons, ma chérie, ne t'inquiète pas ! lança Liz, magnifique dans son tailleur de soie rose pâle avec son chapeau assorti.

Elle se tourna vers sa fille et ajusta les plis de sa robe de mariée. Julia l'avait choisie chez un grand couturier, séduite par la magnificence des incrustations de perles et la richesse de la soie moirée. Avec ses boucles répandues en cascade dans son dos pour respecter le souhait de Rand, sa longue traîne en dentelle et sa tiare aux délicats motifs en or, elle était resplendissante.

— La voiture arrive ! annonça Liz en entendant le gravier crisser.

Mère et fille s'étreignirent longuement, aussi émues l'une que l'autre. Le grand moment arrivait...

Nichée dans la campagne anglaise, la petite église était pleine à craquer de parents et d'amis. Sans oublier les curieux venus en voisins assister au mariage de l'année...

Au premier rang se tenait la famille, et parmi eux, Sanchez et Donna qui avaient fait le long voyage avec leur fils nouveau-né. Tina, la demoiselle d'honneur de Julia, se tenait un peu à l'écart à côté de l'autel.

Les premiers accords de la marche nuptiale retentirent, tous les visages se tournèrent en souriant vers la mariée resplendissante, l'émotion était à son comble.

Julia avançait le cœur battant, indifférente à tout sauf à la haute silhouette de l'homme qui l'attendait devant l'autel. L'homme auprès duquel elle allait s'engager pour la vie...

La cérémonie se déroula comme dans un rêve. A la fin

du service, quand les nouveaux mariés eurent échangé leurs vœux, le prêtre les bénit.

— Vous pouvez vous embrasser, leur glissa-t-il alors en souriant.

Rand se pencha vers son épouse, l'enlaça impétueusement et lui prit les lèvres. D'abord, l'émotion s'empara de l'assistance. Puis, comme le baiser se prolongeait plus longtemps qu'il n'aurait fallu, les uns sourirent, les autres chuchotèrent, attendris.

Mais l'homme et la femme qui venaient de se promettre de s'aimer jusqu'à leur dernier souffle ne se rendirent compte de rien.

A cet instant, ils étaient si heureux que seul comptait pour eux cet avenir radieux qui s'ouvrait devant eux.

KATHRYN ROSS

Une troublante amitié

COLLECTION AZUR

*éditions*Harlequin

Cet ouvrage a été publié en langue anglaise
sous le titre :
THE NIGHT OF THE WEDDING

Traduction française de
ANTOINE HESS

Ce roman a déjà été publié dans la même collection
N° 2218
en juillet 2002

© 2001, Kathryn Ross. © 2002, 2009, Traduction française : Harlequin S.A.
83-85, boulevard Vincent-Auriol, 75013 PARIS — Tél. : 01 42 16 63 63

Service Lectrices — Tél. : 01 45 82 47 47
www.harlequin.fr

1.

Amsterdam est une ville où la plupart des gens se déplacent en vélo, et Kate ne faisait pas exception à la règle.

Tandis qu'elle pédalait d'un pied ferme, après avoir quitté son travail un peu plus tôt que d'habitude, elle se posa la question : Stephen allait-il lui faire sa proposition dès ce soir ? Allait-il lui demander sa main ?

Aussi curieux que cela pût paraître, l'éventualité d'une telle demande ne la plongeait pas dans un état d'excitation particulière.

Pourquoi ? Elle ne le savait pas elle-même de façon précise.

Voilà deux ans qu'ils vivaient ensemble, et ils étaient convenus, depuis un certain temps, qu'ils envisageraient de se marier si leur relation demeurait solide.

Professionnellement, ni l'un ni l'autre ne se plaignait. Stephen avait un nouvel emploi, et Kate appréciait beaucoup le sien, au sein d'une petite maison d'édition basée à Amsterdam.

Et la vie dans cette capitale, une de plus belles d'Europe, se révélait fort agréable. Les vieux immeubles qui se reflétaient dans les nombreux canaux rectilignes, si paisibles, donnaient à la ville un charme très particulier, très original.

Kate pédalait à bonne allure vers un des cafés de la

ville où elle avait rendez-vous avec un ami de toujours : Tom Fielding. Ils se connaissaient depuis qu'ils étaient enfants, et ils étaient toujours heureux de se retrouver.

Kate n'avait pas vu Tom depuis plus d'un mois, parce que ce dernier avait dû retourner à Londres pour son travail. Sa bonne humeur, son rire joyeux et communicatif lui avaient manqué. Et elle se sentait toute réjouie à la perspective de le retrouver.

Comme il était assis à la table d'un café de la vieille ville, Tom vit Kate traverser le pont qui enjambait le canal. Elle roulait vite, en tenant son guidon d'une seule main, et elle portait un petit sac à dos. Ses cheveux blonds volaient dans le vent, de part et d'autre d'un visage qui demeurait toujours aussi charmant, malgré les années qui passaient.

Il la vit descendre prestement de vélo, cadenasser celui-ci à un rail, et, lorsqu'elle leva la tête, leurs regards se croisèrent. Elle lui fit avec le bras un geste d'amitié, plein de gaieté.

Elle avait trente-deux ans, une année de moins que lui, mais elle en paraissait dix-sept ou dix-huit, guère plus. Tom avait l'impression qu'elle n'avait pas pris une ride depuis l'époque où ils fréquentaient ensemble l'université.

Elle entra d'un pas vif dans l'établissement et se dirigea droit vers sa table.

— Salut, Kate ! lança-t-il joyeusement en se levant pour l'embrasser.

Lorsqu'ils se firent la bise, il remarqua une nouvelle senteur sur sa peau.

— Tu as changé de parfum ?

Il se sentait vaguement déçu, car il lui avait acheté en Angleterre un flacon de son parfum habituel, qu'il avait prévu de lui offrir à l'occasion de son prochain anniversaire.

— C'est un cadeau que Stephen m'a offert il y a long-temps. Je l'utilise de temps en temps, par crainte qu'il ne s'évente...

— Par crainte que Stephen ne s'évente? plaisanta-t-il avec une pointe de cruauté.

Ils eurent un petit rire simultané et s'assirent de part et d'autre de la table.

Tom n'avait jamais beaucoup apprécié Stephen, mais n'en avait rien dit à Kate afin de ne pas lui causer de peine.

— Tu as l'air en grande forme, lui dit-il, sincère, tandis qu'il la dévisageait avec satisfaction.

Il est vrai que Kate était une femme ravissante, avec ses grands yeux verts, ses longs cheveux soyeux et sa merveilleuse peau, si fine, si fraîche — une peau qui témoignait d'une santé florissante.

— Merci, répondit-elle en le contemplant d'un regard interrogateur. Et toi, comment vas-tu?

Tom fit un signe à la serveuse qui se trouvait à l'autre bout de la salle.

— Ça va bien. J'ai passé plus d'un mois au bureau de Londres. Heureusement que j'ai fait le voyage... Si tu avais vu le chantier, là-bas! Il a fallu que je consacre une semaine entière à faire de l'ordre.

— Tu as toujours été un perfectionniste, Tom.

— On est forcé de l'être quand on dirige sa propre entreprise.

Comme la serveuse s'approchait de leur table pour prendre les commandes, Kate remarqua soudain le regard étrange, assez appuyé et admiratif, que la femme assise à la table voisine posait sur Tom. Il est vrai que son ami était extrêmement séduisant, au point qu'il n'était pas rare que des femmes, dans la rue, ou dans des endroits comme celui-ci, se retournent sur son passage.

Dans la vie de Tom, les femmes avaient l'habitude d'entrer et de sortir, mais ce mouvement perpétuel n'empêchait nullement leur affection réciproque. Kate et

Tom avaient toujours été d'excellents amis et complices, ce qui se révèle plutôt rare dans les rapports entre hommes et femmes.

— Est-ce que tu as eu le temps de faire visiter Londres à Serena ? demanda innocemment Kate.

Tom fronça les sourcils et esquissa une petite grimace avec les lèvres. Une sorte de tic bref qui trahissait son irritation.

— Serena et moi ne sommes plus ensemble, dit-il d'une voix maussade.

— Ça alors ! s'exclama Kate en s'affaissant sur sa chaise, ébahie. Tu m'en diras tant !...

Elle était surprise par la soudaineté de cette séparation, mais elle avait toujours su qu'un jour ou l'autre la liaison Tom-Serena prendrait fin. Trop de choses allaient de travers dans leur couple.

— Je suis désolée, Tom, dit-elle d'une voix compatissante.

Tom haussa les épaules d'un air résigné.

— C'est la vie, soupira-t-il.

Elle essaya de déchiffrer ses sentiments dans l'ombre de son regard et demanda d'un ton discret :

— C'est... C'est toi qui es parti ?

— Consentement mutuel, ironisa-t-il, d'un ton nonchalant. Nous nous sommes quittés en bons termes, sans cris ni pleurs ni grincements de dents. L'idéal, quoi.

— « L'idéal »..., répéta lentement Kate, pensive, avec une modulation telle qu'on ne pouvait pas savoir si elle avait formulé une interrogation ou un état de fait.

La serveuse revint avec les cafés, qu'elle déposa soigneusement sur un joli napperon blanc en forme de rosace — coutume fréquente aux Pays-Bas.

Kate, toute à ses réflexions, regardait faire la serveuse d'un œil absent.

— C'est dommage, commenta-t-elle à voix basse. J'aimais bien Serena.

— Moi aussi, assura-t-il avec un petit rire sans joie.

— Mais pas suffisamment, je présume.

Il ne répondit pas directement et se contenta de résumer avec un ton flegmatique :

— Nous sommes sortis ensemble un certain temps, puis nous avons décidé de ne pas continuer.

— Un certain temps, dis-tu. Cela veut dire combien de temps ?

— Cinq mois, à peu près.

— Cela te semble long, pour une liaison ? interrogea-t-elle en le fixant dans le fond des yeux.

Il répondit par un geste évasif de la main.

— J'ai l'impression que tes dernières liaisons n'ont guère duré, fit-elle remarquer en souriant.

Il la scruta d'un œil amusé et lança :

— Tu tiens une comptabilité de la durée de mes liaisons ?

Elle rit en renversant la tête en arrière.

— Ce n'est pas bien, toutes ces liaisons passagères ? insista-t-il.

Elle se pinça machinalement le menton et recula légèrement la tête en le considérant avec une certaine distance, comme un peintre qui prend la mesure de son tableau. Elle ne répondit pas immédiatement, puis, au bout d'un moment, répliqua d'un ton amical :

— Il va bien falloir que tu t'installes un jour ou l'autre, Tom. Tu ne peux pas enchaîner indéfiniment tes liaisons comme des perles sur un fil.

— Pourquoi pas ? rétorqua-t-il d'un ton ingénu.

Kate changea légèrement de position sur sa chaise et croisa les jambes.

— Tu n'as pas envie de fonder une famille ?

— Pas spécialement. En fait, je commence à en arriver à la conclusion suivante : plus on varie les plaisirs, plus la vie est agréable.

Il avait annoncé cela avec un sourire jusqu'aux oreilles ; un sourire assez narquois, un peu provocateur.

Kate fronça les sourcils, à la fois mécontente et méfiante.

— Tu ne parles pas sérieusement ?

— Non, avoua-t-il. Je dis un peu n'importe quoi pour te taquiner.

Il vida sa tasse de café en basculant la tête d'un geste vif, tandis qu'elle croisait les bras en soupirant.

— Une chose est sûre, reprit-il en posant délicatement la tasse sur sa soucoupe : je préfère rester célibataire plutôt que d'être condamné à un mauvais numéro pour le reste de mes jours.

— Sur ce point, je suis d'accord avec toi, admit-elle.

Pendant quelques instants, ils restèrent sans rien dire. Kate songeait à Stephen. Elle se demandait s'il était pour elle le « bon numéro », pour reprendre l'expression de Tom. Pouvait-elle avoir la certitude que Stephen était l'homme idéal ? L'homme de sa vie ?

Elle avait perçu chez lui une certaine tension ces derniers temps, mais ne lui en avait pas demandé la cause. Il se pouvait que ce fût le signe d'un émoi difficilement maîtrisé à l'idée de lui demander sa main.

Il se pouvait aussi que ce fût autre chose...

— Moi, j'aimerais bien avoir un jour des enfants, marmonna-t-elle, de façon si peu audible que ce fut tout juste si Tom parvint à l'entendre.

— Tu as le temps d'y penser, assura-t-il avec bonhomie.

— Tu crois ? J'ai tout de même dépassé trente ans, mine de rien. Mon travail a si bien occupé le devant de la scène que je n'ai pas eu le temps de songer à fonder une famille. Mais je sais qu'un jour, je me déciderai dans ce sens.

— Ce jour-là viendra tôt ou tard, il n'y a pas de doute.

Elle examina le visage de son ami pendant quelques secondes.

— Tu es un fataliste dans l'âme, Tom, tu ne crois pas ?

— Un fataliste ? Non. Je suis un grand romantique !

Tom leva subitement son bras pour faire signe à la serveuse d'apporter de nouveau des cafés.

168

— Vous en êtes où, toi et Stephen? questionna-t-il d'un ton détaché.

— Ça va, répondit-elle en souriant.

La façon dont elle avait répondu intrigua immédiatement Tom; il connaissait si bien Kate qu'il était capable de lire en elle, ou de deviner ce qui s'y passait.

— Tu me caches quelque chose, Kate.

— Mais non...

— Mais si!

Elle eut un petit rire bref et accepta de tout lui dire.

— D'accord... On ne peut rien te cacher. C'est aujourd'hui notre deuxième anniversaire de vie commune.

— Félicitations, grommela-t-il avec un regard sombre.

— Merci. Quand j'y pense! Deux ans, déjà! Et tout a passé tellement vite...

— Et alors? insista-t-il, tout en plantant son regard dans le sien.

— Et alors quoi? Il n'y a rien à ajouter.

Il hocha lentement la tête, de haut en bas, sans lâcher ses yeux.

— Si, murmura-t-il.

— Je... Il est peut-être trop tôt, je ne sais pas. Mais j'ai l'impression que, ce soir, Stephen va me demander de l'épouser.

Un nouveau silence retomba entre eux. Kate se disait que l'avis de Tom comptait beaucoup pour elle.

Passablement inquiète, elle observait ses réactions. Il aurait été exagéré de dire que son visage, à cet instant présent, respirait la satisfaction. Un pli inquiet barrait son front et il se mordillait machinalement la lèvre, l'air soucieux.

— Tu n'as pas l'air enchanté par la nouvelle, constata Kate.

— Je ne veux pas me mêler de ce qui ne me regarde pas, murmura-t-il, mais...

— Mais...?

— Mais j'avais l'impression, depuis quelque temps,

que les choses n'allaient pas tellement bien entre vous. Je peux me tromper, bien sûr.

— Qu'est-ce qui te fait penser cela? demanda-t-elle, alarmée.

— Bah, ce n'est peut-être que mon imagination...

Kate fut subitement assaillie par un doute qui la glaça : ne ferait-elle pas une énorme erreur en acceptant d'épouser Stephen? Leur relation possédait-elle une qualité suffisante pour aller jusqu'au mariage?

Elle posa sa main sur le bras de Tom, d'une manière franche et amicale, et, un peu crispée, demanda, la gorge nouée :

— Si Stephen me demande de l'épouser, seras-tu heureux pour moi?

Comme il hésitait à répondre, elle retint sa respiration, mal à l'aise et désemparée.

— Tout ce qui peut te rendre heureuse me rendra heureux, Kate, finit-il par dire d'un ton bienveillant. Mon souhait le plus cher est ton bonheur.

— Merci, dit-elle d'une voix basse et émue. Je... Je pense que Stephen est l'homme qu'il me faut. Oui, je sais que tu le trouves parfois un peu léger, irresponsable, et sans doute l'est-il, d'une certaine manière. Mais c'est un garçon si charmant, qui peut se montrer si drôle... Et puis il m'aime vraiment!

— On dirait que tu es en train d'essayer de me convaincre, Kate. Tu n'as rien à me prouver, rien à justifier. Tu es une grande fille.

— Je n'essaie pas de te convaincre de quoi que ce soit, Tom. J'étais simplement en train de t'expliquer que je suis prête à franchir le pas.

— J'en suis ravi pour toi.

Le ton réservé et un peu morose dc Tom troubla Kate. Et c'est d'une voix sans relief, avec un soupir, qu'elle murmura :

— Je n'aurais pas dû te parler de ça aujourd'hui.

— Pourquoi?

— Parce que tu viens tout juste de te séparer de Serena, et que tu n'es certainement pas d'humeur à entendre parler mariage.

Il secoua la tête.

— Je t'assure que je suis très content pour toi, Kate. Vraiment.

Elle scrutait son visage, pas entièrement convaincue. C'est alors qu'il prit affectueusement sa main et la garda dans la sienne.

— L'heureux homme ! commenta-t-il à mi-voix d'un ton mélancolique.

Le contact de la main de Tom fit battre le cœur de Kate plus fort. Elle se sentait un peu perdue, comme si elle venait de courir dans la campagne et qu'elle y avait perdu ses repères.

— Il va falloir que j'y aille, dit Tom en retirant sa main. J'ai beaucoup de travail. Et toi, tu as sans doute une longue soirée en perspective.

Comme ils se levaient, Kate confia en souriant, avec une voix prévenante :

— Ce qu'il te faudrait, c'est une femme qui t'aime et que tu aimes, pour que tu puisses enfin mener une vie plus raisonnable.

— C'est amusant : j'ai l'impression d'entendre ma mère. « Installe-toi, sois raisonnable »... Tu sais, Kate, je suis de l'étoffe des célibataires endurcis. C'est ma nature. Et ce n'est pas demain que je changerai.

Ils se faufilèrent entre les tables jusqu'à la porte.

— Passe une bonne soirée, dit-il en l'embrassant sur les deux joues.

Bien que Kate fût assez grande, la proximité de Tom lui donnait le sentiment d'être toute petite. Il avait été forcé de s'incliner pour l'embrasser.

— Je te téléphone demain, assura-t-elle, complice. Je te raconterai comment ça s'est passé.

Il se dirigea vers sa Mercedes décapotable, qu'il avait garée un peu n'importe comment, car on ne se gare pas facilement à Amsterdam, et elle reprit son vélo, rangé parallèlement à des dizaines d'autres.

Tandis qu'elle roulait à petite allure en longeant les canaux, elle jeta un coup d'œil à sa montre. Elle avait dit à Stephen qu'elle rentrerait vers 19 h 30, et elle avait une heure d'avance. Cela lui permettrait de se laver les cheveux et de choisir une tenue adaptée à la circonstance.

La circonstance? Elle pensa subitement qu'il était tout à fait possible que Stephen ne lui fît aucune proposition. Et cette idée, curieusement, la soulageait d'un poids, comme si la perspective de ce mariage constituait un pas trop difficile à franchir. Stephen prenait son travail bien moins à cœur que Tom, par exemple. En l'espace d'un an, il avait changé trois fois d'emploi. Sa passion, c'était le hard rock. Mais, à de rares exceptions près, on ne gagnait pas sa vie avec ce genre de musique.

Comme elle arrivait en vue de leur appartement, elle ralentit son allure. Ils habitaient le rez-de-chaussée d'un magnifique immeuble du xviiie siècle, juste au bord du canal. Le loyer en était astronomique, mais c'était un luxe qu'elle avait décidé de s'accorder, tant l'endroit était sublime.

Elle remarqua, de l'extérieur, que la lumière du salon était allumée, ce qui signifiait que Stephen était déjà rentré.

Elle installa son vélo dans l'abri à vélos qui se trouvait devant chez elle et le cadenassa, ainsi qu'elle le faisait toujours.

Comme elle entrait dans le salon, elle appela d'une voix chantante :

— Stephen ! Tu es là ?

Il avait laissé les lumières allumées un peu partout, et même dans la cuisine où elle remarqua une bouteille de champagne dans un seau à glace. Deux verres se trouvaient sur un plateau, juste à côté.

172

— Stephen, mon chéri, où es-tu ?

Elle entendit des échos de musique venant de la chambre à coucher. Ce n'était pas du hard rock, comme d'habitude, mais une musique suave et romantique, avec des accents langoureux.

Etrange...

Il lui sembla entendre une sorte de halètement répété, comme on le remarque chez quelqu'un qui vient de courir et qui est en train de reprendre son souffle.

Intriguée, elle poussa la porte de la chambre et se figea.

Stephen, lorsqu'il la vit, poussa un grand cri où se mêlaient tout à la fois la surprise, la colère et la peur.

Il était nu, et à côté de lui reposait une jeune femme, nue également.

Kate et Stephen se dévisagèrent cinq pleines secondes, tous deux pétrifiés.

Stephen passa une main nerveuse dans ses cheveux et balbutia d'une voix chavirée :

— Att... Attends, Kate... Je vais t'expliquer...

Mais elle avait déjà tourné les talons.

2.

Pendant plusieurs heures, Kate resta dans son appartement, en proie à une sorte de torpeur, le visage tourné vers la baie qui donnait sur le canal, l'esprit paralysé par le choc qu'elle venait de subir.

Parfois, pourtant, des images revenaient à son esprit, d'obsédantes et odieuses images de la tromperie dont elle avait été victime.

Stephen, une fois sa stupeur passée, s'était empressé de se rhabiller. « C'est une collègue de travail, Natasha... », avait-il annoncé, comme si cette tentative de justification ou d'explication pût avoir quelque poids !

— Dehors, tout de suite ! avait-elle alors lancé entre ses dents.

— Dehors ? avait répété Stephen, abasourdi, mais...

— Je ne veux plus te voir. Quitte cet appartement immédiatement.

Il s'était tourné vers elle avec un sourire maladroit.

— Allons, Kate, je vais t'expliquer...

— Le temps des explications est révolu. Dehors. Tous les deux. Ouste !

Kate, le cœur glacé, les avait vus partir. Stephen avait emporté une petite valise et son étui à guitare, qu'il avait casés à l'arrière de sa voiture de sport rouge. Puis il avait démarré, en compagnie de cette Natasha qui n'avait pas

175

dit mot et semblait avoir pris la situation avec une désinvolture amusée.

Kate était alors restée assise sur une chaise, devant la fenêtre, assommée, jusqu'à ce que le jour eût fait place à la nuit.

Son désespoir était total.

Elle tombait de si haut !

Puis, ravalant ses larmes avec orgueil, elle s'était levée, avait saisi son sac au passage, et était sortie. Il lui fallait de l'air, abandonner cet état de léthargie qui s'était emparé d'elle.

Elle avait enfourché son vélo et avait roulé au hasard, sans but.

Comme elle pédalait dans les rues d'Amsterdam, elle remarqua d'un cœur meurtri des amoureux qui se tenaient par la main, éclairés par les vitrines des magasins. Au coin d'une petite rue et d'un canal, elle passa devant un restaurant où Stephen et elle se rendaient de temps en temps. Elle appuya alors plus fort sur les pédales, tout en serrant douloureusement les mâchoires.

Comme si elle avait été télécommandée par quelque force obscure, elle se retrouva brusquement dans la rue où résidait Tom. Ce dernier logeait dans un atelier d'artiste qui avait été divisé en deux : l'appartement d'un côté, le bureau de l'autre.

Elle appuya sur le bouton de sonnette, mais personne ne vint ouvrir. Elle insista, et c'est avec soulagement qu'elle entendit enfin un bruit de pas, dans l'appartement.

La porte s'ouvrit, et Tom apparut dans une douce et chaude lumière ambiante. Il était habillé d'un jean bleu et d'une chemise également bleue. Il avait l'air paisible.

Il était plus beau que jamais, et elle en fut émue.

— Je commençais à penser que tu étais parti, confia-t-elle avec un sourire timide.

— Et moi je pensais que tu étais attablée dans un grand restaurant, avec une bouteille de champagne dans un seau à glace, un énorme diamant au doigt !

Il s'effaça pour la laisser entrer, puis referma la porte.

— Que s'est-il passé, Kate ? lui demanda-t-il en la dévisageant d'un air soucieux. Qu'est-ce qui ne va pas ? Tu en fais une tête !

Au prix d'un gros effort pour ne pas éclater en sanglots, elle annonça d'un trait, d'une voix étranglée :

— Je viens de surprendre Stephen dans notre lit avec sa petite amie. Je...

Elle ne put continuer, et les pleurs, cette fois, furent plus forts qu'elle. Dans un élan de désespoir, elle se jeta dans les bras de Tom, toute secouée par des sanglots qui l'étouffaient.

— Allons, allons, ma chérie, ne pleure pas, murmura-t-il en lui caressant doucement les cheveux. Tu t'en sortiras, cela va s'arranger, tu verras...

Le visage enfoui dans son épaule, elle hocha la tête, accablée par le désespoir le plus total, avant de hoqueter d'une voix pitoyable :

— Non, Tom. C'est fini. Tu comprends ? Il... Il m'a trahie de la manière la plus abjecte qui soit. Il m'a trompée quotidiennement, en me faisant croire qu'il espérait m'épouser, et, par ailleurs, il poursuivait cette liaison avec cette fille... Et moi, pendant ce temps, je pensais naïvement que Stephen et moi formions un couple solide et plein d'avenir.

— Cette fille, tu la connais ? Qui est-ce ?

— Bah, aucune importance... Je crois qu'elle s'appelle Natasha... Et moi qui ne me doutais de rien... Quelle sotte j'ai pu être ! Quelle idiote, mais quelle idiote !

— Mais non, Kate. Tu es une femme très intelligente, tout à fait adorable. Allons... Ne pleure plus.

Il lui tendit un mouchoir, et elle essuya ses larmes d'une main tremblante.

— Stephen n'est pas digne de tes larmes, murmura Tom d'une voix douce.

— C'est vrai, répondit-elle en reniflant.

Curieusement, ce n'était plus à Stephen qu'elle pensait

en cet instant présent, mais à la main de Tom dont le toucher, contre sa peau, produisait une sensation bizarre : c'était comme une caresse remplie de sensualité qui la faisait frissonner — à moins que ses frissons ne fussent dus à son excès de sanglots.

— Je vais te préparer un verre, annonça-t-il avec un sourire encourageant.

— Merci, j'en ai besoin !

Tandis que Tom s'occupait des boissons, elle jeta un coup d'œil circulaire dans la pièce. L'ancien atelier avait été aménagé avec beaucoup de goût, et les murs n'étaient pas surchargés d'objets, comme c'est trop souvent le cas dans les appartements. Les fenêtres n'avaient même pas de rideaux, ce qui laissait le regard libre de plonger directement sur le canal et les quais. La pièce principale était très vaste, et jouxtait une autre pièce, plus petite, où Tom avait installé ses ordinateurs et son espace de travail.

— Je t'ai dérangé pendant ton travail, Tom, s'excusa-t-elle, soudain honteuse de cette intrusion subite chez son ami.

— Tu ne m'as pas du tout dérangé, assura-t-il.

Il était revenu avec un plateau, et versait à présent dans un grand verre un cocktail de sa fabrication.

Tandis qu'elle le regardait faire, elle remarqua à quel point il était taillé comme un athlète : un corps fin et musclé, avec de larges épaules. Pas une once de graisse.

— Tu as eu raison de venir me voir, ajouta-t-il. C'est ça, l'amitié véritable : quand on a des ennuis, on va en faire part à un ami, et cela soulage de pouvoir en parler, n'est-ce pas ?

Kate fit un effort pour sourire et rétorqua un peu ironiquement :

— Mon pauvre Tom, tu n'avais vraiment pas besoin de mes problèmes !

— Goûte ce que je t'ai préparé, Kate. C'est radical pour effacer n'importe quel souci.

Kate n'avait pas l'habitude de boire, car l'alcool lui

montait immédiatement à la tête et la mettait invariablement dans un état semi-comateux.

Mais ce soir, elle avait besoin d'un remontant.

Elle s'assit sur l'un des divans et observa le liquide rose et ambré qui dansait dans son verre.

— Je n'arrive toujours pas à croire qu'il ait pu me faire un coup pareil, marmonna-t-elle à voix basse. Il prétendait toujours qu'il m'aimait...

Le silence se fit et dura un bon moment. Tom avait pris place sur un autre divan, face à elle. Ils trinquèrent en silence. Le cocktail préparé par son ami lui parut une véritable boule de flammes à la première gorgée, mais le parfum en était délicieux.

— Où est-il, en ce moment ? demanda Tom.

— Je lui ai ordonné de partir. C'est ce qu'il a fait.

— Avec sa... copine ?

Elle fit oui de la tête.

— Tu la connais, cette fille ?

Elle haussa les épaules avec dédain.

— Je ne l'avais jamais vue. Comme il était en train de se rhabiller, à la sauvette, il m'a dit au passage que c'était une collègue de travail et qu'elle s'appelait Natasha. C'est tout ce que je sais d'elle. J'avoue qu'elle est plutôt bien faite ; c'est une jolie blonde de dix-neuf ou vingt ans, à peu près. Pas plus.

Tom croisa ses longues jambes et posa son verre sur la table basse qui se trouvait devant lui.

— Dans un sens, tu as de la chance d'avoir découvert si tôt le pot aux roses, fit-il remarquer. Les aventures de Stephen auraient pu se prolonger ainsi pendant des semaines ou des mois sans que tu n'en saches rien.

— Peut-être poursuit-il cette liaison depuis des mois ou des semaines, murmura-t-elle, songeuse. Et peut-être ne m'a-t-il jamais aimée.

Elle poussa un long soupir et reprit avec vivacité :

— Tu le savais, Tom ?

— Quoi ?

— Est-ce que tu étais au courant de cette tromperie de la part de Stephen?

— Mais non, voyons! Je n'en avais pas la moindre idée. Si je l'avais su, je t'aurais prévenue.

— C'est vrai? dit-elle, le cœur soudain réchauffé.

— Bien sûr. Je tiens trop à toi pour te laisser macérer dans un piège ou un mensonge.

Elle hocha la tête, émue et reconnaissante. Tom était véritablement un ami fidèle, un ami comme il en existe peu. Qu'il était doux de pouvoir s'appuyer sur une telle affection!

— Est-ce que tu veux manger quelque chose, Kate? Si tu veux, je peux te préparer un plateau. Il y a plein de choses au frigo.

— Merci, non. Honnêtement, je serais incapable d'avaler quoi que ce soit. Tu comprends, cette histoire me reste encore en travers de la gorge.

Elle jeta un coup d'œil à sa montre et s'aperçut qu'il était bientôt minuit.

— Il est tard, Tom, et je devrais être déjà partie.

Elle se leva et lança en soupirant un : « Allons! » qui trahissait son peu d'enthousiasme à rentrer chez elle.

— Si tu veux, tu peux dormir ici, proposa-t-il tranquillement. La chambre d'amis est prête.

Même si la perspective de rentrer chez elle pour retrouver un lit en bataille laissé par Stephen et sa conquête ne l'emballait guère, elle hésita.

— C'est gentil à toi, Tom. Mais je n'ai ni chemise de nuit ni brosse à d...

— Je peux te prêter un de mes T-shirts. Et j'ai en réserve une brosse à dents toute neuve, dans son étui.

— Tu me tentes, avoua-t-elle en souriant.

— Ne rentre pas chez toi ce soir, conseilla-t-il d'un ton grave. Vu ce qui s'est passé, ça te mettrait le moral à zéro.

— Il est vrai que je n'ai guère envie de rentrer...

— Eh bien, c'est entendu! Viens, je vais te montrer ta chambre.

Elle le suivit dans l'escalier qui menait à l'étage. Tom ouvrit tout grand la porte et elle aperçut la chambre, très confortable et garnie d'un grand lit. Cela lui faisait une impression étrange, de se trouver ici.

— La salle de bains est là, dit Tom en ouvrant une nouvelle porte dans la chambre.

— C'est vraiment gentil à toi, Tom, murmura-t-elle en entrant dans la salle de bains.

— Tu ferais la même chose pour moi, non ? hasarda-t-il avec un grand sourire.

— Je le ferais avec grand plaisir... si j'avais une chambre d'amis, assura-t-elle avec un petit rire modeste.

Ils se trouvaient tout près l'un de l'autre dans l'étroite salle de bains, et Kate ressentit subitement la présence de son ami d'une manière presque charnelle, ce qui la troubla. Malgré elle, elle se mit à fantasmer quelques instants, d'une façon folle et désordonnée. Elle se demanda quelle sensation cela lui ferait d'être dans les bras de son ami, et de sentir sa main sur son corps nu...

Décidément, le cocktail était en train de produire son effet.

— Je vais te chercher un T-shirt, dit Tom.

Comme elle s'asseyait sur le bord du lit, elle sentit que son cœur battait à toute allure, comme si elle venait de courir un 100 mètres. Mon Dieu, si Tom pouvait deviner ce qui venait de traverser son esprit, il serait horrifié ! Ne l'avait-il pas toujours considérée comme une sœur ?

Elle aperçut son propre reflet dans un miroir qui était suspendu dans la chambre. Quelle tête abominable ! Ses cheveux étaient défaits, ses yeux rougis et plissés, et son visage semblait tout chiffonné. Il fallait absolument faire quelque chose. Elle ne voulait pas présenter ce visage à Tom.

Comme il revenait avec un T-shirt pour elle, elle demanda d'un ton anodin :

— Ça ne t'ennuie pas si je prends une douche ? Cela me lavera les idées...

Il rit et répondit avec bonne humeur :

— Tu fais comme chez toi, Kate. Mets-toi à ton aise.

Quelques minutes plus tard, elle se trouvait à la verticale d'un jet tiède qui tombait sur elle comme une cascade vivifiante. Elle écarta délibérément toutes les interrogations qui lui venaient à l'esprit au sujet de Stephen. Seul comptait le moment présent et cette petite parenthèse de bonheur simple.

Elle sortit de la salle de bains, détendue et apaisée.

Tom avait apporté un plateau avec un sandwich au pain de mie, un soda et du café.

— Tu es un ange, Tom. Mais je n'arriverai jamais à manger une simple bouchée...

— Tu as tort. Il faut que tu manges. Tu es maigre comme un coucou !

— Merci pour le compliment, dit-elle avec un sourire en biais.

— Hum... Je rectifie : tu es fine comme un oiseau. Tu préfères cette formulation ?

— C'est déjà moins vexant, répondit-elle avec un petit rire. Tu sais, Tom, je n'ai jamais été très enveloppée.

— C'est le moment de t'y mettre.

— Tu aimes les femmes « enveloppées » ?

Tom, l'air amusé, fit un geste vague, indiquant par là que la question n'avait aucune importance. Kate se demanda subitement quelle image il se formait d'elle.

La trouvait-il à son goût ? L'estimait-il désirable ? Pensait-il qu'elle était ce qu'on appelle habituellement « une jolie femme » ? C'était la première fois, étrangement, qu'elle se posait ces questions.

— Excuse-moi un instant, dit-elle soudain en saisissant le T-shirt que Tom avait laissé pour elle sur le lit. Je reviens dans un instant.

Elle retourna dans la salle de bains et s'approcha du miroir, au-dessus du lavabo. Elle examina son image d'un œil exigeant. Puis, avisant un sèche-cheveux, elle mit un peu d'ordre dans sa coiffure, se maquilla légèrement.

Après quoi elle enfila le T-shirt de Tom qui lui arrivait presque jusqu'aux genoux.

Lorsqu'elle revint dans la chambre, son ami était assis au pied du lit, la télécommande de la télévision à la main. Il zappait d'une chaîne à l'autre.

— Des niaiseries, comme d'habitude, commenta-t-il avec un soupir désabusé.

Il leva un instant les yeux vers elle puis reprit son zapping. Pendant le bref instant où il avait posé sur elle son regard, il sembla à Kate qu'une étincelle y avait brillé, une fraction de seconde. Mais elle n'en était pas sûre. Il se pouvait bien qu'elle l'eût imaginé.

— N'oublie pas ton sandwich, recommanda Tom, les yeux toujours dirigés vers le petit poste de télé. Si tu ne manges pas, tu vas avoir des cauchemars cette nuit.

— Que je mange ou non, je vais faire des cauchemars, c'est sûr. Tu penses : après la scène que j'ai vue, tout à l'heure ! Je vais rêver d'un Stephen convolant vers l'autel avec une Natasha ravie à son bras.

— Bah, ce n'est pas toi qui vas subir ce cauchemar ; c'est plutôt Stephen...

— Pourquoi ? Parce que tu penses qu'il est allergique au mariage ?

Tom hocha la tête affirmativement. Il appuya sur un bouton de la télécommande et la télévision s'éteignit.

— Stephen n'est pas le genre de type à se marier, marmotta-t-il en posant la télécommande sur la table de nuit. Il est trop instable. D'ailleurs, son histoire avec Natasha ne durera pas. J'en suis sûr.

— Comment peux-tu en être si sûr ? s'étonna-t-elle.

— Il n'a jamais pu garder un emploi de manière stable. Ce genre d'individu ne tient pas en place. Il lui faut du changement.

— Il est tout de même resté deux ans avec moi, Tom. Quant à la stabilité dont tu parles, est-ce que tu penses en faire preuve, toi, dans les multiples liaisons que tu as entretenues ?

Il leva brusquement la tête, surpris par la pique qu'elle venait de lui lancer.

— J'ai eu un certain nombre de petites amies, c'est vrai. Mais j'ai toujours été clair avec elles. Je ne leur ai jamais menti, je ne leur ai jamais fait miroiter la perspective d'un mariage.

Elle savait qu'il disait vrai. Cela faisait tellement de temps qu'ils se connaissaient... La droiture et l'honnêteté de son ami ne faisaient aucun doute.

— En un mot, je n'ai jamais sombré dans l'image d'Epinal en ce qui concerne mes relations sentimentales, résuma-t-il. Et je me demande si tu ne t'es pas fourvoyée dès le début, dans ton histoire avec Stephen.

Il l'interrogeait du regard, sans sévérité, mais avec une exigence manifeste. Puis il ajouta, en guise de conclusion :

— Je me demande si tu n'as pas idéalisé votre relation.

Kate, désemparée, déglutit avec une certaine difficulté. Il était bien possible qu'elle se fût illusionnée comme une adolescente, pendant ces deux années passées auprès de Stephen.

— C'est probable, admit-elle d'une voix sombre. Quand j'ai vu Stephen dans notre lit avec cette créature, il y a quelque chose qui a fait tilt en moi. Ou, si tu préfères, qui a fait « clic »...

Ils eurent tous deux un rire léger.

— « Tilt », « clic » ou « crac », une chose est certaine : je suis redevenue brusquement lucide, confessa-t-elle.

— Les chutes, les échecs, la souffrance, rendent lucide, commenta-t-il d'un ton pensif.

— Je crois, oui.

Ils restèrent un moment sans rien dire, puis Kate murmura, comme pour elle-même :

— Je suis sans doute trop romantique...

— Ce n'est pas une tare, assura-t-il avec un sourire

compatissant. Ni une tare ni un défaut. Mais ce que je n'admets pas, c'est que ton Stephen se soit servi de ton romantisme et en ait profité pour mener double jeu.

Kate scruta quelques instants le beau visage de Tom.

— Tu n'as jamais beaucoup aimé Stephen, n'est-ce pas ?

— Non. Je n'appréciais guère le personnage. Ce type se révélait d'une inconstance inadmissible. Un jour il t'apportait des roses, le lendemain, il te posait un lapin. Il était tout sauf fiable.

Kate, perplexe et songeuse, repensait à tous ces mois passés auprès de Stephen. Elle commençait à mesurer la duperie dont elle avait été victime. Mais elle avait du mal à condamner totalement celui dont elle avait partagé la vie.

— Stephen est un artiste, plaida-t-elle avec un soupir résigné.

— Un artiste ? répéta-t-il avec un petit rire ironique et amer. Un inconstant, tu veux dire ! Ce qui ne revient pas au même. Et puis, il ne pensait qu'à lui, c'était sa principale préoccupation.

Kate avala une gorgée de café. Elle réfléchissait intensément, et comprenait à quel point il est facile, dans une relation de couple, de sombrer dans une totale méprise. Oui, Tom avait raison : elle s'était forgé une image bien trop belle et trop flatteuse de Stephen.

Elle posa sa tasse en soupirant et demanda d'une voix éteinte :

— Et maintenant, Tom ? Que vais-je faire ? J'ai passé deux années avec lui...

— Eh bien, tu vas tourner la page, tout simplement. Et tu vas t'occuper principalement de toi. Tu vas apprendre à être un peu égoïste, à te faire plaisir, à te préoccuper d'abord de ta petite personne. Tu as toujours su faire face aux situations difficiles, Kate. Dès demain, tu vas entamer une existence nouvelle : tu seras indépendante, sans Stephen à tes côtés. C'est très bien ainsi. J'ai remarqué que tu possédais d'excellentes qualités d'adaptation. Par exemple, lorsque tu as quitté Londres pour venir travailler à Amsterdam où tu ne connaissais personne, tu as réussi la transition brillamment, non?

— C'est vrai, mais cela remonte à une autre vie. J'étais plus dynamique, à l'époque, et...

— Tu plaisantes! Tu es toujours la même. Et je te rappelle qu'il n'y a que deux ans et demi que tu es venue vivre ici.

Il avait posé sa main sur la sienne d'un geste affectueux et machinal, et elle prit subitement conscience de cette belle et grande main qui reposait sur la sienne, comme un signe tangible de protection et d'amitié.

Tom eut soudain l'air songeur.

— Je me demande comment il se fait que...

Il laissa sa phrase en suspens et fronça les sourcils, comme s'il essayait de retrouver un fil perdu.

— Comment il se fait que quoi? insista-t-elle doucement.

Il abandonna sa main et fourragea un instant dans ses cheveux, apparemment tracassé.

— J'étais en train de me demander pour quelle raison je n'ai jamais essayé de t'ajouter à la longue liste de mes conquêtes, répondit-il, pensif.

Kate haussa les épaules sans répondre. Elle prit tout d'un coup conscience de la légèreté de son vêtement. Le T-shirt que lui avait prêté Tom était en coton léger, un peu transparent, et elle se demanda si cette tenue n'était pas un peu trop légère, même pour deux vieux amis.

— Tu es du signe des Gémeaux et je suis Sagittaire, murmura-t-elle. Ça ne pourrait jamais marcher.

Tom hocha la tête avec un sourire moqueur.

— Toujours ces histoires d'astrologie! Ne me dis pas que tu crois à ces enfantillages.

— Tu vas sans doute te moquer de moi, mais les prévisions astrologiques concernant les Sagittaire pour la journée avaient annoncé un profond changement.

— « Un profond changement » ! Mais nous n'arrêtons pas de changer, Kate ! A chaque minute qui passe. On ne se baigne jamais dans le même fleuve, disait Héraclite. Parce que l'eau n'est jamais la même. Et parce que l'on change à chaque instant. Crois-tu réellement que tous les Sagittaire qui sont rentrés chez eux ce soir ont trouvé une maîtresse ou un amant dans le lit conjugal ?

Sur ces mots, il pouffa de rire. Mais Kate ne s'amusait pas du tout. Elle rétorqua d'une voix sèche :

— Quelle étroitesse d'esprit, Tom ! Le changement peut prendre de multiples formes.

— Exactement. C'est pour cette raison que les prévisions astrologiques sont toujours pertinentes aux yeux de ceux qui les lisent. On peut toujours y voir du vrai, rétrospectivement.

Kate l'incendia d'un regard noir.

— Ce que tu peux être sceptique !

— Et toi, ce que tu peux être naïve, avec tes astres !

— Tu peux rire, il n'empêche que les signes zodiacaux ont leur importance. C'est ainsi qu'une Sagittaire comme moi ne pourrait jamais s'accorder avec un Gémeaux comme toi.

Il la considéra un instant avec un air sceptique et marmonna doucement :

— C'est une théorie qu'il me serait facile de faire voler en éclats.

Il avait prononcé ces mots d'une telle façon qu'elle tressaillit, avec l'impression que sa température interne venait de bondir de quelques degrés.

Elle releva le menton et lança sur un ton de défi :

— Eh bien, qu'attends-tu pour...

— Ce n'est pas le moment adéquat, coupa-t-il avec une certaine sécheresse.

Comme elle était sur le point de lui demander de préciser sa pensée, elle se retint. Après tout, il était sans doute préférable de laisser certaines choses dans l'état où elles avaient toujours été.

— L'amitié véritable possède quelque chose de plus fort que tous les autres sentiments, non ? reprit Tom d'un ton paisible.

Il l'interrogeait d'un regard où brillait une lueur malicieuse.

— C'est vrai, murmura-t-elle, encore remuée par le tour étrange qu'avait pris leur conversation.

Il se leva et la pièce parut soudain plus petite. Il se pencha sur elle et déposa un baiser sur sa joue.

Elle fut troublée par le parfum de son eau de toilette, par la douceur de ses lèvres effleurant sa peau, par la chaleur qui se dégageait de son corps, qui frôla le sien un bref instant.

— Dors bien, Kate, dit-il d'une voix affectueuse.

Puis il quitta la chambre en fermant doucement la porte.

Mais il était fort probable, elle le sentait bien, qu'elle ne fermerait pas l'œil de la nuit.

3.

Il y avait maintenant presque un mois et demi que Stephen avait quitté l'appartement. En rentrant chez elle, ce soir-là, Kate entendit sonner le téléphone. De manière inexplicable, elle se dit que c'était lui : il n'avait pas donné de nouvelles pendant tout ce temps, et, à présent, il se manifestait.

Elle décrocha, à la fois fébrile et anxieuse.

— Salut, Kate, c'est Tanya.

— Quelle surprise, Tanya !

Kate se laissa tomber sur la chaise de l'entrée, ne sachant si elle devait être déçue ou soulagée.

— Qu'est-ce que tu deviens, Kate ? Comment vas-tu ?

— Ça va...

— J'ai été tellement désolée d'apprendre votre séparation, à Stephen et toi...

— Ne t'inquiète pas. C'est du passé. Et finalement, c'est mieux ainsi.

Kate savait que Tanya travaillait avec Stephen. Elles avaient toutes deux été amies, et elle se méfiait un peu des retombées possibles de cette conversation, que Tanya ne manquerait certainement pas de retransmettre à Stephen. Aussi ne pouvait-elle s'empêcher d'être un peu sur la défensive.

— Alors tout va réellement bien ? insista Tanya, l'air étonné.

— Mais oui ! répondit Kate en riant. Je vais on ne peut mieux !

Qu'attendait donc Tanya ? Avait-elle envisagé de tomber sur une Kate en pleurs, se lamentant sur cette séparation brutale qui aurait déchiré sa vie ? Mais non. Ce n'était pas le cas. La disparition de Stephen lui avait redonné le goût de la liberté et de la vie.

Elle savait que certaines personnes se délectent du malheur des autres, comme si leur drame les faisait jubiler dans une région obscure de leur être. Il est ainsi des « amies » qui guettent plus ou moins consciemment, et avec une espèce d'avidité, votre chute ou votre malheur. Kate se méfiait beaucoup de ce genre d'individus.

— Tu comprends que je me trouvais dans une situation délicate par rapport à toi, du fait que je vois quotidiennement Stephen et Natasha au travail, poursuivit Tanya.

— Je le comprends très bien, murmura Kate, nullement gênée de cet état de fait. Mais je le répète : cette histoire entre Stephen et moi est terminée. Beaucoup d'eau a passé sous les ponts depuis. C'est de l'histoire ancienne.

— Bien, bien... Ecoute, Kate, que fais-tu le week-end dans quinze jours ? Pas le prochain, mais l'autre.

— Rien de spécial.

— Formidable. Tu vas donc pouvoir venir à mon mariage. Je me marie avec David !

— Félicitations, dit Kate, très étonnée. Je suis très heureuse pour toi.

— Je vais t'envoyer dès aujourd'hui un carton d'invitation. Oh... J'oubliais : amène avec toi le chevalier servant qui te plaît.

— C'est entendu, répondit-elle, perplexe.

Après quelques politesses amicales, suivies de mots de convenance, Kate raccrocha.

Elle hocha la tête, furieuse contre elle-même : pourquoi avait-elle accepté avec tant de légèreté cette invitation ? Stephen et Natasha allaient de toute évidence se trouver au mariage. Et la situation risquait d'être tendue.

190

En tout cas, il ne fallait surtout pas qu'elle se rendît seule à ce mariage. Elle ne supporterait pas cette situation à la fois désagréable et humiliante.

Il lui vint à l'esprit qu'elle pourrait demander à Tom de l'accompagner. Non seulement la présence de son ami ferait taire les commentaires apitoyés sur sa personne, mais l'allure imposante de Tom, son beau visage, son corps splendide, ne manqueraient pas d'attirer les regards. Et Stephen risquait bien d'en devenir vert de jalousie.

Oui, il serait assez piquant de jouer ce jeu avec Tom. Elle pourrait faire semblant d'être amoureuse, et lui également. Ils danseraient des slows alanguis, les yeux dans les yeux, sous le regard stupéfait de Stephen.

Cette idée l'excitait beaucoup, et elle en riait d'avance.

C'était bien joli, tout cela, songea-t-elle, soudain accablée, mais Tom n'aurait certainement aucune envie de se prêter à cette comédie !

— C'est une fausse bonne idée, marmonna-t-elle en posant les sacs à provisions sur la table de la cuisine. Oublions ça et occupons-nous du dîner.

Elle avait invité Tom, qui devait rentrer le soir même de Paris, où il s'était rendu pour ses affaires. La perspective de le retrouver la rendait toute joyeuse.

Environ une heure plus tard, elle entendit la sonnette de l'entrée. Tom se tenait dans l'embrasure de la porte avec un petit bouquet de fleurs à la main et un grand sourire aux lèvres.

— Salut, toi ! lança-t-il d'une voix chaude et complice.

Kate, en l'embrassant sur les deux joues, remarqua l'eau de toilette ambrée qui se mêlait au parfum des fleurs.

— Salut, mon vieux ! Entre. Je suis contente de te voir. Et tu tombes bien : j'ai besoin d'un coup de main pour transporter une valise trop lourde pour ma frêle personne.

— Ta frêle personne? répéta-t-il, l'air amusé et sceptique. Je sais que tu n'es pas très grosse — c'est un euphémisme — mais je ne te qualifierai jamais de « frêle ». J'imagine qu'il s'agit d'une valise qui appartenait à Stephen?

— Oui.

Elle avait récemment rangé un certain nombre d'objets ayant appartenu à Stephen, et les avait entassés dans une grosse valise qu'il avait oubliée chez elle. Ce rangement lui avait fait le plus grand bien. Il lui avait semblé accomplir un nouveau pas vers la liberté, tandis qu'elle se débarrassait de tous ces objets qui rappelaient leur passé commun.

— Tu es un ange de m'avoir apporté des fleurs, Tom.

— Un ange, oui, c'est le mot! plaisanta-t-il avec un petit rire. Alors, cette valise, où la met-on? Où est-elle?

— Elle est dans la chambre. On s'en occupera plus tard.

Elle prit le bouquet de ses mains avec un sourire ravi et détacha la ficelle qui le nouait. Tom avait posé son imperméable sur le dossier d'une chaise, sans cérémonie. Il s'approcha d'elle, si près qu'elle ressentit un picotement le long de son dos, puis lui demanda d'une voix douce et amicale:

— Comment vas-tu, Kate? Ce n'est pas trop dur? Et Stephen, tu as des nouvelles?

— Aucune. C'est la raison pour laquelle j'ai décidé d'enlever toutes ses affaires.

— Si j'étais toi, je les mettrais à la poubelle, suggéra-t-il avec une certaine cruauté.

— Oh non! protesta-t-elle mollement. Je ne peux pas faire ça.

— Mais si! Du balai, Stephen!

Elle rit, amusée et encouragée par la spontanéité joyeuse qui émanait continuellement de Tom. Lorsqu'il était là, elle avait l'impression de se recharger en oxygène. Sa compagnie était la plus vivifiante qui fût.

— De toute façon, il va falloir que je fasse mes propres valises, murmura-t-elle avec un soupir. Cet appartement est trop cher pour moi toute seule. Il va falloir que je déménage dans un endroit plus modeste.

— Ah, je suis désolé, Kate! Je sais à quel point tu aimes cet endroit...

— Bah, finalement ce n'est pas plus mal. J'ai trop de souvenirs attachés à cet appartement. Le fait de déménager m'aidera à tourner définitivement une page. Que dis-je? Un chapitre de ma vie.

— Tu as trouvé un nouvel appartement?

— Pas encore.

— Si tu as besoin d'être dépannée, tu peux venir t'installer quelque temps chez moi.

— C'est gentil, Tom. Merci.

Pendant quelques instants, elle essaya d'imaginer cette vie commune avec Tom. Elle se souvenait avec une certaine émotion du trouble qui s'était emparé d'elle lorsqu'elle l'avait croisé, revenant de la salle de bains, avec juste un peignoir sur son magnifique corps nu.

Peut-être était-il préférable de renoncer à la proposition de son ami. Car elle risquait d'être de nouveau perturbée par des incidents semblables. Tom était un ami, et seulement un ami.

— Va nous servir un verre, Tom, lança-t-elle pour faire diversion. Il y a une bouteille de bordeaux ouverte, si tu veux. Je surveille le four une minute et je reviens. Tu me raconteras ton voyage à Paris.

Lorsqu'elle revint dans le salon, Tom avait rempli les deux verres. Ils s'assirent sans protocole, Tom sur la moquette, et Kate sur l'accoudoir du canapé.

— Ton travail, ça va? interrogea-t-il d'une voix nonchalante.

— Oui, très bien. J'ai un nouvel auteur, un spécialiste d'histoires d'épouvante. Mais il est différent des autres.

— Différent? Pourquoi?

— Parce qu'il possède une telle technique d'écriture

qu'on ne parvient pas à le lâcher. Je ne suis pas une fanatique des romans d'horreur, mais j'avoue que son dernier manuscrit m'empêche de dormir. Si les chapitres suivants se révèlent aussi forts que les premiers, il me faudra faire appel à toi pour me rassurer dans la nuit. Il te faudra t'installer sur un lit de camp, à proximité, afin que je ne sois pas terrorisée...

— Dans ma vie amoureuse tourmentée, bien des femmes m'ont demandé de rester dormir chez elles, sous tel ou tel prétexte, mais c'est la première fois qu'on me donne une raison de cet ordre.

— Quel rabat-joie tu fais, monsieur-le-tombeur-de-ces-dames !

Comme il avalait une gorgée de son verre, elle l'observa attentivement, de profil, l'espace d'un instant. Son beau visage était bronzé, reposé. Il avait l'air en pleine forme.

— C'était bien, Paris ? interrogea-t-elle au bout d'un moment.

— Pas mal.

— Tu t'es baladé sur les quais, le long de la Seine ?

— Mon expédition la plus lointaine dans la capitale s'est limitée à un petit restaurant de la Rive Gauche. Je ne suis pas allé plus loin.

Kate se demanda secrètement s'il y était allé seul ou en galante compagnie. Mais elle n'osa formuler la question, de peur de paraître indiscrète.

— Cela sent bon, dans ta cuisine, observa Tom qui avait relevé le nez comme un chien de chasse et humait l'air.

— J'aurais aimé te faire un dîner plus grandiose, mais je t'ai préparé seulement des lasagnes.

— J'adore ça !

— Oui, je sais.

Il y avait longtemps qu'ils n'avaient dîné en tête à tête, tous les deux. La plupart du temps, l'un ou l'autre avait été accompagné. Cela produisait une impression bizarre, assez troublante, de se retrouver seule avec Tom.

Ils se mirent bientôt à table, toujours de manière informelle, car ils se connaissaient si bien qu'ils avaient dépassé depuis longtemps le stade des convenances et des règles strictes du savoir-vivre. Ce qui n'empêchait nullement une extrême courtoisie chez Tom, qui traduisait son penchant naturel pour le respect d'autrui.

— Tu as fait des rencontres intéressantes à Paris ? questionna Kate d'un ton détaché.

Tom enfourna ce qu'il avait au bout de sa fourchette, passa dans un mouvement bref le bout de sa serviette sur ses lèvres et répondit tranquillement :

— Tout dépend de ce que tu entends par « intéressant ». J'ai fait la connaissance de la responsable d'une société avec laquelle je travaille. Une femme remarquable.

— C'est avec elle que tu es allé dîner dans ce petit restaurant Rive Gauche ?

— Oui, c'est avec elle.

Kate eut la vision mentale du couple splendide formé par Tom et une ravissante femme appuyée sur son bras. Une petite pique de jalousie la taquina un instant, et elle s'agaça de ce sentiment insolite qui ne lui ressemblait pas.

— Ainsi, ton projet avec cette société parisienne avance ? demanda-t-elle afin de focaliser la conversation sur un plan professionnel.

— Les choses vont pour le mieux. On peut même dire que ça baigne, résuma-t-il avec un sourire satisfait.

Le soir tombait. Kate alluma les bougies des trois chandeliers. La pièce se dora d'une lumière douce et intime qui modelait les traits de Tom et faisait ressortir la noblesse de son visage.

— On m'a proposé de partir pour les Etats-Unis le mois prochain, annonça Tom, au passage.

Kate se sentit pâlir.

— C'est une plaisanterie ? Tu n'es pas sérieux !

Tom se contenta de hausser les épaules.

Kate était consternée. Elle avait envie de lui dire qu'il ne pouvait pas partir ainsi, qu'il ne fallait pas la quitter, qu'elle se sentirait alors tellement seule et abandonnée... Mais elle se retint de tout commentaire et se contenta de murmurer :

— Tu me manquerais, tu sais.

Leurs regards se croisèrent l'espace de plusieurs secondes.

— C'est vrai ? interrogea-t-il.

— Bien sûr que c'est vrai.

Tom se passa machinalement la main sur le front, et confia d'une voix chaude :

— En fait, ce n'est qu'une suggestion qu'on m'a faite, sans proposition ferme. L'idée de ce poste aux Etats-Unis est restée dans le vague. On verra bien par la suite ce qui va en advenir.

Elle ne fut qu'à moitié rassurée par ces paroles, qu'il avait manifestement voulues réconfortantes.

— Je suis heureuse de la bonne tournure que prend ton métier, Tom. On dirait que tu es dans une bonne période. D'ailleurs, cela ne me surprend pas tellement. J'ai lu ce matin les prévisions astrologiques te concernant — le signe des Gémeaux — et les perspectives sont excellentes pour toi.

Tom émit un rire taquin.

— Ouf, je suis soulagé ! s'exclama-t-il, sarcastique.

— Moque-toi ! Figure-toi que la personne qui tient cette rubrique astrologique fait mouche à tous les coups. Je l'ai vérifié.

— Elle fait mouche ? Mais dis-moi, Kate : qu'est-ce que me prévoit la grande astrologue pour ce qui concerne le cœur ? Est-ce que les étoiles vont me guider jusqu'à la star suprême, la femme sublime ?

Kate hocha un peu la tête.

— Tu n'es pas convaincu par l'astrologie, c'est évident. Mais je vais tout de même t'annoncer ce qui t'attend.

— Dis vite. Je trépigne d'impatience !

— Tu vas faire une merveilleuse rencontre au cours d'une soirée, annonça-t-elle d'un ton mystérieux.

— Quelle soirée ? Je n'ai aucune soirée en perspective.

— Tu peux m'accompagner à la soirée donnée pour le mariage de Tanya et David.

Elle avait parlé spontanément, sans réfléchir. Les mots étaient venus d'eux-mêmes. A présent, il était trop tard pour faire marche arrière. La proposition était faite.

— Tiens, Tanya et David se marient ! Alors je suppose que Stephen sera de la fête. Ils sont assez liés, non ?

Kate fit oui de la tête.

— Donc tu vas forcément tomber sur Stephen. Est-ce la raison pour laquelle tu comptes te rendre à cette invitation ?

— Mais non, bien sûr ! Je n'ai aucune envie de revoir Stephen. D'ailleurs il viendra certainement avec Natasha.

— Donc, tu veux que je vienne pour...

Tom cherchait le mot qui convenait.

— ... pour t'épauler, c'est ça ?

— Non... Enfin... Oui. D'une certaine manière.

Kate se sentait assez confuse, d'autant que Tom la scrutait avec une intensité troublante.

— Il faudrait que tu arrives à te débarrasser complètement de ton passé, Kate. Efface de ta mémoire, une bonne fois pour toutes, l'épisode de Stephen. Un tel deuil n'est pas si difficile à faire. Après tout, Stephen n'était pas...

Il hésita et, balayant l'air d'un geste de la main, reprit d'un ton plutôt méprisant :

— ... n'était pas vraiment un cadeau. Tu méritais mieux que ça, tu sais.

Kate, égarée, dodelinait lentement de la tête, essayant de peser le pour et le contre.

— Nous avons tout de même passé de bons moments ensemble, murmura-t-elle.

— Et de moins bons, d'après ce que j'ai pu comprendre.

— C'est vrai, admit-elle.

— Tu veux vraiment aller à cette soirée ? demanda-t-il en sondant son regard d'un œil grave.

— Je ne dis pas que j'en ai une folle envie. Mais j'ai promis à Tanya que je viendrai, et maintenant, je ne peux pas me défiler. Ce serait vraiment grossier. Elle a beaucoup insisté pour que je sois là.

— Elle est prévue pour quand, cette soirée ?

— Pas ce samedi-ci, mais le samedi suivant. Tanya doit m'envoyer un bristol par la poste.

Tom avala une gorgée de café, soupira et grommela d'un ton conciliant :

— Si tu as vraiment envie d'y aller...

— Tu penses que je ne devrais pas m'y rendre ? demanda-t-elle, indécise.

— Ce que je pense n'a aucune importance.

Kate devinait une certaine désapprobation. Mais son ami restait discret et lui laissait toute liberté. C'était évident : il ne se permettait pas de régenter son existence, et la laissait libre de ses agissements. Libre de sa vie. Cela faisait partie, depuis longtemps, de leur relation, et la rendait si précieuse. Ni l'un ni l'autre ne faisait jamais de commentaire sur la nouvelle liaison de l'un ou de l'autre. Le respect réciproque, voilà ce qui résumait leur amitié.

— Si tu penses ne pas être affectée par la présence de Stephen, alors vas-y, résuma-t-il avec un sourire indulgent.

— Je crois que la page est bien tournée, à présent, et que cela ne me fera ni chaud ni froid de le croiser, assura-t-elle d'un ton raffermi. La seule chose que je souhaite, c'est de ne pas y aller seule. Si tu ne m'accompagnes pas, je renoncerai à cette invitation.

Tom la considéra un moment sans rien dire et demanda d'un ton calme :

— Quel rôle souhaites-tu que je joue, si je t'accompagne ? Devrai-je être, aux yeux des invités, ton ami...

Il hésita une seconde.

— ... ou ton amant ?

Le rouge monta subitement aux joues de Kate. Mais, heureusement, la lumière tamisée des bougies ne suffisait sans doute pas à révéler ce trouble soudain.

— Eh bien..., hésita-t-elle. Plutôt comme mon ami, non ?

— Alors, tu ne m'en voudras pas si je tombe sur la femme merveilleuse annoncée par la rubrique astrologique de ton journal ?

— Bien sûr que non, je ne t'en voudrai pas ! affirmat-elle avec force.

Elle avait menti avec aplomb. Et elle savait bien qu'il lui serait très pénible d'endurer le supplice de voir Tom tomber amoureux lors de cette soirée. Jamais elle ne pourrait supporter ce spectacle.

— Dans ce cas, tu peux compter sur moi. Je t'accompagnerai. Pour autant, bien sûr, que mon agenda me le permette. Il faut que je vérifie que je suis bien libre à cette date.

— Tu as un véritable emploi du temps de ministre, remarqua-t-elle d'une voix déçue.

Elle aurait préféré que Tom donnât son accord d'emblée, sans hésiter, et qu'il se montrât réjoui de l'accompagner. Mais le peu d'empressement qu'il affichait était signe d'une certaine distance de sa part.

Kate était légèrement contrariée et Tom le sentit, d'instinct.

— Tu as l'air un peu dépitée, dit-il calmement.

— Dépitée ? Pourquoi donc le serais-je ?

— On dirait que l'hypothèse que je rencontre une charmante créature à cette soirée te déplaît.

— C'est ridicule ! grommela-t-elle.

Elle empila nerveusement les assiettes qui restaient sur la table afin de les porter dans la cuisine. Tom se leva pour l'aider à desservir la table.

Tandis qu'ils faisaient la navette entre la pièce princi-

199

pale et la cuisine, une atmosphère étrange, un peu tendue, s'établit entre eux.

— Jusqu'à présent tu t'es toujours réjouie, me semblet-il, de mes succès professionnels, remarqua-t-il. Et il me semblait qu'il pouvait en être de même de mes... autres succès. J'ai l'impression que ce n'est plus le cas.

— Vraiment je ne vois pas où tu veux en venir, objecta-t-elle d'un ton bougon.

— Ainsi donc, tu n'espérais pas que je joue un rôle d'amant au cours de cette soirée ? Tu n'avais vraiment pas imaginé ce scénario ?

— Mais... Mais non !

Elle se sentit rougir et se reprit bien vite :

— ... Enfin, c'est vrai, je l'avoue : l'idée m'a traversé l'esprit un instant, mais c'était une idée stupide, j'en conviens. Cela consistait à titiller Stephen par une mise en scène qui lui aurait fait croire que... Enfin... qui lui aurait fait croire que je pouvais être très heureuse sans lui.

Tom s'arrêta un instant et la fixa au fond des yeux.

— Jouer une telle comédie pourrait avoir des conséquences sérieuses, tu sais.

— Ah ? Quelles sortes de conséquences ?

Elle sentit que le rythme de son cœur s'était accéléré. Et elle humecta ses lèvres, qui étaient devenues sèches.

— Ce serait un peu comme quand on envoie un caillou au milieu d'une mare. On observe toujours une série d'ondulations...

Kate fronça les sourcils.

— Excuse-moi, mais je ne te suis pas.

— En résumé, reprit Tom sur un ton calme, toute cette mise en scène consisterait à rendre Stephen jaloux.

— Mais non..., protesta-t-elle mollement.

— Allons, Katy, sois honnête avec toi-même !

Tom employait de temps à autre le diminutif de « Katy », principalement lorsqu'il voulait se montrer affectueux avec elle.

— Avoue que cela te plairait assez de rendre Stephen vert de rage ! C'est d'ailleurs compréhensible, après tout ce qu'il t'a fait.

Kate haussa les épaules sans répondre.

— Tu as envie qu'il revienne ? insista doucement Tom.

— Ah, non ! C'est fini, définitivement fini entre nous.

Elle posa une pile d'assiettes sur l'évier.

Tom la scrutait d'un air sceptique.

— Je t'assure, Tom : le lien est complètement rompu entre Stephen et moi. Comment pourrais-je le revoir après cette monstrueuse trahison ?

— S'il revenait, en se faisant tout humble, et qu'il te demande pardon...

Kate secoua violemment la tête.

— Non et non !

Kate avait maintenant desservi la table et s'affairait dans la cuisine avec des gestes rapides. Tom, toujours très calme, la suivait des yeux.

Il croisa les bras et hocha lentement la tête, tandis qu'il assurait à mi-voix :

— Je persiste à croire que tu joues à un jeu dangereux.

Kate ferma brusquement un placard et tourna la tête vers son ami.

— Ce que je voudrais savoir, Tom, c'est si tu es d'accord ou non pour te prêter à ce jeu.

Comme il ne répondait pas, elle insista d'un ton vibrant :

— Accepterais-tu si je te le demandais ?

Il soupira, l'air pensif, et acquiesça d'un signe de tête en articulant de manière réfléchie :

— Oui.

Kate, soulagée d'un poids, eut un large sourire.

— Merci, Tom.

Il lui prit le menton d'un geste à la fois vif et tendre et murmura :

— Je t'aurai avertie, Kate. Le jeu est dangereux. Jouer

avec les sentiments et les émotions peut se révéler périlleux.

— Tu crois que Stephen pourrait essayer de te casser la figure ?

Tom éclata de rire.

— J'avoue que je n'avais pas pensé à un tel scénario. Non, il ne s'agit pas de ça !

Elle se dégagea de cette main dont le contact était si troublant, et annonça d'une voix basse et sans relief :

— De toutes les façons, Stephen ne pourrait jamais imaginer qu'il puisse y avoir quoi que ce soit entre nous.

— C'est vrai, confirma Tom. Il sait que nous sommes de vieux amis et qu'il n'y a jamais eu entre nous qu'une amitié forte, rien de plus.

— Et même s'il y avait autre chose, Stephen s'en moquerait. Je ne sais pas si tu as rencontré Natasha, mais je peux te dire que c'est une créature ravissante.

— Tant mieux pour lui. Bien, maintenant je crois qu'il est l'heure de m'en aller. Tu m'as dit que tu souhaitais un coup de main pour cette valise, non ?

— Oui, si cela ne t'ennuie pas. Ce serait gentil à toi.

— C'est la moindre des choses, voyons.

Comme ils entraient dans la chambre à coucher, Kate eut le sentiment que l'atmosphère, entre eux, s'était chargée d'une électricité nouvelle, presque palpable à la surface de sa peau.

Lorsqu'elle sortit la grosse valise qui contenait différentes affaires ayant appartenu à Stephen, Tom grommela :

— Tu sais, Kate, le mieux serait que je fourre cette valise dans la première poubelle venue. Tu n'as pas besoin de t'encombrer de tout cela...

— Je ne peux pas, Tom. Ce ne sont pas mes affaires...

— S'il en avait eu besoin, il serait déjà passé les reprendre, non ?

Elle haussa les épaules sans répondre. Comme elle déplaçait la lourde valise, il la lui prit des mains avec autorité.

— Attends, je m'en occupe.

— Attention, Tom... Il y a des choses fragiles...

— Mets-toi une fois pour toutes une chose dans la tête, Kate : il faut oublier Stephen, et oublier les objets qui lui ont appartenu. Tout ça, c'est du passé !

Elle se redressa dans un sursaut d'orgueil.

— Je n'ai pas besoin de ce genre de conseil, Tom. J'ai presque complètement oublié Stephen, à présent.

— Si tu l'avais vraiment oublié, tu aurais balancé tout ça dans une benne à ordures, et tu ne te mettrais pas en tête de le rendre jaloux.

— Si tu penses à la soirée de Tanya, tu fais fausse route. J'ai abandonné l'idée que j'avais eue. De toute façon, personne ne serait capable d'imaginer que nous pourrions être amants, toi et moi !

La voix de Tom se fit soudain très basse, presque menaçante :

— Vraiment ?

Elle tressaillit à cette voix inhabituelle chez son ami.

— Est-ce un défi que tu me lances ? poursuivit-il doucement.

— Mais non, voyons ! Qu'est-ce que tu vas imaginer ?

— Bon, parce que s'il s'était agi d'un défi, j'aurais peut-être été capable de le relever.

Le cœur de Kate battait à présent à tout rompre dans sa poitrine. Elle eut l'impression d'être submergée par une vague chaude et envoûtante.

Tom s'approcha tout contre elle et passa ses mains autour de sa taille. Il l'attira contre lui, en murmurant d'un ton à la fois moqueur et enjôleur :

— J'aime bien relever les défis.

Elle sentit ses cheveux se hérisser, tandis qu'il la serrait davantage.

Il se pencha sur elle et ses lèvres effleurèrent les siennes un bref instant. Ce n'était qu'un baiser chaste, mais Kate en fut si bouleversée qu'elle eut l'impression que, bientôt, ses jambes ne parviendraient plus à la porter.

Après avoir joué avec ce frôlement de ses lèvres, la bouche de Tom prit soudain possession de celle de Kate en un véritable et ardent baiser.

Elle eut l'impression de défaillir, et bientôt, grisée, elle lui rendit le baiser avec la même ardeur, la même fougue.

Ils se détachèrent enfin l'un de l'autre, après une étreinte qui donna l'impression à Kate d'avoir été projetée hors du temps, dans une sorte d'éternité.

Un moment de flottement s'ensuivit, et elle murmura d'une voix tremblante :

— Tu n'aurais pas dû faire ça, Tom. Ce n'est pas... Ce n'est pas...

Elle était tellement bouleversée qu'elle ne trouvait plus ses mots.

— C'est toi qui m'as mis au défi, Kate.

— Mais non !

Elle sentait que ses joues étaient bouillantes.

— Mais si, tu le sais bien. Quand on joue avec le feu, on se brûle tôt ou tard.

Il secoua un peu la tête, comme pour oublier l'incident, et demanda sur un tout autre ton :

— Où veux-tu que je mette cette sacrée valise ?

Elle papillota des yeux un quart de seconde.

— Dans le placard de l'entrée.

Tom se saisit du fardeau et le porta jusqu'au placard qu'elle lui ouvrit.

Lorsque la valise fut rangée, Tom demanda doucement :

— Ça va, Kate ?

— Mais oui, bien sûr.

— Formidable, dit-il avec un grand sourire.

Quelques minutes plus tard, tout en le suivant des yeux tandis qu'il entrait dans sa voiture, elle posa le bout de ses doigts sur ses lèvres. Celles-ci lui donnèrent l'impression d'être légèrement gonflées, après la folle ardeur de ce baiser.

4.

Une semaine plus tard, Kate était installée derrière son bureau, dans l'ambiance habituelle des coups de téléphone continuels, des portes s'ouvrant et se refermant. Ce jour-là, un problème dans le système d'air conditionné rendait l'atmosphère étouffante.

Jan, qui travaillait dans la même pièce qu'elle, se leva pour ouvrir la fenêtre.

— On ne respire plus, ici..., grommela-t-elle avec humeur.

— Les réparateurs seront là dans quelques minutes, répondit Kate sans lever les yeux du manuscrit dans lequel elle était plongée. Ton week-end s'est bien passé ?

— Ne m'en parle pas. La soirée de samedi a été terrible. Les gens étaient rassemblés par petits groupes, et n'en finissaient pas de raconter du mal des autres. Et en plus, il n'y avait pas un homme qui vaille le détour...

— Ma pauvre Jan, murmura Kate, compatissante.

— Et ton week-end à toi ? l'interrogea celle-ci à son tour.

— Rien à dire de spécial. Le calme plat.

— Stephen ne t'a pas donné de nouvelles ?

Kate secoua la tête. Elle n'aimait pas beaucoup parler de sa vie privée au bureau. Jan connaissait l'existence de Stephen un peu par hasard, et Kate ne s'était jamais répandue en confidences à son propos. Elle avait juste mentionné, au moment du drame, leur séparation.

— Alors tu n'as pas d'homme dans ta vie ? s'étonna Jan.

— Non. Aucun. Il y a Tom, bien sûr, mais notre relation est seulement amicale, platonique.

— Qui est ce Tom ? insista Jan, remplie de curiosité.

— Un vieil ami de toujours. Il travaille dans l'informatique.

— Et... Il est comment ?

— C'est un amour. Un ange. Une crème.

— Physiquement, il est beau ?

Kate planta son regard dans celui de sa collègue et répondit d'une voix distincte, en détachant chaque syllabe :

— Très, très, très beau.

— Oh, raconte ! s'exclama Jan, l'air très excité.

— Eh bien... Il a trente-trois ans, il est toujours célibataire, et il possède vraiment un physique extraordinaire. Si tu le voyais ! Voilà tout ce que je peux te dire.

Des lueurs de gourmandise brillaient dans les yeux de Jan.

— Votre relation... est-elle uniquement amicale ? Il n'y a rien de romantique dans votre histoire ? Rien d'ambigu ?

— Mais non ! C'est un ami de toujours. Mon meilleur ami. Rien d'autre.

— Tu pourrais peut-être me présenter à lui, un de ces jours, hasarda Jan.

Jan était une jeune femme extrêmement jolie, et Kate se demanda brusquement si ce n'était pas ce genre de femme qu'il fallait à Tom : blonde, des jambes interminables, une silhouette parfaite, un visage très mignon...

— Oui, pourquoi pas ? répondit Kate sans enthousiasme.

L'idée de présenter Jan à Tom ne l'emballait vraiment pas. Et c'est d'un ton réservé qu'elle répondit :

— Il voyage beaucoup pour son travail. Il n'est pas facile à joindre.

Elle n'avait pas osé dire que Tom et elle avaient prévu de se rencontrer, ce jour même, pour prendre un café après le travail. Comme si un instinct possessif l'avait retenue.

— Tu ne serais pas intéressée par ce monsieur, par hasard ? questionna Jan tout à trac.

— Mais non, voyons !

Kate perçut sa protestation comme si elle venait de quelqu'un d'autre. Le ton était monté d'un cran, trahissant un émoi certain.

Elle se rappelait encore le baiser qu'ils avaient échangé, voici une semaine, et ni le souvenir ni la sensation n'avaient été entamés par le temps.

Subitement, elle s'effraya de la situation. Elle était en train de se comporter comme une amante possessive et jalouse. C'était absurde ! Il fallait sortir de ce cercle.

Elle eut une idée de génie et trouva la parade qui permettait de prouver à la fois à elle-même et à Jan que Tom n'était qu'un simple ami.

— Ecoute, Jan. J'ai rendez-vous tout à l'heure avec Tom pour prendre un verre. Si tu veux te joindre à nous...

— Avec plaisir !

La réponse avait fusé sans attendre.

Ce rendez-vous à trois allait permettre, pensa Kate, de remettre les choses en place : Tom allait pouvoir redevenir l'ami qu'il avait toujours été. Et leur baiser se dissiperait bientôt dans l'oubli, tel un incident de parcours sans importance.

— Le voici qui arrive, murmura Kate.

Elle était attablée en compagnie de Jan dans un des vieux cafés d'Amsterdam, un de ces endroits pleins de charme, au bord d'un canal, où jeunes et moins jeunes aiment à se retrouver après le travail.

Tom gara sa voiture non loin du café et en descendit. Lorsqu'elle vit sa haute silhouette se dessiner dans ce merveilleux décor, Kate, malgré elle, sentit son cœur vibrer.

« Allons, ce n'est que mon vieux Tom, mon vieil ami de toujours, se dit-elle. Il faut oublier ce baiser. Dans deux ans, dans dix ans, nous rirons encore ensemble de ce dérapage absurde... »

Tom traversait la rue et venait dans leur direction.

Un soupir admiratif sortit de la gorge de sa voisine.

— Mais il est absolument magnifique, ton Tom ! s'exclama-t-elle, au comble de l'extase.

— C'est ce que je t'avais dit, déclara Kate à mi-voix.

— Ça y est ! chuchota Jan. Je crois que suis amoureuse.

Kate fronça les sourcils.

— Tu vas un peu vite en besogne, non ?

— Je suis folle de lui. Je n'ai même pas besoin de le connaître davantage... Mon Dieu ! Est-ce que je suis présentable ?

Jan se mit à tripoter fébrilement sa frange.

— Mes cheveux, ça va ? interrogea-t-elle avec inquiétude, en roulant des yeux d'adolescente hystérique.

— Parfait, grommela Kate entre ses dents.

Tom entra dans l'établissement d'un pas souple et tranquille.

— Kate, rends-moi un service, je t'en prie : fais en sorte de nous laisser seuls, lui et moi, un petit moment.

— Tu sais, Jan, il faut que je te dise : Tom est un personnage très libre, très indépendant. Il n'a pas du tout envie qu'on lui mette le grappin dessus ! J'ajoute que c'est un grand séducteur et qu'il attrape toutes les femmes qu'il désire dans son filet à papillons.

— Je suis une grande fille, Kate. Ne t'inquiète pas pour moi. Je...

Elle s'interrompit car Tom se trouvait à présent juste devant leur table.

Kate et Tom se fixèrent un moment dans le fond des yeux, et elle sentit un délicieux frisson courir le long de son dos. Elle comprenait l'émoi qui avait saisi Jan à la vue de Tom. Il était véritablement superbe. Son beau visage bronzé contrastait avec une chemise claire dont le col était ouvert. Il était habillé d'un costume beige clair qui lui donnait à la fois une allure sportive et un air sérieux.

Kate frémit en repensant à ce fameux baiser, à ces mains qui avaient caressé sa peau nue, sous son corsage, au cours de cette folle et bouleversante étreinte.

— Salut, Kate! lança-t-il d'un ton chaleureux. Excuse-moi, je suis un peu en retard.

— Mais non, ne t'en fais pas. Nous venons d'ailleurs tout juste d'arriver, Jan et moi. Je te présente mon amie Jan, qui travaille avec moi chez Temple et Tanner.

Elle fit les présentations dans les règles.

— Jan, voici Tom Fielding, un vieil ami.

— Pas si vieux que ça, protesta-t-il en riant. Je n'ai que trente-trois ans!

— Je parlais de notre vieille amitié, rectifia-t-elle avec un sourire. Assieds-toi, Tom.

Le visage de Jan ressemblait à celui de Sainte Thérèse de Lisieux au moment où elle avait ses apparitions. Il exprimait la béatitude la plus totale.

— Alors, comment va la maison Temple et Tanner? demanda Tom en s'installant sur une chaise.

La question était collective, et c'est Jan qui s'empressa d'y répondre.

— La maison d'édition marche très bien, mais je n'en dirai pas autant du système d'air conditionné qui nous a lâchés aujourd'hui. Sans parler de mon ordinateur qui a rendu l'âme d'un seul coup. Il paraît que vous êtes dans l'informatique?

— Oui. Je vous aurais bien dépannée si j'avais été dans le coin, mais ce n'était pas le cas aujourd'hui.

— C'est gentil à vous de dire ça, répondit Jan, dont les yeux brillaient avec un éclat nouveau.

Elle croisa ses longues jambes avec une lenteur sensuelle, et Kate remarqua le regard de son ami, qui ne put éviter ce spectacle qu'on lui proposait de façon si cavalière.

— Vous devriez venir un jour nous voir à notre bureau, reprit Jan. Nous prendrons un café ensemble... N'est-ce pas, Kate?

— Bien sûr. Tu seras toujours le bienvenu, Tom, si tu n'as pas peur de la machine à café automatique.

— Vous travaillez dans le même domaine que Kate? interrogea poliment Tom. Vous vous occupez également de romans d'épouvante?

Jan éclata d'un rire cristallin.

— Non, j'édite des livres de cuisine et des ouvrages pratiques.

Kate songea en elle-même que son amie pourrait ajouter un nouveau titre à la collection : Comment ne pas se jeter immédiatement au cou des hommes qui vous plaisent. Tout un programme...

— Des livres de cuisine? s'étonna Tom. C'est intéressant, ça. Vous essayez les recettes chez vous?

— Pas toutes. Quelques-unes seulement. Je suis une très bonne cuisinière, vous savez.

Jan papillotait des yeux et se tortillait sur sa chaise, manifestement désireuse de plaire au maximum à Tom. Mais ce dernier se contentait d'être poli, et ne semblait pas s'apercevoir de tout le manège de séduction que déployait la jeune femme. Sans doute était-il habitué à ces trémoussements et frétillements féminins en sa présence.

La serveuse vint prendre la commande qu'elle nota sur un carnet. Elle s'envola avec un sourire, et il semblait bien que ce sourire était principalement adressé à Tom.

— Qu'as-tu fait de beau, aujourd'hui? interrogea Kate en se tournant vers son ami. Tu as eu beaucoup de travail?

— Je suis allé dépanner le système informatique d'un client : l'usine Tate.

210

— Ah, mais je connais très bien la famille Tate! intervint Jan. La fille de Max Tate est une vieille amie.

Kate dissimula le sourire qui lui était venu aux lèvres. Jan connaissait la terre entière. Il suffisait qu'on lui parle d'Untel ou d'Untel pour qu'elle enchaîne automatiquement sur ses relations passées ou présentes avec la personne en question.

— Max Tate fête justement son anniversaire samedi, et il m'a invitée, ajouta Jan.

— Il m'a invité également, dit Tom.

— Quelle merveilleuse coïncidence! C'est le destin qui nous met sur la même route!

Kate commençait à être légèrement agacée par cette parade séductrice.

On sentait que le corps de la jeune femme était plongé dans une sorte de transe hystérique, au cours de ce dialogue somme toute assez banal. Jan continuait à se dandiner, à gigoter de plus belle sur sa chaise. Le spectacle était à la fois touchant et irritant.

Kate se rappelait l'histoire de l'araignée qui hèle une mouche et lui dit : « Viens donc faire un tour dans mon salon. »

La serveuse vint déposer les boissons. La salle était à présent bondée, pleine d'un bourdonnement joyeux et de rires.

Kate, qui se sentait un peu à l'écart, observait Tom et Jan qui riaient et racontaient des choses anodines.

Des souvenirs lointains lui revinrent. Un jour, il avait cassé la figure à un garçon qui lui avait manqué de respect. Elle sourit au souvenir de cet épisode cocasse qui l'avait alors emplie de fierté.

Le regard de Tom croisa soudain le sien avec une intensité particulière.

— C'est ce week-end, n'est-ce pas? interrogea-t-il, les yeux fermement plantés dans les siens.

Elle battit un instant des paupières, le temps d'atterrir dans le présent.

— Pardon?

— Jan suggérait que nous pourrions nous rendre tous les trois à la soirée de Max Tate, mais je crois que tu avais prévu autre chose, n'est-ce pas? Un mariage auquel tu souhaiterais que je t'accompagne, non?

Kate hésita deux ou trois secondes, puis répondit calmement:

— Oui. Le mariage a bien lieu samedi soir. J'ai pensé que nous devrions réserver un hôtel dans le coin. Qu'en penses-tu?

— C'est parfait pour moi.

Il se tourna vers Jan avec un sourire désolé.

— Ce sera pour une autre fois, sans doute.

Kate eut l'impression — mais peut-être se trompait-elle — de lire un reproche dans le regard de Jan.

Tandis que Tom et Jan échangeaient des propos sur la famille Tate, Kate remarqua la mimique appuyée que lui adressait son amie. Jan, manifestement, s'efforçait de lui dire: « Laisse-nous seuls, Kate, je t'en prie! »

L'espace d'un instant, elle se dit qu'elle pourrait feindre de n'avoir pas compris les signes de Jan. Mais elle repoussa cette idée. Elle se leva soudain et annonça d'une voix un peu tendue, qui manquait de naturel:

— Il faut que j'y aille. Je... J'attends un coup de téléphone chez moi.

Jan se leva, un grand sourire aux lèvres.

— Eh bien, à demain, Kate, dit-elle avec un clin d'œil.

Tom se leva, et elle eut l'impression qu'il allait partir avec elle. Mais il lui dit seulement:

— A bientôt, Kate. On se téléphone.

Il se pencha pour l'embrasser, et elle tressaillit lorsqu'elle sentit ses lèvres frôler ses joues.

— Si on commandait un autre café? proposa Jan sur un ton mélodieux.

— Pourquoi pas? répondit Tom, flegmatique.

212

Il regarda Kate s'éloigner. Elle avait une démarche moins souple, moins gaie que d'habitude. On voyait, à distance, qu'elle avait le dos raide, comme si elle se crispait pour quelque obscure raison. Et il se demanda d'où lui venait cette tension soudaine.

Lorsqu'elle arriva à son vélo, qui était cadenassé, elle le sortit de l'abri, et s'en alla sans le petit signe de la main qu'elle avait l'habitude de lui adresser lorsqu'ils se séparaient.

— Est-ce que Kate va bien ? questionna-t-il, intrigué.

— Très bien, assura Jan. A part le fait, bien sûr, qu'elle est totalement anéantie par le départ de Stephen. Je crois que c'est pour cette raison qu'elle est rentrée chez elle aussi vite. Elle pense qu'il va lui téléphoner ce soir.

— Ah..., grommela-t-il, déçu. C'est embêtant.

— Pourquoi donc ? Vous ne croyez pas que ce serait une bonne chose s'ils se remettaient ensemble, tous les deux ?

— Non, je ne le crois pas du tout.

— Mais pourquoi ?

— Je n'aime pas ce type. Je ne l'ai jamais apprécié.

— Vous savez, Tom, annonça Jan d'un ton charmeur en croisant majestueusement les jambes, cette pauvre Kate est très malheureuse depuis que Stephen l'a quittée. Je suis persuadée que le mieux, pour elle, serait qu'il revienne.

Dès qu'elle fut rentrée chez elle, Kate décida de se coucher tôt. Elle avait envie de s'enfouir sous ses couvertures pour une longue et bonne nuit de sommeil.

Mais sitôt couchée, elle fut assaillie par différentes pensées qui chassèrent toute envie de dormir. Elle avait beau se tourner et se retourner dans son lit, elle ne parvenait pas à trouver le sommeil.

Comme elle poussait un soupir exaspéré, elle entendit

la sonnerie du téléphone. C'était sa mère. Que voulait-elle donc à cette heure ?

— Allô, ma chérie, cc n'est que moi. Je voulais seulement savoir comment tu allais. J'imagine que tu n'as toujours pas de nouvelles de Stephen...

— Non, il n'y a rien de nouveau, murmura Kate avec lassitude.

— J'ai deviné dès le départ que cet homme ne t'amènerait que des ennuis.

— Vraiment ? demanda-t-elle d'une voix sombre.

— Mais oui. Lorsque tu m'as dit qu'il faisait partie d'un groupe de rock, je me suis méfiée. Tu vois, ma chérie, ce détail aurait dû te mettre la puce à l'oreille.

— Pourquoi ? Ce groupe de rock était une distraction comme une autre pour lui. Il n'a jamais envisagé de ressembler à Mick Jagger !

— Et voilà ! Tu prends de nouveau sa défense...

— Mais non ! Lorsque tu dis ça, maman, j'ai l'impression d'entendre Tom.

— Comment va-t-il, au fait ?

— Très bien. Je l'ai vu tout à l'heure. Il est en pleine forme.

— Quel charmant garçon ! Est-ce qu'il vit toujours avec Serena ?

— Oh, non ! Ils ne se voient plus depuis un bon bout de temps.

— Vois-tu, ma chérie, c'est un homme de ce genre que tu devrais épouser : intelligent, généreux, sensible... Tu n'aurais jamais dû poursuivre cette relation avec Stephen. A mon avis, c'était un...

— Ecoute, maman, je crois qu'on a sonné. Il faut que je te laisse. A bientôt.

Elle raccrocha, et, tandis que sa main restait sur le socle du téléphone, comme pour l'empêcher de sonner une nouvelle fois, elle poussa un interminable soupir.

La dernière chose dont elle avait envie, c'était qu'on lui parle de Stephen.

Afin de ne plus être importunée par ce maudit téléphone, elle tira d'un coup le fil pour débrancher l'appareil.

A présent, elle allait pouvoir enfin dormir.

Elle alla dans la cuisine se préparer une tisane.

Au moment où elle se glissait sous les draps, elle entendit la sonnerie de la porte d'entrée.

— Ah, non! maugréa-t-elle.

Qui cela pouvait-il être, à une heure pareille?

Elle enfila une robe de chambre et marcha jusqu'à la porte d'entrée. A travers le judas, elle vit la haute silhouette de Tom.

— Mais qu'est-ce que tu fais là, Tom? demanda-t-elle en ouvrant la porte.

— Tu étais dans ton lit? Je te dérange?

— Je... Je regardais la télé, mentit-elle.

Si elle avait confié à Tom qu'elle était déjà couchée, ce dernier serait tout de suite parti, par courtoisie. Elle le connaissait, depuis le temps!

— Entre donc, dit-elle en souriant.

— Merci. Je suis venu parce que je viens d'avoir un coup de fil de ta mère.

— Toi aussi! J'ai discuté avec elle il y a moins d'une demi-heure. Pourquoi t'a-t-elle téléphoné, à toi aussi?

— Elle craignait que Stephen ne te rende visite ce soir, et elle m'a demandé de venir.

— Mais c'est ridicule! s'exclama Kate, au comble de l'étonnement. C'est complètement absurde!

— Elle m'a simplement demandé de m'assurer que tout allait bien pour toi, assura Tom d'un air amusé.

— Eh bien, tu le vois : je vais très bien, merci.

— Tu devrais téléphoner à ta mère pour le lui dire. Au fait, pourquoi ton téléphone ne répond-il pas?

— Je l'ai débranché. J'en ai assez de tous ces coups de téléphone. J'en ai assez qu'on me surveille ou qu'on me protège! Je suis une grande fille et je n'ai pas besoin de conseils!

Tout en discutant, ils s'étaient assis sans façon, Tom sur un coin du canapé, Kate à califourchon sur une chaise non loin de lui.

— Dis-moi..., reprit Tom en changeant brusquement de sujet. C'était un coup monté, tout à l'heure, avec Jan, n'est-ce pas?

Kate ne répondit pas, et balança la tête à droite et à gauche d'une manière énigmatique en souriant.

— Je pensais que tu aimerais le personnage, avoua-t-elle.

— Ce n'est pas une raison pour m'entraîner dans un traquenard, Kate. Enfin!

— Bah, ce n'était qu'une brève rencontre dans un café, rien de plus. Tu ne vas pas en faire un drame, j'espère... Alors, tu ne l'as pas emmenée dans un restaurant, ou chez toi?

— Je l'ai ramenée jusqu'à son domicile. Un point c'est tout!

— Oh, quel dommage! Je pensais qu'elle te plairait...

— Je n'ai pas dit qu'elle ne me plaisait pas. En fait, nous nous sommes très bien entendus.

. — Ah...! lâcha Kate d'un ton à la fois surpris et consterné.

Elle avait laissé poindre sa déception d'un mot et, à présent, il fallait éviter que Tom ne s'alarme. Aussi ajouta-t-elle, d'un ton aussi détaché que possible:

— J'en suis bien contente.

— Et moi, je suis content que tu sois contente! rétorqua-t-il avec un air moqueur. Mais c'est la dernière fois que tu joues à ce petit jeu avec moi! Sinon je vais vraiment me fâcher.

— Cela n'a pas tellement d'importance, dit-elle en haussant les épaules.

— Pour moi, ça en a! Ne recommence pas, je t'en prie... Ah, pendant que j'y pense: j'ai dit à ta mère que tu la rappellerais dans la soirée.

— La soirée est déjà bien avancée. Il est tard.

— Ça ne fait rien. Il faut la rappeler. J'ai promis, insista Tom. Voici ce que je te propose : je vais préparer du thé, et toi tu passes ce coup de fil. D'accord ?

— Entendu, murmura-t-elle en soupirant.

Quelques instants plus tard, elle entendit la sonnerie bourdonner dans l'appareil.

— Allô, maman. Je voulais te dire que tout va bien. Ne t'inquiète pas. Tu n'aurais pas dû déranger Tom. Tu devrais éviter de lui téléphoner pour un rien.

— Tom a trouvé cela tout à fait normal. C'est un homme merveilleux, un amour. Comme je te le disais tout à l'heure, c'est un garçon comme lui que tu devrais...

— Il est dans la cuisine, maman.

— Eh bien, fais en sorte qu'il y reste !

Kate, éberluée, demanda d'une voix étouffée :

— Que veux-tu dire ?

— C'est un homme comme lui qu'il te faut, ma chérie. Pourquoi ne pas user de tes charmes pour...

— Pour le séduire ? Mais tu n'y penses pas, maman ?

— Vous êtes faits l'un pour l'autre, c'est manifeste.

Lorsqu'elle raccrocha, Kate eut un sourire rêveur. Quelles étranges idées avait quelquefois sa mère !

— Tu préfères du thé ou du café ? cria Tom depuis la cuisine.

— Du thé, s'il te plaît.

Quelques minutes plus tard Tom déposait un plateau sur la table basse du salon. Il demanda d'un ton léger :

— Tout va bien ?

— J'ai parlé à maman. Je lui ai demandé de ne pas te téléphoner n'importe quand.

— Mais elle peut me téléphoner, cela ne me dérange pas.

— Si j'étais toi, je ne l'encouragerais pas sur cette voie. Elle a parfois des idées tellement bizarres...

— Quelles idées ?

— Peu importe. C'est tellement absurde que ce n'est pas la peine d'en parler.

— Allons, Kate, insista Tom d'une voix encourageante, et avec son sourire le plus charmeur, ne tourne pas en rond ! Qu'a dit ta mère de si absurde ?

— Elle... pense que toi et moi nous allons bien ensemble.

— Eh bien, c'est vrai, non ? Nous nous entendons parfaitement.

— Pour l'amour du ciel, Tom, essaye de comprendre ! Ma mère parlait d'amour, et pas d'amitié...

Le sourire de Tom s'élargit jusqu'à ses oreilles.

— D'amour ? Vraiment ?

— Oui, grommela Kate en haussant les épaules. Je t'ai dit qu'elle avait avancé une idée tout à fait loufoque. N'en parlons plus...

Tom parut alors la contempler avec une insistance appuyée, comme on évalue la valeur d'un objet dans une vitrine de musée. Il finit par déclarer à mi-voix, d'un ton très tranquille :

— Tu es très bien faite, Kate.

— Hum... Merci. Monsieur est bien bon, répondit-elle, sarcastique.

— C'est vrai ! Je ne plaisantais pas le moins du monde. Au fond, nous n'avons jamais parlé de ce genre de choses jusqu'à présent...

— De quel genre de choses ?

— De l'attirance physique que nous pourrions avoir l'un pour l'autre.

Kate sentit une bouffée de chaleur monter à ses joues. Très troublée, elle s'empressa de dévier la conversation.

— Avez-vous prévu de vous revoir, toi et Jan ? interrogea-t-elle d'un ton détaché.

— Je vais être absent toute la semaine, il m'est donc impossible de me libérer.

— Mais... Tu l'aimes bien, Jan ? insista-t-elle, comme au passage.

— Je t'ai dit tout à l'heure que oui.

Il se leva.

— Il est temps que j'y aille. Je passerai te prendre samedi matin vers 11 heures, et nous irons ensemble à ce mariage.

— Merci.

— Ne me remercie pas, grommela-t-il en souriant.

Ils marchèrent paisiblement jusqu'à la porte. Tom prit doucement le menton de Kate dans sa main et le releva légèrement. Il murmura doucement :

— Bonne nuit, Katy. Fais de beaux rêves.

Alors il se pencha sur sa bouche et l'embrassa d'une manière très douce, très sensuelle.

Puis il disparut.

Encore toute chavirée, Kate le vit s'engouffrer dans sa voiture.

— Mais pourquoi a-t-il fait ça ? murmura-t-elle à voix haute, un doigt sur ses lèvres.

5.

Le vendredi après-midi, Kate et Jan, encore au bureau, se préparaient déjà pour le week-end.

— Tu as eu des nouvelles de Tom, récemment? interrogea Jan d'un air désinvolte.

— Non, répondit Kate. Et toi?

— Nous avons parlé au téléphone hier soir.

— Ah..., fit Kate, légèrement jalouse malgré elle. Où se trouve-t-il en ce moment?

— Il est à Stockholm. Mais il m'a demandé de te dire qu'il serait à Amsterdam samedi matin, comme convenu, pour venir t'accompagner à ce mariage, et qu'il ne fallait pas que tu t'inquiètes.

Kate enfourna dans son sac deux ou trois manuscrits à lire pendant le week-end.

— Oh, je ne m'inquiète pas! Tom ne m'a jamais fait faux bond.

Jan la fixa un instant d'un œil rêveur et murmura en souriant:

— En somme, il est pour toi comme un grand frère, n'est-ce pas? Je trouve ça charmant.

— Vraiment?

— Comment était-il quand il était plus jeune? Est-ce que tu as des photos de lui?

Kate songea qu'elle n'avait aucune envie de montrer

les photos de Tom. Toujours cette jalousie instinctive qui la titillait malgré elle !

— Je possède quelques photos, mais elles sont à Londres, chez ma mère.

— Dommage !

— Vous avez prévu de vous revoir ? questionna Kate du ton le plus détaché possible.

— Oui. Nous avons rendez-vous mardi soir. Ah, comme cela me paraît loin, et comme j'ai hâte que mardi arrive !

Jan tourna la tête vers Kate et, changeant brusquement de sujet, interrogea d'un ton préoccupé :

— Et toi, Kate ? Tu n'as toujours pas de nouvelles de Stephen ?

— Non.

— Eh bien tant pis, conclut Jan en ouvrant ses mains d'un geste résigné.

— Oh, c'est très bien ainsi, tu sais, murmura Kate.

Elles quittèrent le bureau ensemble et descendirent les marches de l'escalier. Lorsqu'elles eurent passé la porte à tambour de la maison d'édition, et qu'elles se retrouvèrent au soleil, Jan reprit sur un ton confidentiel :

— Il faut que tu te trouves quelqu'un, Kate. Tu ne peux pas rester seule ainsi... Nous en parlions hier au téléphone, Tom et moi. Et j'ai eu une idée formidable.

Kate frémit. Tout d'abord elle se méfiait des idées formidables de sa collègue, et ensuite elle n'aimait pas qu'on se mêle de sa vie privée. Et encore moins de sa vie amoureuse.

— Je connais un homme qui devrait te plaire, Kate, poursuivit Jan tandis qu'elles marchaient le long du canal. Il s'appelle André, il est célibataire et...

— Ne te fatigue pas, Jan, coupa Kate.

— Allons, ne te crispe pas ainsi, Kate ! André est un artiste très sympathique, et ce serait formidable si tu...

— Jamais de la vie je n'irais à un rendez-vous téléguidé !

— Mais...

— Jamais ! répéta Kate, butée.

— Pourtant, Tom trouvait l'idée plutôt bonne, fit remarquer Jan, l'air déçu.

Kate fronça les sourcils, furieuse. Et dire que Tom lui avait fait la leçon, quelques jours auparavant, lui interdisant formellement de se mêler de sa vie privée ! Ah, elle allait avoir avec lui une explication !

— André est bien fait de sa personne, insista Jan.

— Alors pourquoi n'es-tu pas sortie avec lui, toi ?

— J'ai essayé. Mais les choses ne se sont pas passées comme je le souhaitais. Ah ! pendant que j'y pense : nous avons évoqué, avec Tom, l'idée d'une sortie tous les quatre. Tom et moi, André et toi. Au restaurant, par exemple. Ce serait sympathique, non ?

Kate bouillait de rage. Tom avait-il vraiment envisagé cette sortie en quatuor ? Ou bien Jan lui faisait-elle dire ce qu'il n'avait pas dit ? Quoi qu'il en fût, elle ferait le point à ce sujet durant ce week-end.

Le lendemain, Tom passa chercher Kate chez elle, comme convenu, à 10 h 45.

Elle était allée chez le coiffeur et avait adopté une coiffure un peu plus courte. Ses cheveux frôlaient à présent à peine ses épaules. Ils étaient légers et lisses, tournant autour de son visage au moindre mouvement, ce qui l'enchantait.

Elle s'était maquillée devant la glace pendant quelques minutes, et avait trouvé son visage plutôt joli. Très joli, même.

Bref, elle se sentait merveilleusement bien dans sa peau quand retentit la sonnette de l'entrée.

— Waouh ! Quelle merveilleuse coiffure ! s'exclama Tom en la voyant.

— Cela te plaît ? interrogea-t-elle en tournant la tête à gauche et à droite dans un mouvement vif.

Les cheveux, qui balayaient son visage de leur douceur soyeuse, portaient encore le parfum du shampooing qu'on lui avait fait chez le coiffeur.

— Tu as le temps de prendre un café, Tom, ou bien devons-nous partir tout de suite ?

— Je préférerais y aller dès maintenant. Il peut y avoir une grosse circulation. C'est samedi.

— Eh bien, partons. Oh... Juste un instant : je vérifie que tout est bien éteint dans l'appartement.

Cinq minutes plus tard, Kate était installée à droite de Tom, à la place du passager.

Tom tourna la tête dans sa direction et lança d'un ton enjoué :

— Tu sais que tu n'as pas beaucoup changé depuis l'école, à part cette jolie coiffure toute récente.

— Toi non plus, tu n'as guère changé, Tom. Tu as toujours ce sourire aux lèvres...

— C'est ce qui plaît tellement aux femmes. Je les fais craquer avec mon sourire.

— Je note, en tous les cas, que tu as toujours la grosse tête. Tu ne doutes pas de toi, espèce de prétentieux !

Ils rirent ensemble de bon cœur. Ils aimaient à se taquiner, de temps à autre. C'était un rite lorsqu'ils partaient en voiture quelque part, chez des amis ou pour une quelconque sortie.

Il faisait un temps radieux, et seuls quelques petits nuages parsemaient le ciel hollandais. Kate se dit que Tanya était bien heureuse de bénéficier d'un tel temps pour son mariage.

— C'est merveilleux de se marier par une telle journée, murmura-t-elle, rêveuse.

— Oui, c'est un temps qui donne envie de se marier, commenta Tom d'une voix étrange.

Elle fit presque un bond sur son siège. Avait-elle bien entendu ?

— Tu ne parles pas sérieusement, Tom ?

Il se tourna une nouvelle fois vers elle, et eut un petit rire.

— Mais non ! Je plaisantais.

Kate hocha la tête en l'observant du coin de l'œil avec sévérité.

— Tu es vraiment incorrigible, Tom.

— Cela se peut, soupira-t-il. Dis-moi, est-ce que tu as demandé à Tanya si Stephen répondait à son invitation ?

— Non, je n'ai pas demandé. Je préfère l'ignorer. C'est bizarre : une partie de moi refuse de revoir Stephen, et l'autre...

— ... et l'autre est toujours attachée à lui ? C'est ça ?

Kate ne répondit pas et resta silencieuse un moment.

— Je ne sais plus très bien où j'en suis à son égard, reprit-elle dans un murmure. Je n'accepte pas la façon dont il m'a quittée. S'il avait eu un peu plus de courage, il aurait dû me parler, plutôt que d'employer une méthode aussi abjecte : Natasha dans notre lit.

Elle resta quelques instants la tête baissée, toute pensive, les yeux fixés sur ses mains.

— Tu veux que je lui casse la figure ? proposa Tom avec un sourire espiègle. C'est facile : après le service religieux, quand tout le monde aura son verre de champagne à la main, je m'approche de lui à pas de loup et pan ! Un direct du gauche... Qu'en dis-tu ?

Kate hocha lentement la tête en souriant.

— Tu es complètement dingue, mon pauvre Tom.

— Au moins, j'aurai réussi à te faire sourire. C'est le principal, marmonna-t-il en s'engageant sur la route principale qui menait vers le nord.

— Et si j'avais dit oui à ta proposition, qu'aurais-tu fait ? Tu aurais réellement aplati le nez de Stephen ?

— Non. Je t'aurais simplement dit qu'il n'en valait pas la peine.

— Bien. Je préfère ça.

Ils roulèrent un bon moment sans rien dire, puis Kate murmura, comme pour elle-même :

— Peut-être que j'ai vraiment besoin de quelqu'un d'autre...

— Oui, et quelqu'un de fiable ! Pas n'importe qui.

Elle se tourna d'un coup vers lui et lança d'un ton menaçant :

— Mais il est hors de question d'un rendez-vous arrangé de l'extérieur. Je l'ai déjà dit et redit : je ne veux pas être téléguidée. Si j'ai besoin de quelqu'un, je suis assez grande pour le choisir toute seule.

— C'est tout de même assez amusant d'entendre ça, de la part de l'instigatrice d'un coup monté, qui m'a piégé pas plus tard que la semaine dernière...

— Oh, il est excessif de qualifier cette banale rencontre de coup monté ! rétorqua prudemment Kate. Il ne s'est agi que d'une rencontre informelle autour d'un café.

— Et moi, je ne propose qu'une simple rencontre, tout aussi informelle, autour d'un plat, dans un petit restaurant. Il paraît qu'André est un type charmant.

Tandis que Kate regardait le paysage plat et fleuri défiler autour d'eux, elle se demanda si Tom avait véritablement envie qu'elle fasse la rencontre d'un homme qu'ils ne connaissaient ni l'un ni l'autre. Puis le souvenir de leurs deux baisers lui revint. Deux baisers ardents et pleins de passion...

Comme c'était étrange ! Tom et elle se comportaient comme si ces baisers n'avaient pas existé. Ils n'y faisaient jamais allusion, et n'avaient pas proféré le moindre mot à ce sujet.

— Très franchement, je n'ai pas l'intention de me lancer de sitôt dans une liaison quelconque, assura-t-elle d'un ton tranquille.

Tom ne fit pas de commentaires autres qu'un vague « Mmm... », et se concentra sur la conduite, qui était devenue assez délicate en raison d'un afflux d'automobilistes en partance pour leur week-end.

Ils arrivèrent à Stevengar vers midi. Kate fut touchée par le spectacle de la vieille ville située en bord de mer.

Leur hôtel était un ancien château, très imposant, fort luxueux, avec des tourelles et un ancien pont-levis.

Lorsqu'ils sortirent de voiture, Tom remarqua, très admiratif :

— Tu as bien choisi l'hôtel. Le château est très impressionnant.

— C'est Tanya qui me l'a chaudement conseillé. En fait, sa réception aura lieu ici même, dans la grande salle des banquets.

— Quel endroit idéal pour se marier ! s'exclama Tom. Il faudra que je m'en souvienne, quand le grand jour sera venu...

— Tu ne vas pas recommencer, avec tes idées farfelues, grommela Kate. Tu sais très bien que tu n'envisages nullement le mariage.

Il la considéra d'un regard chargé de mystère.

— Je peux changer, un jour, murmura-t-il, le visage rêveur.

— J'avoue que je ne vois pas poindre à l'horizon le jour où tu te marieras, plaisanta-t-elle.

— On change, dans la vie, confia-t-il à mi-voix. Heureusement, d'ailleurs. Il ne faut pas figer les gens dans une image fixe.

Confondue par un tel discours, elle le dévisagea afin de bien s'assurer qu'il ne plaisantait pas. Mais non : il avait l'air tout à fait sérieux. Elle en fut très intriguée.

Ils entrèrent dans le vaste hall du château-hôtel. Une épaisse moquette rouge recouvrait le sol, et l'on avait presque l'impression de flotter.

Comme Tom se dirigeait droit vers la réception, elle entendit derrière elle une voix trop bien connue.

— Bonjour, Kate. Je suis content de te revoir.

Elle fit brusquement volte-face et se trouva nez à nez avec Stephen.

La surprise ne fut pas considérable, car elle s'était attendue, dès le départ, à le retrouver ici. Stephen était un ami proche de Tanya : quoi de plus normal qu'il fût de la noce ?

Elle sentit pourtant son visage pâlir d'un coup, tandis que sa respiration restait en suspens.

— Tu vas bien ? murmura-t-elle d'une manière rapide et sèche.

— Et toi, très chère, comment vas-tu ? interrogea-t-il d'une voix aux intonations douceâtres.

— Je me porte à merveille, assura-t-elle en se forçant à sourire.

Elle espérait que le tremblement intérieur qu'elle ressentait ne s'était pas transmis à sa voix. Elle était déterminée à paraître de marbre aux yeux de son ancien compagnon.

Stephen tourna un instant la tête dans la direction de Tom, qui était en grande conversation avec le préposé à la réception, et interrogea d'un ton étonné :

— Tu es venue avec Tom ?

Elle plissa les yeux de façon narquoise et esquissa un sourire amusé.

— On dirait bien que c'est lui, non ?

Stephen sembla perdre ses moyens l'espace de quelques secondes, mais il parut se ressaisir et murmura d'un ton hésitant et précipité :

— Eh bien... C'est très bien, c'est parfait...

— Tu es venu avec Natasha ? questionna-t-elle avec froideur.

— Oui.

Il y eut un moment de flottement, puis Stephen reprit d'un ton qui paraissait ému :

— Tu m'as manqué, Kate. Tu me manques, tu sais...

— Vraiment ? J'avoue ne pas pouvoir en dire autant. Depuis que tu as disparu dans la nature, je me sens bien mieux. Ah, j'oubliais : il y a quelques affaires à toi qui sont restées chez moi. Je les ai mises dans une valise que tu peux passer prendre quand tu veux.

Il la fixait à présent avec des yeux de cocker.

— Allons, Kate... Tu ne peux pas me traiter ainsi, minauda-t-il d'un ton geignard.

C'est alors qu'apparut Tom, qui en avait apparemment terminé avec la réception.

— Hello, Tom! lança Stephen avec un sourire jaune.

Tom condescendit, en guise de bonjour, à faire un léger signe du menton à l'adresse de Stephen.

Un signe très humiliant pour qui savait le lire, se dit Kate. Mais Stephen savait-il lire de telles subtilités ? Rien n'était moins sûr.

Puis, l'ignorant royalement, Tom se tourna vers Kate et annonça d'une voix pleine d'assurance :

— J'ai la clé. Nous pouvons monter. A moins que tu ne préfères prendre d'abord un verre au bar.

— Montons, dit-elle d'un ton ferme.

Ils tournèrent ensemble les talons, sans un regard pour Stephen.

Mais ils devinaient bien que les yeux de l'ancien ami de Kate les suivaient tous deux. Et c'est sans doute la raison pour laquelle Tom avait pris soin de la prendre délicatement par la taille pour sortir du grand hall d'entrée.

Kate aimait ce contact de cette main solide qui la frôlait et l'accompagnait. Elle regretta, un peu plus tard, que cette main dût la quitter.

— Je t'avais bien dit que c'était une erreur de venir, marmonna Tom en entrant dans l'ascenseur.

— Un vrai ami ne dit jamais : « Je t'avais bien dit », rétorqua Kate avec un sourire mutin.

Tom regarda le numéro de la clé et appuya sur le bouton du deuxième étage.

— Que t'a-t-il dit, ce vaurien ? bougonna-t-il.

— Comme tu es dur avec lui ! Est-ce une façon de l'appeler ?

— Trouves-tu d'autres qualificatifs, après la façon dont il t'a traitée ? Qu'a-t-il raconté ?

— Il m'a confié que je lui manquais.

Tom eut une grimace assez cruelle, puis il hocha la tête sans répondre.

— Je me demande ce qu'il cache derrière ces mots, murmura Kate, légèrement troublée.

— C'est un peu fort, tout de même ! On s'en moque,

de ce qu'il cache ou ne cache pas ! tonna Tom. Envoie-le au diable une bonne fois pour toutes, Kate ! Tu ne vas pas pleurnicher le reste de tes jours au souvenir de cet incapable.

Ils sortirent sur le palier du deuxième étage.

Surprise par un tel accès d'hostilité, Kate dévisageait son ami avec de grands yeux. Lorsque la colère de Tom fut passée, elle dit d'une voix calme :

— Tu as raison. Oublions ce personnage.

Kate, pourtant, se demandait secrètement si elle réussirait un jour à effacer complètement Stephen de sa mémoire. Car ils avaient vécu ensemble suffisamment de temps pour que leur liaison laissât des traces.

Ils arrivèrent devant la porte correspondant au numéro de la clé. Tom ouvrit, et Kate fut surprise de se trouver dans une suite luxueuse dont l'entrée était garnie de tapis persans de collection. Les meubles remontaient au moins au xviiie siècle. Et la vue, magnifique, donnait sur la mer.

— Mais je n'ai pas commandé une suite aussi luxueuse, s'étonna Kate.

— J'ai ordonné un petit changement à la réception, pendant que tu discutais avec Stephen.

— C'est grandiose, dit-elle, émerveillée par la beauté et les proportions des pièces de la suite. C'est... Comment dirais-je ? Princier !

— Je suis ravi que l'endroit te plaise, dit Tom en riant.

Elle s'assit sur le coin du grand lit à baldaquin qui se trouvait dans la chambre principale et s'amusa à en éprouver l'élasticité.

— Une suite princière et un lit royal, dit-elle, enchantée. Mais où vas-tu dormir, toi ?

— Quoi ? s'exclama-t-il, taquin. Tu veux dire que je n'ai pas le droit de dormir ici ?

Il jouait la comédie, bien sûr, mais Kate fut pourtant troublée par ses yeux terriblement envoûtants, son grand corps si harmonieux, si tentant... Elle eut l'impression, à cet instant, d'être un morceau de glace sous le soleil des tropiques. Elle fondait littéralement.

— Je réquisitionne ce lit, décréta-t-elle en riant. C'est un ordre.

— Pitié, noble dame ! Juste au moment où cette suite royale allait être le théâtre d'une nouvelle intrigue amoureuse ! Vous n'allez pas me bouter ainsi hors de chez vous !

— Si fait, noble damoiseau. Et je vais aller cueillir fleurette parmi les gentilshommes de la cour.

— « Cueillir fleurette » ? Tu veux dire : « flirter » ? reprit-il, railleur. Mais c'est terriblement hardi de ta part !

— Le prince charmant m'attend peut-être, murmurat-elle d'un ton pathétique en prenant une pause alanguie.

— Bien, je camperai donc en dehors de vos appartements.

Kate faisait le tour de la chambre, très admirative. Elle revint s'asseoir sur le grand lit et confia sur un ton plus sérieux :

— Ne t'en fais pas, Tom. Ce n'était qu'une plaisanterie. Je n'ai aucune envie de faire une nouvelle rencontre. C'est même le dernier de mes soucis.

Toute l'assistance avait les yeux fixés sur les deux mariés qui se tenaient devant l'autel.

Tanya était fort belle dans sa robe couleur ivoire, qui était prolongée par une longue traîne de soie. A ses côtés, David, vêtu d'un costume sombre, assez strict, ne manquait pas d'allure, lui non plus.

Emue par la solennité du service religieux, par la musique, par le mariage lui-même, Kate suivait la cérémonie en s'essuyant de temps à autre le coin des yeux.

A côté d'elle, Tom observait alternativement le déroulement du cérémonial et sa voisine qu'il admirait discrètement. Kate avait choisi une très jolie robe couleur bouton d'or, qui s'harmonisait merveilleusement avec ses longs cheveux blonds et soyeux. Quelle belle femme, quelle merveilleuse créature! se disait-il, complètement sous le charme. C'était la première fois qu'il était aussi sensible à la beauté de son amie. Depuis qu'ils se connaissaient, il avait l'habitude de cet éclat. Aujourd'hui, il s'en étonnait comme s'il venait de le découvrir.

Ils tournèrent ensemble la tête et leurs regards se croisèrent.

— Je pleure toujours aux mariages, chuchota Kate en souriant.

Après la cérémonie religieuse, Tom et Kate reprirent la voiture et rejoignirent le château-hôtel.

Ils se garèrent sur le parking du château et restèrent un moment à l'intérieur de la voiture à observer les invités qui arrivaient les uns après les autres et entraient par la grande porte qui ouvrait sur le hall.

Soudain ils remarquèrent la voiture de Tom, facilement reconnaissable : un coupé sport de couleur rouge vif.

C'était Natasha qui conduisait.

— Alors, on se la joue comment? questionna Tom d'un ton réjoui. Dois-je jouer le rôle de l'ami fidèle ou de l'amant fervent?

Sur le coup, elle ne sut que répondre. L'ambiguïté de la situation la troublait au plus haut point.

— Je peux jouer l'un ou l'autre rôle sans difficulté, assura-t-il avec une étincelle espiègle dans les yeux.

Kate s'éclaircit un peu la gorge.

— Le rôle de l'ami, je sais bien que tu sais le jouer. D'ailleurs ce n'est pas un jeu, n'est-ce pas? Tu as toujours été un vrai ami. Quant à l'autre rôle...

Elle hésita et rougit, troublée par ce qu'elle allait dire.

— Il sera peut-être utile de le jouer au moment venu.

Il tendit une main vers ses cheveux et écarta doucement une mèche avec un geste étonnamment tendre, ce qui ne fit que l'émouvoir davantage.

— Tout à l'heure, à l'église, c'est à Stephen que tu pensais ? interrogea Tom à voix basse.

— Non. Ce n'est pas lui qui me faisait pleurer. Je le considère à présent comme un étranger — ou presque.

— C'est qui, alors ?

— Comme je te le disais pendant la cérémonie, ce sont les mariages eux-mêmes qui me font verser des larmes.

Tom effleura sa joue du bout des doigts, très tendrement, et elle tressaillit.

— Sais-tu, Kate, à quoi je pensais pendant la cérémonie tout à l'heure ?

— Non. A quoi ?

— Je me disais : c'est incroyable, ce qu'elle peut être jolie !

— Qui ? La mariée ?

— Non. Toi.

Kate se sentit rougir de nouveau. Elle confia en souriant :

— Tu es un grand flatteur, Tom.

Il la considérait d'un œil grave.

— Non. Je pense vraiment ce que je dis.

— Tiens, voici Natasha et Stephen qui arrivent...

La voiture de sport rouge, conduite par Natasha, était en train de se garer à l'autre bout du jardin.

— Est-ce qu'il t'est pénible de savoir Stephen aussi près, aujourd'hui ? demanda Tom, manifestement soucieux.

— Non. Je pourrais presque dire que cela ne me fait ni chaud ni froid. Stephen est devenu comme un étranger pour moi.

— Alors, il est peut-être inutile de jouer devant lui le grand jeu de la passion, objecta Tom, prudent. Qu'en penses-tu ?

— Stephen nous connaît depuis longtemps, toi et moi. Je pense qu'il aura beaucoup de mal à imaginer que nous puissions être amoureux l'un de l'autre.

— Comme je te l'ai dit plus tôt, je peux me montrer... persuasif.

Kate se souvenait fort bien de la dernière fois qu'ils avaient abordé ce sujet, et elle avait encore sur les lèvres la douceur et l'ardeur du baiser de Tom.

Elle sentit que son cœur se mettait à battre plus vite.

— Il est sans doute illusoire de vouloir jouer la grande passion..., murmura-t-elle, soudain chavirée. Tout le monde sait que nous sommes amis depuis toujours...

— Nous pouvons les faire changer d'avis, coupa Tom sur un ton qui la bouleversa.

— On peut toujours avoir de petits gestes affectueux, amoureux, même... Du genre...

Elle s'éclaircit la gorge, très troublée.

— De quel genre? insista Tom, les yeux dans les siens.

— Un bras autour de ma taille, un sourire tendre de temps à autre..., énonça-t-elle d'une voix émue.

— Et si tu écrivais un script, de manière à obtenir une mise en scène parfaite? railla-t-il avec un rire léger.

— Moins on en fera, mieux cela vaudra, murmura-t-elle.

Elle vit le visage de Tom tout près du sien et s'alarma brusquement.

— Mais que fais-tu, Tom?

— Je mets en pratique le précepte « moins on en fera »..., confia-t-il à voix basse.

Et il posa ses lèvres sur celles de Kate, d'une manière si douce, si tendre, si fervente, qu'elle se sentit aussitôt perdre tout sens de la réalité.

Personne n'avait réussi, jusqu'à ce jour, à la transporter d'une façon si totale, si merveilleuse, par un simple baiser. Tout son corps s'était embrasé, et un désir intense courait dans ses veines.

Combien de temps dura ce baiser? Elle ne pouvait rien en savoir, car le temps avait été comme suspendu, comme transcendé. Tom avait réussi à la transporter dans un monde paradisiaque où la durée n'existait plus, où tout n'était que calme, luxe et volupté.

— Est-ce qu'on t'a déjà dit que tu embrassais à merveille ? demanda Tom d'une voix enrouée.

Comme elle était à bout de souffle, elle répondit seulement :

— Je... Je ne crois pas.

— On ne te l'a jamais dit ? répéta-t-il, stupéfait. C'est incroyable.

Il se pouvait bien, tout simplement, que les baisers qu'elle avait échangés dans le passé eussent été tout autres que celui-ci. Pour la simple raison que les hommes avec qui elle les avait échangés avaient été tout autres.

Stephen et Natasha passèrent devant eux, sans tourner la tête. Kate se demanda s'ils les avaient observés, durant ces quelques instants de passion. Stephen avait-il réussi à les apercevoir ?

La façon quelque peu raide et guindée avec laquelle il marchait donnait à penser que oui : il avait probablement été témoin de ce baiser.

Kate ressentit alors une sorte de jubilation la saisir. Elle venait de prendre sa revanche.

Mais sans doute cette revanche n'allait-elle pas s'arrêter là...

6.

La salle des banquets était pleine à craquer. On avait disposé de nombreuses tables rondes de dix personnes, et Kate se trouvait à une de ces tables. Elle n'était pas assise à côté de Tom, malheureusement, mais près d'un jeune homme qui s'était immédiatement présenté :

— Jez Tailor, annonça-t-il avec un sourire timide. Nous nous sommes déjà rencontrés, l'année dernière, lors de l'anniversaire de Tanya. Et vous vous appelez Kate Murray.

— Quelle mémoire ! dit-elle, étonnée.

— Je n'ai de mémoire que pour les jolies personnes, assura Jez dans un style qui n'était pas sans rappeler celui des courtisans du xviiie siècle.

Manifestement, il essayait de se mettre en valeur, de se montrer sous son jour le plus séduisant. Mais le regard de Kate revenait automatiquement sur Tom, à l'autre bout de la table. Il se trouvait assis à côté d'une très jolie blonde qui devait avoir à peu près son âge, peut-être deux ou trois ans de plus. Elle le dévorait des yeux.

Kate mesura, une fois de plus, le charme terriblement dévastateur que possédait son ami.

Le voisin de Kate était en train de lui raconter la façon dont son amie l'avait plaqué, trois mois plus tôt, mais elle ne l'écoutait qu'à peine. Ce gentil garçon l'ennuyait, et, par ailleurs, le bourdonnement des conversations, amplifié par la résonance de la salle, étouffait les propos du jeune homme.

A la fin du repas, la traditionnelle série des toasts et des discours débuta. Ce fut un soulagement pour Kate, que son voisin commençait à lasser.

Elle écouta les anecdotes sur les deux mariés et rit de bon cœur, avec toute la salle, aux rebondissements inattendus des histoires. Le champagne lui montait un peu à la tête.

Lorsque toutes les allocutions furent terminées et que chacun fut rassasié de gâteau, de champagne et de petits fours, on se leva de table.

Kate espérait ne pas croiser Stephen. Elle n'avait aucune envie de lui adresser la parole, ni même de le voir.

Tom vint la retrouver, tandis qu'elle contemplait par la fenêtre les jardins illuminés du château.

— Tout va bien ? demanda-t-il de sa voix douce et musicale. Tu veux boire quelque chose ?

— Non, merci. Pas pour l'instant. J'ai déjà bu trop de champagne.

— Evidemment : ton admirateur n'arrêtait pas de te servir, pendant qu'il débitait son blabla !

Elle rit, amusée.

— Tu as remarqué ?

— Bien sûr. Toute la table a remarqué. Il n'avait d'yeux que pour toi.

— Je peux te retourner le compliment : la jolie blonde, à tes côtés, te dévorait des yeux.

— Au moins, elle était intéressante, elle.

Un serveur passa près d'eux, tenant à bout de bras un plateau chargé de nombreuses flûtes de champagne. Tom en saisit deux au passage et en tendit une à Kate.

— C'est la fête, dit-il joyeusement. Amusons-nous !

Un groupe de musiciens s'était installé sur une estrade et s'apprêtait à jouer. On avait enlevé les tables afin de ménager un espace pour les danseurs.

Lorsque les premières notes de la traditionnelle valse retentirent, les deux mariés gagnèrent le centre de la grande salle et ouvrirent le bal.

La musique qui suivit fut un slow.

— On danse ? demanda Tom.

Sans attendre de réponse, il lui ôta des mains le verre de champagne et le posa sur un rebord de fenêtre.

Kate avait parfois accompagné Tom dans des discothèques, mais ils n'avaient jamais dansé de slow ensemble. Uniquement des danses déchaînées et endiablées où chacun se tient à distance de l'autre.

Tom la serra dans ses bras, au rythme de la musique, comme si c'était pour lui la chose la plus naturelle du monde. Pendant quelques secondes, elle se figea un peu, essayant de se tenir à distance de son corps. Mais les bras qui l'enserraient possédaient une telle douceur, un tel magnétisme, qu'elle se sentit bientôt portée par un sentiment voluptueux.

La pression légère de la main de Tom sur son dos, la sensation de son corps contre le sien, la présence de son visage, si proche, si beau, tout cela la grisait merveilleusement.

Comme ils évoluaient lentement sur la piste, quelqu'un les bouscula légèrement. Kate eut l'impression d'être brutalement tirée d'un rêve.

— On va boire quelque chose ? proposa Tom.

Elle eut envie de répliquer : « Non, continuons à danser ; prends-moi encore dans tes bras, c'est tellement doux... » Mais elle répondit quasi automatiquement :

— Bonne idée.

Tom se dirigea vers la grande table recouverte d'une nappe blanche, derrière laquelle se trouvaient les serveurs préposés à la distribution du champagne. Ils ne chômaient pas.

— Alors, Kate, tout se passe bien ?

Elle se retourna et vit Tanya, resplendissante dans sa robe de mariée.

— Quelle fête formidable, Tanya ! s'exclama Kate, émue. C'est un grand jour !

— David m'emmène demain matin aux Antilles pour notre voyage de noces, chuchota Tanya. Mais je suis supposée ne pas être au courant.

Tanya mit un doigt sur ses lèvres.

— Alors, motus ! Dis-moi, Kate, reprit-elle sur un ton de confidence. J'ai vu Stephen, tout à l'heure, et il m'a dit qu'il vous avait vus vous embrasser, toi et Tom.

— Ce que je fais avec Tom ne le regarde pas, marmonna-t-elle d'un ton distant.

— Tu as raison. En tout cas, ce que je peux te dire, c'est que ce spectacle l'a rendu vert, le pauvre Stephen ! Il avait l'air tout près de manger sa cravate.

— Ce « pauvre » Stephen, comme tu dis, est une histoire révolue. Ses sentiments ne m'intéressent plus !

— Bravo, Kate. C'est comme cela qu'il faut réagir. Au fait, j'ai trouvé ton ami Tom extraordinairement séduisant.

— Moi aussi, répondit-elle en souriant.

Kate regarda autour d'elle pour voir où se trouvait Tom, qu'elle avait perdu de vue. Elle le découvrit à l'autre bout de la salle, en grande conversation avec sa jolie voisine de table. Celle-ci avait sorti un petit morceau de papier sur lequel elle crayonnait en vitesse quelque chose — son numéro de téléphone, sans doute.

Une terrible morsure de jalousie fit presque chanceler Kate.

— A tout à l'heure, Kate ! lança Tanya, que d'autres invités venaient de prendre à part. Amuse-toi bien !

Comment pouvait-elle s'amuser après ce spectacle qui l'avait glacée ?

« Mon Dieu ! pensa-t-elle soudain, atterrée. Je suis devenue totalement amoureuse de Tom ! »

Elle passa une main sur son front en fermant les yeux et murmurant à voix basse :

— C'est fou, c'est complètement fou !

Comment n'avait-elle pas compris plus tôt? L'évidence lui crevait à présent les yeux : sans qu'elle s'en fût rendu compte, l'amitié qu'elle avait toujours éprouvée pour Tom s'était peu à peu transformée en passion amoureuse.

Qu'allait-elle faire?

Elle se sentit totalement déroutée.

— Hello, Kate!

Perdue dans ses pensées, elle n'avait pas remarqué la présence de Stephen.

Il la considérait avec un sourire douloureux, la tête un peu penchée, en se mordillant la lèvre, comme s'il cherchait à se faire pardonner.

Elle ne répondit pas. Il arrivait au mauvais moment, juste à l'instant où une véritable révolution éclatait dans son esprit.

Le moins qu'on pût dire, c'est qu'il n'était pas le bienvenu.

— Tu sais, Kate, je suis vraiment désolé de la manière dont les choses se sont passées, entre toi et moi.

Elle fit un geste d'agacement, comme pour dire : « C'est du passé, laisse-moi tranquille. »

Mais il paraissait désireux de ne pas en rester là. Il insista sur un ton suppliant :

— Pourrions-nous parler un peu? J'ai certaines choses à te dire, Kate. Je t'en prie, cela ne sera pas long. J'aimerais que tu m'écoutes.

— C'est inutile, Stephen.

— Non, c'est vraiment important. Je me suis demandé cent fois, mille fois, comment nous avions pu en arriver à ce malentendu...

— Ce « malentendu », dis-tu?

Elle eut un rire bref et amer, un rire chargé de mépris.

— Demande à Natasha, ajouta-t-elle, sarcastique. Elle saura sans doute t'expliquer la cause du « malentendu ».

— Il faut que tu comprennes que ce malheureux épisode avec Natasha n'a été... qu'une espèce de mise en scène, en un sens. J'étais paniqué par la perspective d'un mariage, d'un engagement à long terme... Nous avions prévu d'en parler ce jour-là, t'en souviens-tu ? Et j'étais terrorisé à l'idée de m'engager. J'ai donc trouvé la première parade venue. Pas la plus brillante ni la plus noble, je l'avoue.

— Mais une parade efficace, crois-moi ! L'épisode a mis les pendules à l'heure, et c'est très bien ainsi. Nous n'étions pas faits l'un pour l'autre, Stephen.

— Voyons, tu ne penses pas ce que tu dis ! s'écria-t-il, déchiré.

— Si, je le pense. Je suis désolée, mais c'est la réalité.

Stephen roulait de droite et de gauche des yeux d'animal affolé, comme s'il venait d'être pris dans un piège fatal.

— C'est à cause de Tom ? demanda-t-il d'une voix soudain plus dure. J'ai toujours deviné qu'il y avait quelque chose entre vous deux.

— Il n'y a jamais eu que de l'amitié, entre Tom et moi. Et ce n'est que récemment que...

Elle ne poursuivit pas. Ce qu'il lui arrivait ne regardait plus Stephen. Il était inutile de lui confier sa vie intime.

— De l'amitié ? répéta Stephen, l'air sceptique. Non. Il y a toujours eu plus que cela. J'ai toujours su qu'entre un homme et une femme, il ne pouvait pas exister une amitié simple et pure.

— Mais si, pourtant. De toute manière, cela ne te regarde pas. Maintenant, laisse-moi, je te prie.

— Tom est un homme qui ne s'engagera jamais, continua Stephen d'un ton ardent. Il n'est pas capable d'envisager de fonder un foyer. Avec lui, tu irais à la catastrophe.

— Il n'est pas sûr que j'aie envie de fonder un foyer, murmura-t-elle, pensive.

— Mais si ! Tu auras tôt ou tard envie de te marier, d'avoir des enfants...

— Ecoute, Stephen. Nous n'allons pas nous lancer

dans un débat interminable. Natasha t'attend. Va donc la rejoindre.

Il n'eut pas l'air d'avoir entendu et lança à voix basse :

— Puis-je venir te voir la semaine prochaine, Kate ?

— Non.

— Je t'emmènerai dans le petit restaurant que tu aimes bien, tu sais : au coin des deux canaux et...

— Non, Stephen.

— Mardi soir, 7 heures. C'est d'accord ?

— Je ne peux pas. N'insiste pas.

— Mais si, tu peux. Nous avons tant de choses à nous dire...

— Nous n'avons plus rien à nous dire.

— Je t'assure que j'ai compris la leçon, aujourd'hui. Il faut que tu me donnes une nouvelle chance, Kate.

Comme elle allait protester une nouvelle fois, il l'interrompit en posant un doigt sur ses lèvres.

— Rappelle-toi les bons moments que nous avons passés ensemble. Je te donnerai un coup de fil en début de semaine.

Et brusquement, il se fondit dans la foule et disparut.

Kate se força à marcher dans la direction opposée.

Brusquement, elle crut défaillir. Toutes ces émotions l'avaient brisée. Elle sentait une sorte de chaos en elle. Elle étouffait. Il fallait quitter cette salle trop chaude, trop bruyante...

Quand elle se retrouva à l'extérieur, elle soupira d'aise. Un immense soulagement l'envahit.

Elle se dirigea sans réfléchir vers les ascenseurs. L'un d'eux avait ses portes ouvertes. Elle entra et appuya sur le bouton de son étage.

Lorsqu'elle sortit de l'ascenseur, elle s'aperçut qu'elle n'avait pas la clé de la chambre. Comme elle s'apprêtait à faire demi-tour, elle vit que le deuxième ascenseur s'arrêtait.

Les portes automatiques s'ouvrirent et Tom apparut, un grand sourire aux lèvres, et tenant la clé entre le pouce et l'index.

— Tu n'aurais pas besoin de ça, par hasard, pour entrer ?

— En effet, cela m'éviterait de casser la porte, répondit-elle.

Malgré sa boutade, elle n'en menait pas large. Allait-il falloir avouer à Tom les sentiments qu'elle venait de découvrir en elle ? La révélation serait terriblement difficile... Jamais elle n'en aurait le courage.

Pire : l'aveu de son amour risquerait de briser à jamais leur amitié, pourtant si solide.

Elle se trouvait dans une situation inextricable : il lui était impossible de ne pas parler à Tom et, en même temps, elle ne pouvait pas s'exprimer.

L'impasse totale.

Tom inséra la clé dans la serrure et ouvrit la porte, s'effaçant pour la laisser entrer.

— Pourquoi venais-tu rôder dans le coin ? demanda-t-il, d'un ton débonnaire.

Elle rétorqua sur le ton de la défensive :

— Je ne rôdais pas. J'avais simplement besoin d'un peu d'espace et de calme. Tu peux retourner à la fête, à présent.

Tom ne répondit pas et entra dans la chambre derrière elle.

— Que t'a donc dit ton amoureux éploré pour te faire fuir aussi prestement ? interrogea-t-il d'une voix railleuse.

Kate, qui étouffait, enleva la veste de sa tenue de soirée, afin d'être plus à l'aise. Elle ouvrit le mini-bar de la suite et se versa un grand verre de coca qu'elle but d'un trait.

Toujours assez mal à l'aise, et crispée par les sentiments contradictoires qui l'assaillaient, elle demanda nerveusement :

— Tu nous as donc vus discuter, Stephen et moi ?

— Bien sûr. C'était un tableau vraiment touchant.

Elle secoua la tête, blessée.

— Ne sois pas méchant, Tom.

— Je te taquinais. Qu'est-ce qu'il t'a raconté?

— Il essaie de recoller les morceaux. Il prétend qu'il y a eu malentendu, et qu'il faut que nous nous expliquions, lui et moi. Il veut m'emmener au restaurant la semaine prochaine.

— Il ne manque pas d'air! Tu ne vas tout de même pas accepter ce rendez-vous, j'espère?

Elle soupira et ferma les yeux un instant. Elle avait besoin d'y voir plus clair dans ce tohu-bohu infernal, dans cette folle spirale qui l'emportait.

— Je... Je ne sais pas, avoua-t-elle honnêtement. Je ne sais plus où j'en suis.

En disant cela, ce n'était pas à Stephen qu'elle faisait référence, mais à ce puissant et formidable sentiment dont elle venait de prendre conscience : sa passion pour Tom.

Naturellement, il était hors de question de lui avouer ce qu'elle ressentait. Elle engagea donc le dialogue sur un terrain tout différent.

— Pourquoi ne descends-tu pas rejoindre ta groupie? Elle doit t'attendre avec fébrilité.

— Quelle « groupie »?

— La jolie blonde qui notait soigneusement ton numéro de téléphone tout à l'heure.

Tom ne répondit pas et haussa les épaules avec un petit rire amusé.

— Tu n'es pas un ange, toi non plus, Tom. Alors, je t'en prie, cesse de me faire la leçon à propos de Stephen.

— Je n'ai jamais prétendu être un ange, dit-il froidement.

— C'est vrai, murmura-t-elle, déchirée.

Elle baissa les yeux sur son verre vide, tandis qu'elle sentait avec une horreur grandissante que les larmes montaient à ses yeux.

— Hé, Kate! Tu ne vas pas te mettre à pleurer! Ce médiocre personnage ne va tout de même pas continuer ainsi à te gâcher la vie!

Il passa une main très tendre sur ses cheveux, dans un geste d'affection et de consolation.

— Stephen ne vaut pas la peine que tu te mettes dans des états pareils, Kate.

— Je sais. Tu me le répètes tout le temps, dit-elle en se mouchant discrètement.

Tom ne pouvait pas comprendre que sa détresse ne provenait pas de Stephen, mais de lui-même. Le quiproquo était dramatique.

Que se passerait-il si elle lui avouait son amour, sa soudaine passion ? Sans doute commencerait-il à en rire, comme on rit d'un écart passager, d'un comportement saugrenu... Et alors, elle mourrait de honte.

Dans l'immédiat, et vu l'état dans lequel elle se trouvait, la seule chose dont elle avait envie était de se jeter dans les bras de Tom. Oh, comme elle aurait voulu qu'il la serre contre lui, et qu'il l'emporte jusqu'au grand lit pour lui faire l'amour avec frénésie !

— Tu sais, Kate, je suis persuadé d'un fait : Stephen, dans le fond, ne t'a jamais aimée. Si tu retournes le voir, tu risques de te mettre dans une situation qui ne t'apportera que de la tristesse et de la déception.

— Je n'ai pas envie de renouer une relation avec lui. Ni d'ailleurs avec personne. Je crois bien que je vais faire une croix définitive sur les hommes...

Elle fut interrompue par un nouveau rire de Tom.

— Allons ! Tu n'es pas faite pour être nonne !

Elle leva sur lui des yeux tristes.

— Qu'est-ce que tu en sais ?

— Je suis un homme, et je sais deviner la personnalité, le tempérament des femmes. Toi, tu es une femme pleine de tempérament, d'ardeur.

— Sur quoi te fondes-tu pour avancer des choses pareilles ?

— Quand on embrasse comme tu m'as embrassé tout à l'heure, dans la voiture, on n'est pas près de devenir religieuse.

Kate sentit qu'elle devenait écarlate. Pourquoi réagissait-elle de manière si vive aux paroles de Tom? Sans doute devinait-elle, en son for intérieur, qu'elle possédait en effet une ardeur amoureuse qui ne demandait qu'à s'épanouir.

— Ne sois pas absurde, avec tes histoires de nonnes, marmotta-t-elle, désemparée.

— Je ne suis pas du tout absurde, protesta-t-il avec une véhémence soudaine. Et je vais te le prouver immédiatement.

Elle eut l'impression que son cœur s'arrêtait de battre. Tom avait changé d'expression et paraissait à présent déterminé à... A quoi? se dit-elle, affolée.

— Que veux-tu me prouver? articula-t-elle, toute tremblante.

— Je vais te montrer que tu ne te transformeras jamais en religieuse. Le célibat ni la chasteté ne sont faits pour toi. Laissons cela aux grandes âmes. Nous, nous ne sommes que de pauvres humains faits de chair et de passion...

— Sois raisonnable, Tom, murmura-t-elle, bouleversée.

— Lorsque je t'ai embrassée tout à l'heure, dans la voiture, c'était dans le cadre d'un rôle bien défini : il fallait impressionner Stephen, lui jouer la comédie. A présent, je vais sortir du rôle, abandonner la comédie pour la réalité.

— Je... Je ne crois pas que ce soit une bonne idée, balbutia-t-elle, bouleversée.

Mais c'était trop tard. Tom s'était approché d'elle et l'attirait contre lui avec une douceur pleine d'exigence.

Presque au ralenti, leurs visages se rapprochèrent. Tom retenait sa respiration, et elle sentit la chaleur que dégageait son corps, les palpitations de son cœur.

Il inclina la tête, et posa doucement ses lèvres sur les siennes. Mais elle devinait la passion qui bouillonnait sous la légèreté de cette caresse. Elle se sentit parcourue par un long frisson d'excitation, tandis qu'elle s'abandonnait enfin aux délices sensuelles que cette bouche lui avait laissé entrevoir.

Ce fut d'abord un baiser très doux, très lent, très voluptueux.

Elle inclina la tête en arrière et s'offrit sans retenue à cette merveilleuse ondulation qui la faisait vibrer des pieds à la tête, comme un courant électrique et magique.

— Il y a si longtemps que j'attends ce moment..., murmura-t-il à son oreille.

Les mots de Tom eurent l'effet d'un alcool qu'on jette sur le feu : elle se précipita sur ses lèvres avec une sorte de sauvagerie animale. Et elle dévora sa bouche avec une ardeur inouïe.

Les mains de Tom parcouraient à présent son corps, s'attardant sur ses épaules, ses bras, son dos, essayant de se glisser sous le tissu de ses vêtements afin de palper sa peau brûlante.

La sonnerie du téléphone les interrompit brusquement. Le souffle court, ils écoutèrent le timbre qui se répétait avec une obstination lancinante.

Tom ne paraissait pas juger utile de décrocher.

Lorsque la sonnerie s'interrompit, brusquement, et que le silence fut revenu, la frénésie qui les avait emportés reprit de plus belle.

Leur étreinte, encore plus ardente qu'auparavant, transportait Kate dans un univers extraordinaire, dans une sorte d'ivresse dont elle n'avait jamais soupçonné l'existence : on pouvait donc atteindre de telles extases !

La main de Tom, tandis qu'elle parcourait son corps, lui procurait des plaisirs vifs, incroyablement intenses.

Tom entreprit alors de la déshabiller. Il défit sans trembler les boutons, la fermeture Eclair, enleva d'une main habile ses vêtements, les uns après les autres. La progression de ce déshabillage donnait à Kate une impression follement érotique.

— Allons près du lit, murmura Tom d'une voix éraillée par le désir.

Elle était presque entièrement nue. Il enleva ses vêtements à son tour, et elle le vit pour la première fois dans une nudité totale.

Elle fut éblouie par la beauté de son corps, à la fois puissant et longiligne, avec une musculature nettement marquée, sans une once de graisse.

Ils se glissèrent dans le lit et restèrent un moment comme dans une sorte d'attente, étonnés l'un et l'autre de cette situation nouvelle. Kate était allongée sur le dos et Tom, tout contre elle, la dévisageait avec un regard brûlant.

Elle ferma les yeux, l'espace d'une seconde, et l'instant suivant, Tom était sur elle, à la fois léger et tendu dans l'ardeur de la passion.

Ravagée par le désir, elle s'ouvrit à lui sans attendre, et il la pénétra avec une lenteur qui la rendit folle. Puis il s'immobilisa en elle et chuchota sur un ton vibrant :

— Prenons tout notre temps... Rien ne presse.

Le sentiment de leur fusion procurait à Kate un immense plaisir. Tout se passait comme si ses sensations s'étaient démultipliées à l'infini.

C'était tellement fort, tellement intense, qu'elle se sentait au bord de l'évanouissement. Jamais elle n'avait connu cela. Les plaisirs que lui avait procurés Stephen, autrefois, semblaient dérisoires en comparaison de ces sommets sur lesquels elle rebondissait.

Lorsque Tom se mit à aller et venir en elle, de manière lente et régulière, comme un ressac marin, elle perdit toute conscience, folle de bonheur, et se réveilla un instant plus tard, sur une autre planète, dans un monde où n'existe que le pur plaisir de l'amour.

7.

Kate cligna des yeux à la lumière du matin qui se répandait dans la chambre avec profusion.

Tom dormait encore profondément.

Les images de leur passion nocturne revinrent à sa mémoire, et elle frémit à leur souvenir.

Et maintenant? se dit-elle. Qu'allait-il se passer?

Elle avait l'impression de naviguer à vue, dans des eaux inconnues. C'était la première fois, avec Tom, qu'elle se sentait vulnérable. Habituellement, son ami constituait une sorte de roc, inamovible et fiable, un repère solide sur lequel elle avait toujours compté.

Mais qu'allait-il en être, après cette folle nuit?

Allait-elle faire partie de ces femmes, prises pour un temps, et abandonnées le lendemain? La fin de leur belle amitié était-elle venue?

Pendant un long moment, elle contempla le beau profil de Tom, qui dormait toujours d'un lourd sommeil.

Elle eut envie de passer une main dans ses cheveux en désordre, de poser ses lèvres sur sa peau. Mais elle se retint.

Elle se leva et enfila rapidement une tenue de jogging. Rien ne lui ferait autant de bien que d'aller courir dans l'air frais du matin.

Il n'était que 8 heures quand elle passa la grande porte de l'hôtel.

Elle s'engagea sur un petit sentier qui longeait la plage, et commença de courir à petites foulées, en prenant soin de respirer de façon régulière.

Les pensées négatives avaient quitté son cerveau, laissant place à un bien-être plein de confiance.

Ce sentiment tonique et optimiste disparut brusquement à l'instant où elle aperçut Stephen qui venait vers elle, en courant également, sur le même sentier.

Il était trop tard pour faire demi-tour. D'où il était, il l'avait déjà repérée.

— Bonjour, Kate..., lui dit-il d'une voix essoufflée lorsqu'il arriva près d'elle.

— Bonjour.

— Je vois que tu aimes toujours le jogging, remarqua-t-il, à bout de souffle, le visage tout rouge et en sueur.

— Tu n'as pas l'air très en forme, répondit-elle avec une certaine cruauté. Tu es en train de cracher tes poumons. Tu fumes, à présent, non ? Tu bois trop, peut-être.

— Je manque d'entraînement, tout simplement. Je n'ai pas couru depuis que nous ne vivons plus ensemble. Tu m'encourageais, et j'aimais cette stimulation.

— Tu devrais emmener Natasha faire du jogging avec toi. Elle te stimulerait, elle.

— Natasha est plutôt du genre à s'installer les jambes croisées sur un tapis pour méditer ou faire je ne sais quoi...

Kate fut surprise par la froideur avec laquelle Stephen parlait de sa compagne.

— Pouvons-nous rentrer ensemble jusqu'à l'hôtel en courant ? proposa-t-il.

Elle le considéra un instant avec un certain scepticisme. Dans l'état où il était, elle allait de toute évidence le semer en route.

— Si tu veux, répondit-elle avec froideur. Mais allons-y dès maintenant, car je voudrais prendre un petit déjeuner avant de quitter l'hôtel.

Lorsqu'elle revint dans la chambre, Tom était en train de téléphoner sur son portable. Légèrement courbé, la tête penchée, il parlait d'une voix étouffée, comme s'il craignait qu'on ne l'entendît.

— J'apporterai du champagne..., murmura-t-il. Oui, c'est cela, et je...

Il s'interrompit et adressa un sourire à Kate.

— On se rappelle, dit-il à voix basse, avant de raccrocher.

Puis, se tournant vers Kate, il lança d'un ton enjoué :
— Ça va ? Tu as bien couru ?

Soudain désemparée, elle répondit machinalement :
— Oui, très bien.

A qui donc était-il en train de téléphoner ? se demandat-elle, le cœur serré. D'après le ton de sa voix, il ne semblait pas que ce fût un coup de fil professionnel.

— Je vais prendre une douche, prévint-elle. Ensuite nous irons dans la salle du petit déjeuner.

Après avoir pris sa douche, qui la revigora et lui remit les idées en place, Kate sortit de la cabine et chercha à l'aveuglette la grande serviette de bain.

Au moment même où elle passait la serviette autour d'elle, la porte de la chambre s'ouvrit.

Le regard de Tom se posa sur sa demi-nudité, et une expression troublante anima son visage.

Elle frémit comme s'il l'avait touchée.

— Tu aurais dû me réveiller, ce matin, dit-il d'un ton de reproche, tandis qu'il gardait les yeux fixés sur son corps, comme dans une sorte d'hypnose. J'ai été déçu de ne pas te voir lorsque j'ai ouvert les yeux.

— Je suis allée courir. Serais-tu venu avec moi ?

— Je ne sais pas, murmura-t-il en souriant. Peut-être que non.

Il ne détachait pas les yeux de son corps, et Kate devinait naturellement ce qu'il avait en tête — ce qui rajoutait à son propre désir et à son propre trouble.

— Je suis désolé d'être entré ainsi dans la salle de bains. J'ai frappé à la porte, et elle n'était pas fermée à clé.

— Je ne t'ai pas entendu frapper, à cause du bruit de la douche, sans doute. Mais ce n'est pas grave.

— C'est mieux ainsi, dit-il d'une voix enrouée.

— Qu'est-ce qui est mieux ?

— Le fait de ne pas avoir fermé la porte à clé, murmura-t-il en s'approchant d'elle.

Le cœur de Kate se mit à battre la chamade.

— Tu sais, Tom, il faut que nous fassions le point sur ce qui s'est passé entre nous.

— Oui, dit-il en la prenant dans ses bras.

Comme il l'embrassait, elle sentit que la serviette qu'elle avait nouée autour d'elle se mettait à glisser. Elle la saisit d'un geste vif. Ses genoux tremblaient.

Lorsque leur baiser prit fin, Tom annonça d'un ton un peu rauque :

— Dommage, il faut que nous descendions prendre le petit déjeuner, à présent. Nous sommes légèrement en retard.

Tom passa dans la pièce voisine tandis qu'elle ramassait ses vêtements. Elle l'entendit répondre au téléphone. C'était sans doute la réception de l'hôtel, qui souhaitait savoir à quelle heure la suite serait libérée.

Elle sécha ses cheveux, effectua un rapide maquillage, puis alla empiler ses affaires dans son sac de voyage.

Tom lui tournait le dos. Il se tenait devant la fenêtre et observait le panorama superbe qui s'offrait à eux.

— Stephen vient de téléphoner, dit-il d'un ton détaché, sans se retourner.

— Que voulait-il ?

— Je ne sais pas. En tous les cas, il ne me l'a pas dit. Il a demandé que tu le rappelles sur son portable.

Tom se retourna et lui fit face.

— Alors ? Vous êtes allés courir ensemble, ce matin ?

Qu'y avait-il derrière cette question ? Tom l'avait-il posée tout simplement parce qu'il se souciait de son bien-être, en ami fidèle, ou bien y avait-il autre chose ?

Elle eut la tentation de se justifier, d'expliquer qu'il l'avait rejointe pendant qu'elle courait, mais elle renonça. Après tout, ce n'était qu'un détail sans importance.

— Oui, nous avons couru un peu, se contenta-t-elle de répondre.

— Alors, vous êtes de nouveau amis, toi et lui ?

Encore une fois, elle se demanda dans quel but Tom avait posé cette question. Le ton avait été légèrement désinvolte, comme si la phrase n'avait aucune importance, mais Kate sentit en elle une sorte de morsure inquiète.

— « Amis », c'est beaucoup dire.., répondit-elle, la gorge soudain sèche.

Elle le fixa droit dans les yeux et murmura lentement :

— Qu'importe Stephen ! C'est de nous qu'il s'agit, Tom. J'aimerais que nous ne gâchions pas ce qui nous lie, toi et moi, à cause de ce qui s'est passé cette nuit.

— Nous sommes adultes, Kate. Ce qui s'est passé cette nuit ne constitue qu'un épisode.

Qu'entendait-il par ce mot ? se demanda-t-elle, brusquement sur la défensive.

— Un « épisode » ? répéta-t-elle. Que veux-tu dire par là ?

Il eut un sourire étrangement rêveur et lointain.

— Un épisode que j'ai beaucoup apprécié, assura-t-il à voix basse.

On entendit frapper à la porte. C'était la femme de chambre qui venait s'enquérir de l'heure à laquelle la suite allait être libérée. Kate se rendit compte du retard qu'ils avaient pris.

— Nous allons mettre les bagages directement dans la voiture, et prendre un bon petit déjeuner, suggéra Tom. J'ai une faim de loup. Pas toi ?

Non, elle sentait une sorte de barre sur son estomac. Elle devinait bien que ce malaise était dû à l'incertitude dans laquelle elle se trouvait à l'égard de leur relation qui, fatalement, allait prendre un tour nouveau.

Tandis que Tom s'occupait des bagages, Kate s'installa dans la salle à manger de l'hôtel, près d'une fenêtre.

L'idée qui l'obsédait prenait peu à peu la forme d'une certitude douloureuse : elle avait commis une erreur terrible, la veille au soir, en se laissant aller comme elle l'avait fait. Et ce qu'elle craignait avant tout, c'était de perdre l'amitié de Tom. Cette perspective la terrifiait littéralement. Que ferait-elle sans cette merveilleuse affection qui les reliait depuis toujours ?

Comme elle jetait un coup d'œil distrait par la fenêtre, elle aperçut Tom en grande conversation avec une jeune fille blonde, grande et très jolie. Elle était vêtue d'un simple jean et d'un corsage si court qu'il laissait voir l'anneau d'or accroché à son nombril.

Il fallut à Kate un certain temps avant de reconnaître Natasha. Dès qu'elle s'aperçut qu'il s'agissait bel et bien de l'amie de Stephen, elle fut saisie d'une sorte de haut-le-cœur.

Qu'étaient-ils en train de se dire, Tom et elle ? Pourquoi avaient-ils l'air tellement absorbés dans leur dialogue ? Et comment Tom pouvait-il pactiser ainsi avec l'ennemi ?

De temps en temps, Natasha poussait un éclat de rire, tandis que Tom continuait à lui parler.

Lorsque la serveuse s'approcha de sa table pour lui demander si elle préférait du thé ou du café, Kate eut l'impression qu'elle allait être malade. Elle commanda du thé et reprit son poste d'observation, derrière la fenêtre. Mais Tom et Natasha avaient disparu.

Elle était en train de se servir une deuxième tasse de thé lorsque Tom revint. Comme il s'asseyait en face d'elle, elle fit remarquer, d'un ton qu'elle souhaitait nonchalant :

— Tu as été long...

— Ah ? Je suis désolé, répondit-il tranquillement.

Elle aurait souhaité qu'il lui fît part de la rencontre avec Natasha, mais il se contenta de déclarer :

— Tu as commandé pour moi?

— Oui, répondit-elle d'une voix étranglée. Du café, des croissants et des toasts.

— Parfait.

Un silence assez pesant s'installa, qui mit Kate encore plus mal à l'aise. Elle n'avait pas réussi à avaler quoi que ce fût, et se sentait en proie à une angoisse grandissante. Qu'allait-elle devenir? Est-ce que leur belle, leur merveilleuse amitié était en train de s'effondrer?

Elle fit un effort pour rompre ce silence pénible et articula d'une voix hésitante:

— On a une jolie vue sur le jardin, d'ici, n'est-ce pas?

Elle sentait à quel point ce genre de remarque était dérisoire, mais il fallait à tout prix casser cet insupportable silence qui la rendait folle d'angoisse. Elle aurait pu aussi bien parler du temps ou du prix des tulipes en Hollande. Peu importait, pourvu que le fil de la communication fût renoué! Où était donc le temps où ils se racontaient tous les petits faits, tous les détails de leur existence?

— Tout à fait, acquiesça Tom en saisissant du bout des doigts un mini-croissant qu'elle avait laissé dans son assiette. Tu ne manges pas?

— J'ai fini, murmura-t-elle.

— Cela ne t'ennuie pas si je commande des œufs sur le plat? J'ai une faim terrible!

Il fit un signe à la serveuse qui nota sa commande. Puis la conversation cessa une nouvelle fois. Kate avait du mal à respirer tant elle était anxieuse.

Elle passa une main tremblante sur son front tandis qu'elle fermait les yeux.

— Ça ne va pas? interrogea Tom, brusquement inquiet. Quelque chose te tracasse?

— Ecoute, Tom... C'est à propos de la nuit que nous avons passée ensemble.

Elle pouvait presque entendre les cognements sourds de son cœur dans sa poitrine.

— Eh bien? interrogea-t-il en la fixant d'un œil sombre.

— Je crois que... Que nous avons commis une erreur, tous les deux.

Le regard de Tom se chargea d'une ombre nouvelle. Il ne répondit pas et se servit de café.

— J'ai du mal à bien faire le point, poursuivit-elle, la gorge nouée. J'avoue que les émotions me font un peu perdre la tête...

— Oui, je vois ça, murmura-t-il avec calme. Mon sentiment est que tu devrais oublier Stephen. Je crois que le fait de l'avoir revu t'a perturbée. Ces retrouvailles étaient bien inutiles.

Elle essayait de lire dans son regard, se demandant s'il pensait que cette nuit avait été inutile, elle aussi.

— Ecoute, Tom..., reprit-elle. C'est important. Je ne voudrais pas que notre amitié fasse naufrage.

— Je ne le souhaite pas non plus, assura-t-il avec force.

— Alors, que devons-nous faire? Faut-il que nous continuions comme si la nuit que nous avons passée ensemble n'avait pas existé?

Il la considéra un instant, l'air sceptique.

— Tu penses que ce serait possible? Moi pas. Nous sommes des adultes l'un et l'autre, Kate. Nous sommes bien capables d'assumer la situation, non?

— Qu'allons-nous donc faire? demanda-t-elle, bouleversée d'avance par la réponse qu'il allait lui donner.

Elle savait que, dans les secondes qui allaient venir, Tom révélerait l'état de ses sentiments à son égard. Il ne pouvait pas s'esquiver.

— Ce que nous allons faire? répéta-t-il d'un ton léger. Eh bien, tout simplement rester bons amis!

Elle eut l'impression de recevoir un coup dans l'estomac. Elle lui avait posé une question, il avait répondu. C'était aussi simple que cela. Mais comme c'était dou-

loureux ! Manifestement, Tom minimisait « l'épisode »
amoureux qu'ils avaient vécu.

Mais il ne sacrifiait pas pour autant leur amitié.

« Eh bien voilà, se dit-elle, morfondue et déchirée.
Tom a au moins le mérite d'être franc. Il ne joue pas de
comédie, lui. »

Après un nouveau silence, et tourmentée par la curiosité, elle ne put s'empêcher de demander d'un ton
anxieux :

— Qu'est-ce que t'a raconté Natasha, tout à l'heure ?

Tom fronça les sourcils.

— Natasha ?

— Oui, le petit clown qui s'accroche des boucles
d'oreilles sur le nombril.

— Ce n'est pas un petit clown. Tu es sévère. Natasha
est une fille très intelligente.

— Tu as eu le temps de t'en apercevoir ? railla-t-elle,
méfiante.

— Je la connaissais déjà. Elle a travaillé dans une
société avec laquelle je suis en rapport.

— Pourquoi ne m'as-tu pas dit cela hier soir, quand
nous l'avons vue avec Stephen ?

— Je ne l'avais pas reconnue. Mais elle, si.

Kate eut un certain mal à admettre ce qu'il venait de
déclarer. Natasha était si ravissante qu'elle ne pouvait
passer inaperçue aux yeux des hommes.

— Vous avez donc parlé travail ? demanda-t-elle,
assez crispée.

— Nous n'avons en tout cas pas parlé de Stephen, si
c'est là que tu veux en venir.

— Mais non... Ce n'était pas pour cela que je posais la
question.

Elle se demanda si Tom était séduit par la beauté de
Natasha. Une pointe de jalousie la tourmentait, obscure et
lancinante. Et simultanément, elle se sentait rongée par la
curiosité à l'égard de celle qui avait pris sa place auprès
de Stephen.

Elle reprit sur un ton persifleur :

— Si j'en crois Stephen, Natasha est une obsessionnelle de la grande forme. Du genre : santé et culturisme à tout prix, gymnastique, régimes et tout ce qui s'ensuit !

— Ah bon ? Je me demande pourquoi, alors, elle n'est pas allée faire du jogging avec Stephen ce matin.

— Il semble qu'elle soit une adepte du « New Age »... Tu sais, ce mouvement de pensée selon lequel l'ère du Verseau sera l'opposé de l'ère des Poissons, et marquera la libération de l'esprit et un renouveau spirituel de l'humanité.

— Très intéressant, murmura Tom.

Appuyé sur un coude, il la contemplait d'un regard qu'elle avait du mal à déchiffrer. Où en était-il donc avec elle ? Que restait-il, pour lui, de leur passion nocturne ? Il avait l'air rêveur. Etait-ce à cause d'elle, ou à cause de Natasha ? Elle fut presque sur le point de lui poser la question, mais se retint au dernier moment, car elle le connaissait suffisamment pour savoir qu'il répondrait par une boutade.

La serveuse apporta le petit déjeuner de Tom sur un grand plateau, dont elle disposa le contenu devant lui avec une discrète habileté.

Kate fut impressionnée par tout ce qu'il s'apprêtait à manger.

— Qu'est-ce que tu vas faire de ton appartement ? demanda-t-il, tout en tartinant un toast, de l'air de celui qui souhaite changer de conversation.

— Je dois le libérer dans quatre semaines. Il faut que je me mette à la recherche d'un nouveau domicile.

— Je t'aiderai, si tu veux, proposa-t-il d'un ton bonhomme.

— Je vais me débrouiller, merci...

— Comme tu veux. N'hésite pas, en tous les cas, à m'appeler pour te dépanner. J'ai le nez pour dénicher les endroits agréables à vivre.

Elle se sentait tellement perturbée par le flot d'émotions et de sentiments contradictoires qui l'assaillaient qu'elle ne sut que répondre.

Un point d'interrogation subsistait, au cœur de tout ce magma : quelle allait être dorénavant leur relation ? Est-ce que leur belle amitié venait de prendre fin ?

8.

Il était déjà presque 22 heures lorsque Kate rentra chez elle, ce soir-là. Elle avait encore visité des appartements, mais n'avait toujours pas trouvé un endroit qui lui convenait.

Elle était déçue, fatiguée, et elle avait faim.

A l'instant où elle allait introduire la clé de la porte principale de l'immeuble, elle remarqua que la lumière de l'entrée était allumée. C'était étrange : il lui semblait bien avoir éteint la lumière, le matin même.

Intriguée, elle entra dans son appartement et tomba sur Stephen qui semblait l'attendre avec impatience.

— Mais que fais-tu ici, Stephen ? demanda-t-elle, à la fois stupéfaite et irritée de cette irruption dans son intimité. Et comment es-tu entré ?

— J'avais gardé ta clé. Je suis venu prendre des affaires personnelles.

Kate trouvait plutôt cavalière cette façon d'agir. Quel sans-gêne !

Il était hors de question de proposer à Stephen de s'asseoir, encore moins de prendre un verre. Plus tôt il aurait disparu, mieux cela vaudrait.

— Tu sais, Kate, murmura-t-il d'un ton vibrant, je regrette vraiment ce qui s'est passé. Tu me manques beaucoup. La vie n'est plus ce qu'elle était...

— Tu as Natasha, à présent.

— Cela ne va pas fort avec elle. Je pense que cela ne durera pas, entre nous.

— Je suis désolée, Stephen. Mais ta vie ne me concerne plus. Depuis que nous nous sommes séparés, j'ai repris mon indépendance.

Il hocha la tête, l'air désespéré.

— Comme je regrette les erreurs que j'ai commises ! Et comme je te regrette, Kate !

Tom, qui passait en voiture à proximité, aperçut Kate qui se tenait devant chez elle en compagnie de Stephen. Stephen tenait la main de Kate, et ils entrèrent dans l'appartement.

Très intrigué, il gara sa voiture à proximité et attendit la suite des événements.

Stephen ne revenait pas. Sans doute essayait-il de renouer avec Kate. Il était bien capable de l'embobiner de nouveau, songea-t-il avec irritation. Kate allait-elle se laisser faire ?

Le souvenir de la nuit qu'ils avaient passée ensemble revint à son esprit. Avec nostalgie, il se rappela le corps merveilleux de Kate, la fougue avec laquelle elle avait répondu à ses baisers et à ses caresses...

Il se décida finalement à rentrer.

Lorsqu'il fut de retour chez lui, il constata que son répondeur téléphonique émettait un signal rouge. Il écouta les messages. Tous provenaient de Jan.

Il s'assit un moment sur le coin de son lit, ne sachant que faire. Et finalement, il saisit le combiné du téléphone.

Puisque Kate agissait en dépit du bon sens, pourquoi se serait-il retenu, lui ?

Pour une fois, le bureau de Kate était tranquille. Ni agitation, ni téléphones qui sonnent, ni bousculades dans les couloirs à la recherche d'un manuscrit égaré.

Kate savourait cette parenthèse tranquille au milieu de la journée.

Au bureau voisin, Jan lisait un magazine dont la couverture représentait une mariée avec une belle robe blanche.

Le regard des deux jeunes femmes se croisa un instant.

— Qu'est-ce que tu lis ? demanda Kate, amusée.

— Je rêve un peu devant des images romantiques, répondit Jan d'un ton pensif.

Kate se demanda si Jan se faisait des idées sur Tom. De toute évidence, elle était toujours aussi entichée de lui. Mais où en étaient-ils réellement, tous les deux ? Une certaine jalousie titillait Kate malgré elle.

Il y avait maintenant deux semaines que le mariage de Tanya avait eu lieu. Kate et Tom ne s'étaient toujours pas revus depuis. Mais ce n'était pas le cas pour Jan, qui était sortie avec Tom plusieurs fois : au restaurant, au théâtre, dans une boîte de nuit... Kate n'avait pas demandé de détails, mais elle se doutait que la relation entre Tom et Jan prenait une certaine consistance.

Poussée par la curiosité, elle se décida enfin à poser la question qui lui brûlait les lèvres :

— Comment cela se passe-t-il, avec Tom ? lança-t-elle du ton le plus désinvolte possible.

Jan tourna la tête vers sa collègue et sourit.

— Oh, le mieux du monde... Nous devons justement prendre un café ensemble tout à l'heure. Si tu veux, tu peux être des nôtres.

Kate fit un peu la grimace, mais s'efforça de sourire, elle aussi.

— Non. Il faut que j'aille encore visiter des appartements. Je te posais juste la question, comme ça...

— Tiens ! s'exclama Jan. Quand on parle du loup...

Kate se retourna brusquement. Tom venait d'arriver dans le bureau, et semblait tout à fait à l'aise, comme en un territoire conquis.

Kate eut l'impression que son cœur s'arrêtait de battre.

Tom était toujours aussi séduisant. Il portait un costume bleu nuit avec une chemise bleu clair, sans cravate.

Il s'approcha de Kate et lança joyeusement :

— Comment ça va, Kate ?

— Très bien, Tom. Et toi ?

Elle eut l'impression qu'ils se comportaient comme des étrangers. S'étaient-ils donc éloignés à ce point ?

— Alors ? demanda Tom. As-tu réussi à trouver un appartement ?

— Pas encore. C'est plus difficile que je ne le pensais. Mais je continue mes recherches.

— Je suis sûr que tu vas trouver quelque chose de bien, assura-t-il, d'un ton plein d'optimisme.

Jan arriva et embrassa immédiatement Tom sur les deux joues, comme si ce geste lui semblait la chose la plus naturelle du monde. Kate, figée, les observa sans rien dire. Elle avait l'impression d'avoir une boule dans la gorge.

Jan prit familièrement le bras de Tom et lança d'un ton joyeux :

— Tu veux un café, Kate ?

— Je veux bien. Merci.

Tom alla s'asseoir sans façon sur le coin du bureau de Jan. Il se mit à feuilleter le magazine que lisait la jeune femme un moment plus tôt. Un étrange et mystérieux sourire se dessina sur ses lèvres.

Sans lever la tête de sa lecture, il demanda d'un ton badin :

— Comment va Stephen ?

Kate haussa les épaules.

— Je crois qu'il va bien, répondit-elle.

Cette question la mettait une nouvelle fois mal à l'aise : pourquoi Tom s'obstinait-il à lui parler de Stephen ?

— Je crois qu'il est toujours avec Natasha, ajouta-t-elle d'un ton dégagé.

— Cela m'étonnerait. On m'a dit qu'ils s'étaient séparés.

Kate fronça les sourcils, surprise. Elle n'avait pas entendu parler de cette séparation. D'ailleurs, elle n'avait pas de nouvelles de Stephen depuis la visite de ce dernier à son appartement.

— Ah? Qui t'a dit ça?

— Je ne m'en souviens plus, répondit-il.

C'est à ce moment que Jan arriva avec les trois cafés qu'elle tenait dans ses mains avec précaution.

— De quoi parlez-vous? interrogea Jan en posant les cafés sur le bureau.

C'est Tom qui répondit le premier.

— Nous parlions de Stephen et Natasha qui se sont séparés, expliqua-t-il d'un air nonchalant.

— Alors vous allez pouvoir peut-être reprendre la vie commune, Stephen et toi? lança Jan d'un ton innocent.

Kate se retint pour ne pas bondir.

— C'est hors de question, grommela-t-elle, furieuse.

Toujours très allègre, et sans se démonter, Jan enchaîna immédiatement :

— Dans ce cas, pourquoi ne ferais-tu pas la connaissance d'André? Nous pourrions aller dîner ensemble tous les quatre dès ce soir. Ce serait charmant!

Kate soupira.

— Je t'ai dit que je devais visiter d'autres appartements, Jan...

— Eh bien, nous pourrions nous voir après ces visites.

Kate tourna son regard vers Tom, qui ne disait rien et observait la scène avec un visage quelque peu tendu.

Jan avait ouvert un carnet d'adresses et le feuilletait.

— Ah! s'exclama-t-elle. J'ai trouvé le numéro de téléphone d'André!

— Par pitié, Jan, ne l'appelle pas! murmura Kate, horrifiée.

— Ce que tu peux être routinière, ma pauvre Kate! Il ne s'agit que d'un simple dîner, pas d'une demande en mariage!

Kate, qui jetait de temps à autre un coup d'œil en

direction de Tom, remarqua un certain amusement sur son visage. Elle en fut irritée. Au point qu'elle eut envie de changer de tactique. Si Tom pensait qu'elle avait peur d'un dîner à quatre, il en serait pour ses frais !

— Cet André..., interrogea-t-elle alors. Il ressemble à quoi ?

Jan eut l'air ravie de cette question.

— Je te l'ai déjà dit : il est charmant, très gentil... Je suis sûre que tu l'apprécieras beaucoup.

— Mais Stephen ? objecta soudain Tom.

— Quoi, Stephen ? reprit Kate en haussant les épaules avec mépris. Nous ne vivons plus ensemble, lui et moi, que je sache ! Je suis libre de voir qui je veux.

— Bravo ! s'écria Jan. Ça, c'est bien répondu.

Elle saisit alors le combiné et composa le numéro d'André. Lorsqu'elle eut la communication, elle s'éloigna à l'autre bout de la pièce, si bien que Kate ne put entendre ce qu'elle disait.

— Tu veux vraiment sortir avec cet André ? demanda Tom d'un ton tranquille.

Elle eut envie de lui répondre : « Qu'est-ce que cela peut bien te faire ? » Mais elle se contenta de hausser les épaules.

— Pourquoi ne sortirais-je pas avec tout le monde ou n'importe qui ? marmonna-t-elle. J'ai le droit de faire ce qui me plaît.

— Tu veux donc encore faire la leçon à Stephen, avant de le ramener au bercail ?

Elle sursauta comme s'il l'avait giflée.

— Cela ne te regarde pas, dit-elle avec froideur.

Jan, un peu plus loin, raccrocha et annonça :

— André n'est pas libre, ce soir. Nous pouvons reporter le dîner à demain.

— Demain, cela me va très bien, déclara Tom avec indifférence.

Kate croisa son regard, l'espace d'une seconde. Elle crut y lire une lueur de défi, mais elle n'en était pas absolument sûre.

— Demain soir, c'est parfait, dit-elle d'un ton enjoué.

Tom posa sa tasse de café et se leva d'un coup.

— Mesdames, j'ai bien l'honneur de vous saluer. Il faut que j'y aille. Je vous laisse à votre littérature.

— Je t'accompagne, dit Jan.

— A demain, Kate! lança-t-il au passage, l'air narquois.

Elle n'aimait pas cet air qu'il venait de se donner. Elle aimait encore moins le fait qu'il fût raccompagné par Jan. Celle-ci allait-elle se jeter à son cou et l'embrasser follement? L'image de cette étreinte, aussi brève qu'elle pût être, la glaçait et la ravageait à la fois. Elle en était presque malade.

Ce n'est qu'un bon quart d'heure plus tard que Jan revint dans le bureau. Elle annonça d'emblée :

— J'ai fait visiter Tom. Il s'est montré tout à fait admiratif.

— Admiratif de quoi? Des placards? ironisa-t-elle avec une certaine amertume. Qu'est-ce qu'on peut bien admirer dans ces bureaux : les téléphones? Les ordinateurs?

Elle avait l'impression, pour la première fois de sa vie, d'être flouée.

— On dirait que ça marche fort, entre vous deux, reprit Kate, du ton le plus dégagé qu'elle put.

— Mmmoui..., marmonna Jan, l'air pas tout à fait convaincu. L'ennui, c'est qu'il y a quelqu'un d'autre à qui je pense...

Kate faillit s'étrangler en buvant son café.

— Quoi? Quelqu'un d'autre? Je pensais que tu étais folle de Tom?

— Je le suis, c'est vrai, confia Jan qui se saisit machinalement du magazine qu'elle parcourait un peu plus tôt. C'est un homme délicieux, tellement charmant, tellement beau... Parfois, lorsque je l'observe, j'ai l'impression d'avoir des papillons dans l'estomac... Tu me comprends?

Kate poussa un bref soupir.

— Je te comprends très bien.

— Mais Tom est avant tout un homme libre, reprit Jan. Un jour à Stockholm, un autre jour à Londres, et partout des femmes à ses genoux. C'est le type même du célibataire endurci : libre comme le vent, allergique à tout engagement solide.

Kate hocha légèrement la tête pour signifier qu'elle la suivait tout à fait.

— C'est pour cela que je pense à l'autre, murmura Jan, pensive.

Une sorte d'immense soulagement envahit Kate. Comme une brusque bouffée d'oxygène.

— Qui est cet autre homme ? demanda-t-elle, pleine de curiosité.

— Tu ne le connais pas.

Kate n'en croyait pas ses oreilles. Elle s'était attendue à tout, sauf à ce genre de situation.

— Alors tu es, en quelque sorte... infidèle à Tom ?

— « Infidèle » est un bien grand mot, rétorqua Jan d'un ton prudent. Je connais à peine Tom. Non... Disons que je suis en train de peser le pour et le contre.

Chercher toute seule un appartement n'est pas une entreprise très plaisante, surtout lorsqu'on revient bredouille. Kate, ce soir-là, se sentait assez déprimée après la visite de différents appartements qui ne lui convenaient pas : trop chers, trop sombres ou en trop mauvais état...

En rentrant chez elle, elle appuya machinalement sur le bouton du répondeur téléphonique pour écouter les messages. Il y en avait deux.

Le premier appel venait de sa mère :

— « Je voulais juste savoir comment tu allais, ma chérie. Je te rappellerai. »

En écoutant le second message, elle reconnut la voix de Tanya.

— « Salut, Kate, lança-t-elle, toute joyeuse. Nous venons de rentrer de notre voyage de noces. C'était formi-dable ! Je t'appelais pour savoir si tu étais au courant de la nouvelle : Stephen et Natasha vont se marier ! Rappelle-moi quand tu auras une minute. »

Kate fronça les sourcils, perplexe. Pour une surprise, c'était une surprise ! Stephen et Natasha ! Et cela, juste au moment où Tom annonçait leur séparation !

Sans doute en saurait-elle davantage dans peu de temps. Les nouvelles vont vite à Amsterdam, particulièrement les informations qui concernent les amours des uns et des autres.

Après avoir effectué quelques tâches routinières, comme chaque fois qu'elle rentrait chez elle, Kate ouvrit le réfrigérateur pour voir ce qu'elle allait bien pouvoir manger. Il y avait un certain temps qu'elle n'avait pas fait de courses, et il n'y avait presque plus de provisions.

Elle poussa un soupir résigné et sortit une casserole d'un placard. A l'instant où elle refermait le placard, elle entendit la sonnette de l'entrée.

Elle fut toute heureuse en voyant Tom, qui se tenait sur le seuil, avec son immuable sourire aux lèvres.

— Salut, Tom. Entre.

Son cœur se mit à galoper. Tom était plus séduisant que jamais, vêtu d'un simple jean et d'une chemise de coton gris.

Elle aurait voulu se jeter dans ses bras et lui dire : « Comme c'est bon de te revoir ! Tu m'as manqué. Et je suis tellement heureuse quand tu es là... »

Mais elle articula seulement d'une voix hésitante :

— Que viens-tu donc faire ?

Il leva un sourcil étonné.

— Il faut que j'aie un prétexte, maintenant, pour sonner à ta porte ?

Elle hocha la tête, furieuse contre ces mots qu'elle avait si mal choisis.

— Mais non... Tu es toujours le bienvenu, Tom. Tu le sais. Entre donc.

Il la suivit jusqu'au salon.

— Tu veux boire quelque chose? proposa-t-elle en souriant.

— Je veux bien une tasse de thé, merci.

— Rien de plus fort?

Il rit de bon cœur.

— Pour l'instant, non. Simplement du thé, s'il te plaît.

Il se laissa tomber sur le divan. Kate, qui s'apprêtait à aller dans la cuisine, se retourna et demanda d'un ton dégagé :

— Je croyais que tu devais sortir avec Jan, ce soir?

— Elle a un empêchement. Je n'ai pas bien compris lequel.

Kate songea au mystérieux personnage dont Jan lui avait parlé. Il était bien possible que sa collègue eût choisi de sortir avec lui plutôt qu'avec Tom. Ce qui, au demeurant, se révélait préférable pour elle.

Pendant que Kate s'affairait dans la cuisine, Tom feuilletait un journal, qui était ouvert à la page où s'étalaient les horoscopes des douze signes du Zodiaque.

— Toujours passionnée par l'astrologie, à ce que je vois..., marmonna-t-il en balayant du regard les prévisions pour chaque signe.

— Bah, je m'intéresse de temps à autre à la tournure des astres, répondit-elle depuis la cuisine.

— Oh, mais, dis-moi... Que vois-je? Les « Sagittaire » entrent dans une période très heureuse, avec de grands changements dans leur vie sentimentale...

— Ne te moque pas de moi, je te prie.

Elle apporta bientôt le plateau qu'elle déposa sur une table basse. Puis elle demanda incidemment :

— Tu as peut-être faim? Malheureusement, je n'ai pas grand-chose à manger. Je n'ai pas eu le temps de faire des courses.

— Et si je t'emmenais savourer une pizza dans un restaurant italien que je connais, et qui est très sympathique? Qu'en dis-tu?

Elle venait de s'installer dans le fauteuil qui faisait face au divan. Elle hésita l'espace de deux secondes, et finit par répondre d'un ton un peu las :

— Une autre fois, peut-être, Tom.

Déçu, Tom se mit à parcourir de nouveau les horoscopes.

— Ah... Attends ! J'ai sous les yeux le programme des Sagittaire, pour aujourd'hui même. C'est, noir sur blanc : Lune dans la constellation des Ours ; les Gémeaux qui vont croiser ce soir les Sagittaire les emmèneront manger une pizza...

— Arrête, Tom, s'il te plaît...

— Alors, on y va ? insista-t-il, impatient.

— Je ne crois pas que ce soit une très bonne idée.

— Pourquoi ?

Elle haussa les épaules d'un mouvement agacé.

— Qu'est-ce que dirait Jan ?

— Mais qu'est-ce que Jan a à faire là-dedans ? grondat-il d'un ton irrité. Je propose que nous allions manger quelque chose ! Ce n'est pas toi que j'envisage de dévorer, mais une bonne pizza.

Kate sentit que ses joues s'empourpraient brusquement. Tom, qui la fixait d'un regard légèrement courroucé, reprit :

— Jan n'est pas libre, ce soir. Et toi et moi avons très faim. Où est donc le problème ?

Kate hésitait encore. Tom avala le fond de sa tasse de thé et se leva.

— Alors, on y va ?

Comme elle hésitait encore, il insista en lui adressant un large sourire :

— Allons, Kate. Nous allons nous rendre dans ce petit restaurant italien, et tu me parleras un peu des différents appartements que tu as visités.

Il lui tendit un bras énergique pour l'aider à se hisser hors de son siège. Elle accepta sa main, et il la fit se lever.

— Je peux dire adieu à mon régime, marmonna-t-elle sur un ton ironique.

— Ne me dis pas que tu as besoin d'un régime! Tu as une taille de guêpe!

En l'aidant à se lever, il l'avait légèrement attirée contre lui, mais à quelque distance cependant. Leurs regards se croisèrent une ou deux secondes, et Kate sentit un fourmillement la parcourir. Mon Dieu, cet homme possédait sur elle un pouvoir véritablement magnétique! Il suffisait qu'elle se trouve à moins de trois pas de lui pour défaillir de désir et de saisissement. Aucun homme, dans le passé, n'avait réussi à l'envoûter d'une telle manière.

— Tu me donnes trois minutes, Tom? Je me change en vitesse et nous y allons.

— Trois, pas une de plus, bougonna-t-il avec humour.

Comme la vie était bizarre, parfois! Si on avait annoncé à Kate, quelques minutes auparavant, qu'il lui faudrait sortir, elle aurait été accablée par cette perspective. Mais à présent, elle se sentait revivifiée, et toute sa fatigue s'était envolée.

Elle passa en coup de vent dans la salle de bains, arrangea un peu son maquillage, puis choisit un ensemble bleu très seyant.

— Je suis prête! annonça-t-elle en revenant dans le salon.

Tom la détailla pendant quelques longues secondes, le visage fixe et grave. Au point qu'elle s'inquiéta et finit par murmurer:

— Il y a quelque chose qui ne va pas?

Il hocha lentement la tête et répondit d'une voix un peu sourde:

— C'est tout le contraire, Kate. Quelquefois, tu me sidères réellement. Quelle allure!

Il avait l'air impressionné et très admiratif, totalement sous le charme, et elle se sentit profondément émue, au point d'en avoir les larmes aux yeux.

« Allons, il ne s'agit que d'un simple dîner entre vieux amis », se dit-elle, dans l'intention de se ramener à la raison.

Au fond d'elle-même, pourtant, elle savait bien qu'il s'agissait de quelque chose de plus qu'un simple dîner. Elle se sentait subitement des ailes.

9.

Lorsqu'ils s'installèrent dans la voiture de Tom, une brise fraîche soufflait doucement sur le canal.

Tom démarra sans un mot, et ils roulèrent pendant quelque temps sans rien dire.

Intriguée par ce silence inhabituel, Kate demanda d'un ton dégagé :

— Ton travail va comme tu veux ?

Il tourna un bref instant la tête vers elle, et ses yeux se posèrent au passage sur ses genoux, que sa robe ne recouvrait plus. Elle remarqua l'étincelle qui illumina brièvement son regard. Etait-il donc si sensible à la vision de son corps ? Eprouvait-il encore du désir pour elle ? Ce bref coup d'œil donnait à penser que oui.

— Mon travail ? répéta-t-il d'un ton absent. Oh, rien de spécial de ce côté-là... Tout va bien. J'ai des contrats à foison.

— Tu dois toujours te rendre à l'étranger, de temps à autre ?

— Oui. Stockholm, Londres... La routine.

Comme ils continuaient d'avancer dans la circulation, un peu plus dense que d'habitude à cette heure-là, Kate, toujours gênée par le mutisme de son ami, insista, d'une voix plus appuyée :

— On dirait que tu n'as pas envie de parler, Tom. Il y a un problème ? Pourquoi ne dis-tu rien ?

— De quoi as-tu envie de parler? demanda-t-il en se tournant de nouveau vers elle. Quel est le sujet que tu souhaiterais aborder?

Kate, inquiète, se demanda ce qu'il voulait dire en lui renvoyant une telle question. Souhaitait-il, par hasard, aborder le sujet de leur aventure nocturne? Qu'en pensait-il, à présent? La regrettait-il? L'avait-il oubliée?

Elle préféra ne pas insister, et ne pas revenir à cet épisode si brûlant, qui finissait par prendre la forme, à mesure que le temps passait, d'un non-dit de plus en plus embarrassant.

Ils arrivèrent au restaurant choisi par Tom, qui se trouvait dans l'un des quartiers les plus en vogue d'Amsterdam.

Tom gara la voiture et ils coururent jusqu'à l'entrée, car il commençait à pleuvoir.

Une enseigne lumineuse rouge et verte annonçait les spécialités italiennes.

— Tu vas voir, murmura Tom en poussant la porte de l'établissement. C'est un endroit très agréable, et on y mange très bien. J'y suis venu la semaine dernière.

Avec Jan? se demanda-t-elle secrètement. Elle n'osait naturellement pas formuler à haute voix sa question. Etaient-ils venus tous les deux ici, bras dessus, bras dessous? La petite pique de jalousie qu'elle avait déjà sentie se mit à la tourmenter une nouvelle fois. Pourtant, elle le savait bien, elle n'avait aucun droit sur Tom. Ce dernier était libre de mener la vie qu'il souhaitait, libre de sortir avec qui il voulait.

Un garçon les conduisit à une table située dans un coin de la pièce, un peu à l'écart de la foule. Il alluma la bougie qui s'y trouvait.

Kate s'assit et jeta un coup d'œil circulaire. C'était le genre d'endroit où les couples viennent dîner en amoureux et se regardent dans les yeux en chuchotant toutes sortes de choses tendres.

Elle sentit une sorte de pincement au cœur en songeant

que leur conversation n'allait pas se situer sur ce registre tendre. Tom et elle allaient probablement parler de choses et d'autres, de tout et de rien, et surtout pas de leur étrange relation.

Le garçon apporta les menus et Tom, d'emblée, commanda une bouteille de vin rouge italien, en attendant qu'ils fassent leur choix. Kate sélectionna des pâtes à l'ail et Tom se contenta d'une grillade et d'une salade.

Ils trinquèrent, les yeux dans les yeux, et se sourirent.

Au bout de quelques instants, Kate s'enhardit à poser la question qui lui brûlait les lèvres :

— Où en êtes-vous, toi et Jan ? Comment est-ce que ça se passe, entre vous ?

Tom ne répondit pas tout de suite. Il examinait rêveusement son verre, qu'il tenait juste devant ses yeux.

— Pas mal..., répliqua-t-il d'un ton pensif.

— Tu parles de ta relation avec Jan ou du vin ? demanda-t-elle en souriant.

— Je parle de Jan, bien sûr. Le vin, lui, est exceptionnel.

— Tu es dur pour Jan, murmura-t-elle avec un regard de reproche.

Après tout, Jan était pour elle plus qu'une collègue de bureau : une amie.

— Je plaisantais, voyons, assura Tom avec un sourire taquin.

Kate n'en était pas si sûre. Elle connaissait suffisamment Tom, et depuis assez longtemps, pour savoir que lorsqu'il évoquait ses liaisons, c'était toujours d'une manière indirecte et avec beaucoup de discrétion. Ce qui était tout à son honneur, après tout : car il ne dénigrait jamais les relations présentes ou passées.

— Comme je ne t'ai pas vu pendant pas mal de temps, je me suis dit que tu devais être très amoureux, confia-t-elle à mi-voix.

— Je peux te retourner le compliment, ironisa Tom. Cela fait des lustres que tu ne m'as pas fait signe.

— Je cherchais un appartement, grommela-t-elle. Et tu sais le temps que cela peut prendre...

Le regard de Tom se posa sur elle avec douceur et curiosité. C'était le genre de regard qui la faisait fondre. Elle sentit que ses pulsations cardiaques s'étaient accélérées d'un coup, comme par un effet de baguette magique.

— Et... à part cette recherche d'appartement, comment est-ce que ça va, de ton côté, Kate? demanda-t-il calmement.

La question était imprécise. Le genre de question qui recouvre tant de choses qu'on peut y répondre par une platitude ou par une révélation fondamentale. Kate choisit de rester dans le vague.

— Cela ne va pas mal, assura-t-elle du ton le plus enjoué qu'elle put.

C'était faux, bien sûr, et sans doute Tom devinait-il qu'elle mentait.

Il but une gorgée de vin et murmura d'une manière presque anxieuse :

— Nous sommes toujours amis, n'est-ce pas?

Elle fut vivement émue par cette question et répondit, avec un trouble qu'elle essaya de ne pas montrer :

— Evidemment! Quelle question! Pourquoi en serait-il autrement?

— Je voulais simplement savoir, rétorqua-t-il avec une sécheresse qui la glaça.

Elle devinait bien que Tom avait posé la question en pensant à la nuit qu'ils avaient passée ensemble. Mais elle était déterminée à ne pas lui montrer à quel point cet événement l'avait transformée, et même bouleversée.

Après tout, elle avait sa dignité.

Par bonheur, c'est à ce moment qu'on apporta leurs plats. Et la conversation prit alors un tout autre tour.

— Au fait, lança Tom d'un ton jovial, tu n'as pas oublié la fête dont je t'ai parlé? Tu sais... L'anniversaire de mariage de mes parents?

— Non, je n'ai pas oublié, Tom, assura-t-elle doucement.

— Je vais réserver un vol pour m'y rendre. Tu veux que nous y allions par le même avion ? Ce serait plus simple. Je peux te réserver ta place.

— Quelle est la date ?

— Le quinze. Cela tombe un samedi.

Kate hésitait à voyager avec Tom. Leur dernière escapade avait laissé des traces si profondes qu'elle n'osait s'y risquer de nouveau.

— Est-ce que Jan viendra ? demanda-t-elle, la gorge serrée.

— Non. Juste la famille.

En d'autres temps, elle se serait sentie flattée par une telle déclaration. Et sans doute l'était-elle encore. Pourtant, une part d'elle-même se rebellait contre cette assimilation. Elle ne voulait plus être considérée comme la petite sœur qu'on invite systématiquement aux fêtes familiales.

— Je serai enchantée de venir à cette réception dans ta famille, assura-t-elle avec un sourire forcé. Mais je crois qu'il est préférable que je m'y rende de mon côté. Je m'occuperai moi-même de prendre mon billet.

Tom parut froissé.

— Mais pourquoi ? demanda-t-il avec impatience. Il serait tellement simple de voyager ensemble, et de réserver une chambre à l'hôtel qui se trouve près de l'endroit de la réception.

Kate se figea. Tom était-il en train de perdre la tête ? Elle ne pouvait décemment pas descendre dans le même hôtel que lui ! Pas après ce qui s'était passé la dernière fois...

Elle choisit une manière souple pour contourner l'obstacle.

— Tu iras de ton côté, Tom. Moi, il faut que je sois au bureau le samedi matin. Je te rejoindrai à la fête familiale.

Tom poussa un bref soupir, mais n'insista pas. Il reprit d'une voix différente :

— Et si tu me parlais un peu des appartements que tu as visités ? Dans quel secteur de la ville as-tu cherché ?

Elle lui décrivit les différents endroits qu'elle avait explorés, et le fait d'en parler la soulagea de cette espèce de dépression qui s'était accumulée en elle au fil des visites.

Le dernier appartement qu'elle avait vu était un ancien atelier de poterie, qui ne manquait certes pas de charme, mais qui ne possédait pas de cuisine.

— Si je comprends bien, tu disposais de toutes les assiettes possibles, mais tu n'avais aucun endroit pour les ranger! plaisanta Tom en riant.

— Exactement. Figure-toi que lorsque j'ai dit au propriétaire que je ne pouvais pas emménager dans un endroit sans cuisine, il m'a regardée comme si j'étais une sorte de folle débarquée d'une autre planète. Il a tendu le bras en direction de la fenêtre et m'a indiqué le restaurant chinois, juste en face. « Très bien, lui ai-je dit. Mais que vais-je manger lorsque j'en aurai assez du riz cantonais? »

— Et il t'a alors désigné un restaurant indonésien, un peu plus loin, c'est ça?

Kate eut un rire amusé.

— Presque. En artiste qu'il était, il ne concevait pas qu'on puisse avoir besoin de faire la cuisine dans un atelier de poterie.

Ils avaient à présent retrouvé la bonne humeur qui avait toujours été la leur, au fil de ces longues années d'amitié. Kate sentit une sorte de chaleur bienfaisante l'envahir, un bien-être qui était peut-être dû, en partie, à l'excellent vin, mais qui venait principalement de l'harmonie retrouvée avec Tom.

Des picotements de plaisir couraient le long de sa peau tandis qu'elle observait discrètement le visage de cet homme merveilleux, qu'elle avait toujours aimé, et qu'elle aimerait probablement toujours.

— Tu sais que j'ai vu quelque chose qui pourrait sans doute t'intéresser? dit alors Tom. L'endroit se situe dans le cœur d'Amsterdam, près d'un canal, naturellement, et possède beaucoup de charme. Tu veux bien le voir?

— Pourquoi pas. répondit-elle, remplie d'optimisme. Un de ces jours, avec grand plaisir.

— Tu veux un café, ou on y va ?

Elle n'avait pas envie de partir, tant elle se sentait bien près de Tom, dans cet endroit luxueux et feutré, loin des problèmes de la vie quotidienne. Pourtant elle répliqua, presque de façon automatique :

— Il est sans doute temps de partir, non ?

Tom fit un signe au garçon et régla l'addition.

Lorsqu'ils franchirent la porte du restaurant, la pluie avait recommencé.

— Reste là. Je vais chercher la voiture, ordonna-t-il.

— Ce n'est qu'une petite pluie pas bien méchante. Je ne vais pas fondre, dit-elle en riant.

Comme ils se dirigeaient vers la voiture, un brusque déluge s'abattit sur eux. Ils se précipitèrent dans la voiture avec des rires d'enfants.

— Voilà ce qui arrive quand on n'obéit pas ! gronda Tom avec un sourire amusé. Tu es trempée.

— Ce n'est rien qu'un peu de pluie...

Il saisit un blouson qu'il avait laissé sur le siège arrière et le lui posa sur les épaules.

— Merci, murmura-t-elle, attendrie.

Le blouson était imprégné de l'odeur de Tom et de l'arôme de son eau de toilette. Elle se sentait comme protégée par un vêtement doux et magique, qui semblait posséder le don de la préserver de tous les mauvais coups du sort.

— Ça va mieux ? interrogea Tom, l'air inquiet. Tu trembles...

Ce n'était pas de froid qu'elle frissonnait, mais d'émotion. Se retrouver ainsi, tout près de Tom, et enveloppée dans son blouson la mettait dans un état d'exaltation qu'elle ne parvenait pas à maîtriser.

Tom mit en route le chauffage de la voiture, et un bourdonnement se fit entendre, en même temps qu'une douce tiédeur remplissait l'espace.

Quelques minutes plus tard, la voiture s'arrêtait devant une vieille maison de ville à l'air imposant.

— C'est l'endroit dont je te parlais tout à l'heure, dit Tom.

Elle n'avait pas compris, au restaurant, qu'il avait l'intention de lui montrer aussi rapidement le logement en question.

Ce genre de raccourci, cette façon d'aller droit au but sans attendre, avec une détermination et un dynamisme hors du commun, c'était tout Tom...

Kate contemplait la belle maison avec étonnement.

— Quel charme ! s'exclama-t-elle. Quelle poésie, dans cet endroit ! L'appartement se situe au rez-de-chaussée ?

— Non. C'est la maison entière qui est à vendre, précisa-t-il.

— Je crains que ce ne soit au-delà de mon budget, soupira-t-elle. Une maison comme celle-ci doit valoir excessivement cher. Bien trop, en tout cas, pour ma modeste bourse...

— On peut tout de même y jeter un coup d'œil, non ?

Il fouilla dans la boîte à gants et en sortit un trousseau de clés.

— Il n'y a personne à l'intérieur, expliqua-t-il tandis qu'ils sortaient de la voiture. L'endroit appartient à un ami. Je lui ai dit que je connaissais quelqu'un qui pouvait être intéressé.

— Je suis intéressée, il n'y a pas de doute là-dessus. Mais c'est une simple question d'argent, objecta-t-elle.

Lorsqu'ils entrèrent dans la maison, Kate s'arrêta sur place, stupéfaite, émerveillée même par la beauté des lieux.

Une vaste entrée aboutissait à un large escalier qui conduisait à l'étage.

Comme elle levait le nez vers le haut de la maison, elle buta contre un fauteuil ancien et se cogna rudement la cheville.

— Aïe ! s'exclama-t-elle.

— Tu t'es fait mal ?

— Ce n'est rien. Mon Dieu, quelle maison fabuleuse !

— Je savais que tu l'aimerais.

Kate frottait sa cheville avec frénésie pour éviter d'avoir un bleu le lendemain.

— Oh, Tom ! Cet endroit est purement et simplement sublime !

Tom ouvrit une porte, et un vaste salon, merveilleusement meublé, s'offrit à leur vue.

Puis ils visitèrent les trois chambres, chacune plus belle que l'autre. Deux salles de bains complétaient le premier étage.

Ils s'attardèrent un moment dans l'une des chambres où trônait un grand lit à baldaquin.

Kate se rappela aussitôt l'autre lit à baldaquin, celui où ils avaient fait l'amour pour la première fois de leur existence, pendant la nuit du mariage de Tanya.

Elle se souvenait avec précision de la façon dont Tom s'était appuyé contre un des montants du lit, tandis qu'il murmurait d'une voix troublée : « Comme tu es belle, Kate ! » Il l'avait dévorée des yeux, à ce moment, avec une intensité qu'elle ne lui avait jamais connue.

Puis il était entré dans le grand lit...

Toute rêveuse, elle revoyait ces images de leur nuit d'amour, et ce fut la voix de Tom qui la rappela soudain au moment présent :

— A quoi penses-tu ?

— Je... C'est une maison de rêve, Tom..., balbutia-t-elle. Malheureusement je ne peux pas m'offrir une telle splendeur.

Elle quitta la chambre à coucher, le cœur un peu serré, et se dirigea vers l'escalier.

— Je cherche un appartement de taille bien plus modeste, expliqua-t-elle. Et donnant sur un petit jardin, si possible.

— Nous n'avons pas encore visité le jardin... Viens,

allons voir à quoi il ressemble. Mon ami m'a dit que c'était un jardin privatif entouré de murs...

Kate hocha tristement la tête.

— Ce n'est pas la peine, Tom, protesta-t-elle avec amertume. A l'époque où je prévoyais de me marier, cette maison aurait été parfaite. Un endroit rêvé. Maintenant, ce n'est plus le cas... Je ne peux pas envisager de vivre dans un tel palais... toute seule.

Elle marcha vers la porte d'entrée.

— En tous les cas, je te remercie de m'avoir montré cet endroit extraordinaire. Cela valait le déplacement.

Quand ils ouvrirent la porte, ils s'aperçurent que la pluie continuait de plus belle.

— Reste là. Je vais ouvrir la voiture, lança Tom. Tu n'auras qu'à tirer la porte derrière toi : elle se fermera toute seule.

Quelques instants plus tard, ils roulaient en direction du quartier où habitait Kate.

Tom était très pensif. Kate lui avait répété que cette maison était exactement celle qu'elle aurait choisie dans le cas où elle se serait mariée — si, naturellement, elle en avait eu les moyens.

Il se demandait si elle arrivait réellement à oublier Stephen. Elle prétendait que oui, mais ce n'était peut-être pas l'exacte vérité. Et il était possible qu'elle regrettât ce mariage qui n'avait pas eu lieu.

Ils roulaient en silence. Poussé par la curiosité, il demanda soudain :

— A quoi penses-tu, Kate ?

— Je me demandais pour quelle raison tu m'avais fait visiter cette belle maison, répondit-elle sur un ton un peu maussade. Malgré mon salaire assez confortable, je ne pourrai jamais m'offrir une telle propriété.

— Mais tu l'as trouvée très belle, n'est-ce pas ?

— Ah oui ! Il n'y a aucun doute là-dessus. Il faudrait

que j'aie perdu toute jugeote pour ne pas m'enthousiasmer devant cette demeure.

Elle soupira d'un air résigné et regarda les maisons qui défilaient autour d'elle.

Tom s'éclaircit la gorge et annonça d'une voix dégagée :

— En fait, je me suis demandé si je n'allais pas acheter cette maison pour moi, annonça-t-il en observant Kate du coin de l'œil. On m'en propose un prix très intéressant.

Il vit qu'elle arrondissait les yeux de surprise.

— Tu en as de la chance, Tom, de pouvoir t'offrir un tel trésor ! Au cas où tu l'achèterais, que comptes-tu faire ? La diviser en différents appartements, avec, par exemple, deux niveaux ?

— J'y ai pensé, répondit-il, nonchalant. Il faut que j'y réfléchisse.

— En tous les cas, je réserve l'appartement du rez-de-chaussée, au cas où tu conclurais l'affaire, déclara-t-elle d'un ton qui donnait à penser qu'elle n'y croyait guère.

— Si c'est pour y faire venir Stephen, il n'en est pas question, avança-t-il, méfiant.

— Ne sois pas ridicule, Tom. La page « Stephen » est tournée.

Il tourna la tête un quart de seconde vers elle.

— Vraiment ? demanda-t-il en fronçant les sourcils.

La pluie recommençait. Il mit en route les essuie-glaces.

— Tu ne l'as pas revu, depuis le mariage de Tanya ? insista-t-il.

— Il est juste passé chez moi pour prendre des affaires qui lui appartenaient.

— Pour chercher des affaires..., répéta-t-il, songeur et tourmenté. Ne crois-tu pas plutôt qu'il passait pour tenter de recoller les morceaux ?

— Mais non, protesta-t-elle d'une voix molle.

La façon dont elle répondait, la manière qu'elle avait de le regarder, d'un air hésitant, mit sa patience à bout.

— Allons, Kate, ne me raconte pas d'histoires ! Sois franche : Stephen et toi, vous allez vous remettre ensemble. Ce n'est qu'une question de jours, ou de semaines...

— Mais pas du tout ! Pourquoi, dans ce cas, aurais-je accepté ce dîner à quatre, demain, avec André et Jan ?

Tom se disait que cette rencontre avec André pouvait constituer, pour Kate, un moyen supplémentaire de rendre Stephen jaloux.

— D'ailleurs, reprit Kate, on m'a dit que Stephen et Natasha allaient se marier.

— Quoi ? s'exclama-t-il, stupéfait. C'est incroyable ! Qui t'a annoncé cette nouvelle ?

— Tanya.

Tom comprit brusquement la tristesse qui avait marqué Kate pendant la visite de la maison. Cette belle demeure était destinée à un couple, à une future famille. Et elle s'était sans doute sentie bien seule en parcourant les pièces de la maison.

— Je suis désolé, Kate, murmura-t-il, consterné. Je ne savais pas...

— Oh, tu sais, Tom, je ne suis plus du tout amoureuse de Stephen ! Ne t'inquiète pas pour moi.

Ils roulèrent sans rien dire pendant quelque temps, puis il annonça d'une voix grave :

— Tu vas vite oublier Stephen. Ce n'est qu'une question de temps.

Comme ils arrivaient devant son immeuble, Kate ouvrit la portière et se contenta de lui dire :

— Merci pour le repas au restaurant, Tom. Et à demain, donc, pour ce dîner à quatre.

10.

Kate n'était guère enthousiasmée par la perspective de cette sortie en compagnie d'André, Jan et Tom. Elle regrettait de plus en plus d'avoir accepté cette rencontre qui n'avait aucun sens. Elle ne cherchait ni un mari, ni un ami. En conséquence, qu'est-ce que cet André, tout sympathique qu'il fût, pouvait lui apporter?

Mais ce qui la peinait davantage, c'était d'avoir à se trouver en compagnie d'un Tom qui allait probablement être accaparé toute la soirée par Jan. Voilà qui était le plus redoutable : être à la fois près de Tom et en même temps loin de lui.

Ils avaient décidé de se retrouver, avant le dîner, dans un bar voisin du restaurant.

Lorsqu'elle sortit du taxi et entra dans le bar, elle sentit son cœur faire un bond en apercevant Tom, nonchalamment appuyé au comptoir.

Lorsqu'il la vit, son visage s'éclaira d'un large sourire.

— Salut, Kate! dit-il en la fixant avec des yeux brillant d'admiration. Tu es plus belle que jama̅ ̅ ̅elle élégance!

Elle avait pourtant choisi un ensemble sombre et relativement discret, le genre de robe qu'on peut porter dans des circonstances très diverses, heureuses ou moins heureuses. Mais cette tenue avait le mérite de mettre en valeur ses formes minces ainsi que son visage auréolé de cheveux dorés.

Kate, pour sa part, était très impressionnée par l'allure de Tom, qui semblait avoir fait un réel effort vestimentaire, avec une veste admirablement taillée, de toute évidence faite sur mesure, et qui s'harmonisait à merveille avec son buste vigoureux.

— Jan n'est pas avec toi ? interrogea Kate, étonnée.

— C'est André qui va la prendre chez elle, au passage. Ils seront là dans un instant, sans doute. Tu veux t'asseoir sur un des tabourets du bar ?

Elle rit et répondit d'un ton badin :

— Si je me perche là-dessus, j'aurai certainement le vertige. Je suis très bien debout, pour le moment.

— Que veux-tu boire ? demanda Tom, qui fit un signe au barman.

— Un verre de vin blanc sec, s'il te plaît.

— Bonne idée. Je prendrai la même chose.

Lorsqu'il eut passé la commande, Kate décida avec autorité :

— La prochaine tournée sera pour moi.

— Tu ne vas pas commencer le refrain : « Je suis une grande fille et je paie ma part... » C'est un peu exaspérant, à la longue. Tu peux te laisser inviter, que diable ! Il n'y a pas de honte à ça.

— Tu m'as déjà invitée hier...

— Je peux t'inviter tous les jours, si je veux. Non mais !

Ils rirent ensemble.

Tom se dit alors qu'il aurait été fort agréable de dîner avec Kate, en solo, sans les autres.

Mais ce n'était pas ce qui était programmé. Tant pis... Ce serait pour une autre fois. Mon Dieu, qu'elle était ravissante, ce soir ! Il se sentait étrangement ému. Mais surtout, il s'agissait de n'en rien montrer.

— Je suis sûr qu'André est un type très sympathique, lança-t-il avec entrain.

290

Kate cilla un instant.

— Hmm..., fit-elle, dubitative.

Tom trouva qu'elle n'avait pas l'air tout à fait dans son assiette. Que se passait-il ? Avait-elle des soucis ?

— Tu vas bien ? interrogea-t-il, inquiet.

— Très bien, merci.

— Hé, Kate ! C'est à ton vieux Tom que tu parles ! Pas à n'importe qui. Alors, évite les phrases toutes faites. Renonce aux automatismes.

Il la fixa d'un regard compatissant, puis reprit d'un ton très doux :

— Je répète ma question : est-ce que tu vas bien ?

Il avait détaché chaque syllabe afin de bien montrer qu'il se souciait véritablement de la réponse.

Kate hésita un instant, puis ébaucha un sourire triste.

— J'ai un peu d'appréhension, c'est tout. Je déteste ce genre de rencontre arrangée. C'est tellement artificiel ! Et je redoute d'avoir à jouer un rôle face à cet André...

— Tu n'as pas de rôle à jouer : sois toi-même, ce sera parfait. Il sera sous le charme, c'est évident.

Tom tendit doucement la main et caressa d'un geste bref sa joue, dans un élan tendre et amical.

Kate frissonna de plaisir. André constituait le dernier de ses soucis. Ce n'était pas à lui qu'elle pensait. C'était à Tom, bien évidemment.

— Je me moque bien qu'il soit sous le charme, confia-t-elle d'un ton un peu lointain. J'espère simplement que nous allons passer une soirée agréable.

Elle soupira avec une certaine amertume et murmura en forme de conclusion :

— Oui, une soirée agréable, ce serait déjà très bien.

Elle avala une gorgée de vin, l'apprécia d'un petit signe de tête, et posa le verre sur le comptoir.

Tom avait eu le même geste, dans une simultanéité presque parfaite, et posa, lui aussi, son verre au même instant. Puis il demanda d'un ton rempli de curiosité, mais aussi avec quelque prudence :

— Dis-moi, Kate... Je suppose que ça a dû être un choc, pour toi, quand tu as appris que Stephen allait se marier ?

— J'ai été très surprise, c'est vrai. J'avoue que je ne sais pas si la rumeur est fondée ou non. Quoi qu'il en soit, je serais vraiment surprise le jour où il se mariera pour de bon.

— Moi aussi !

Kate secoua la tête, comme pour chasser une idée désagréable, et murmura :

— Tu sais, Tom, ma vie n'a plus rien à voir avec Stephen. Je te l'ai déjà dit : c'est de l'histoire ancienne. J'ai réussi à me détacher de lui, à conquérir mon indépendance. Et je suis très satisfaite de vivre seule.

Elle savait bien, au fond d'elle-même, que cette déclaration était très exagérée, à la limite du mensonge. Son rêve le plus secret aurait été de vivre avec Tom, mais c'était une idée folle, bien sûr, un fantasme irréalisable...

Tom avala une gorgée de vin et déclara calmement :

— C'est bizarre... Figure-toi que j'en viens, maintenant, à penser comme toi il y a quelque temps.

— A penser quoi ? interrogea-t-elle, saisie.

— Eh bien, c'est tout à fait paradoxal, et cela peut te sembler loufoque de ma part... Mais j'en viens à espérer une vie tout autre que celle que je mène ! J'ai envie de fonder un foyer, une famille. Je sais que j'ai maintenant besoin de stabilité, d'une femme aimante et fidèle... J'en ai assez de courir à droite et à gauche, et de multiplier les aventures sans lendemain.

Kate, sidérée, l'écoutait bouche bée.

— Ça alors ! murmura-t-elle dans un souffle. Ce que tu me dis est incroyable... Moi qui t'ai toujours connu...

— ... comme un papillon, tu ne me reconnais pas, n'est-ce pas ? plaisanta-t-il avec un rire léger.

Elle demeurait sans voix.

— Que penses-tu de ce changement de cap, de cette métamorphose ? demanda-t-il en la fixant droit dans les yeux.

Très troublée, elle balbutia :

— Eh bien... Je te souhaite beaucoup de bonheur, et...

Elle n'eut pas le temps de terminer sa phrase, car Jan et André firent soudain leur apparition.

— Hello, chéri ! lança Jan en embrassant Tom sur la joue.

Kate sentit une nouvelle fois la morsure de la jalousie. Et, brusquement, elle se demanda avec angoisse si la femme aimante et fidèle dont Tom parlait un instant plus tôt ne serait pas, par hasard, Jan ?

Celle-ci se tourna ensuite vers Kate et la salua avec un grand sourire. Elle était ravissante, ce soir, avec sa robe jaune pâle.

Kate ne pouvait s'empêcher de se poser la question : Jan accepterait-elle d'épouser Tom, si celui-ci lui faisait une telle proposition ? Oui, sans doute. Dès le départ elle s'était entichée de lui, et semblait très amoureuse.

Des griffes cruelles la torturaient intérieurement tandis qu'elle songeait à ce retournement de situation imprévu.

— Permets-moi de te présenter André, dit Jan.

Puis, se tournant vers le nouveau venu, elle ajouta :

— André, je te présente mon amie Kate. Et voici Tom.

Kate répondit poliment aux salutations d'usage en se forçant à sourire, malgré le tourment intense qu'elle endurait.

Elle était encore sous le choc de ce que lui avait confié Tom, quelques instants plus tôt. Et c'est à travers une sorte de brouillard qu'elle répondit aux questions qu'on lui posait.

André avait l'air sympathique. Il devait avoir à peu près son âge. C'était un homme grand et mince, aux cheveux blonds et au sourire amical. En d'autres circonstances, elle eût peut-être été sensible à son charme mais, ce soir, elle ne se sentait vraiment pas en condition.

Comme Tom et André discutaient ensemble, Jan se rapprocha de Kate et chuchota sur un ton de conspirateur :

— `Alors ? Que penses-tu d'André ? Il te plaît ?

Kate choisit de répondre de façon prudente et modérée.

— Il a l'air très gentil, murmura-t-elle.

— Et il est assez beau garçon, non ? Il est d'Amsterdam. C'est un créateur de bonne réputation. Il a beaucoup de succès dans son travail. Je le connais depuis assez longtemps, et...

Elle s'interrompit, car les deux hommes venaient vers elles.

— Allons nous asseoir à une table, suggéra Jan. Nous y serons mieux pour causer.

On commanda des boissons et l'on se mit à parler de différents sujets : la télévision, le temps, les manifestations sportives...

Kate suivait d'une oreille distraite et faisait de son mieux pour placer un mot, lorsqu'il le fallait absolument.

De temps en temps, elle croisait le regard de Tom, et elle l'évitait instinctivement, par peur de souffrir.

André se tourna vers elle et demanda d'une voix courtoise :

— Jan m'a dit que vous travailliez avec elle, dans la même maison d'édition ?

— Oui. Nos bureaux sont même côte à côte. Et vous, j'ai entendu dire que vous êtes créateur... ou concepteur ?

— Plus précisément je suis architecte paysagiste. Je dessine des jardins pour les nouveaux quartiers de certaines villes. C'est un métier passionnant. J'ai d'ailleurs publié quelques livres sur le sujet. C'est par ce biais que j'ai rencontré Jan, lorsqu'elle travaillait chez un précédent éditeur.

— Je suis très sensible aux jardins et aux plantes, assura Kate. J'aime particulièrement les variétés méditerranéennes.

Pendant un bon moment, Kate et André discutèrent de différents types de plantes, des endroits où elles s'adaptaient le mieux, ils évoquèrent la température, le degré d'humidité, la terre, etc. Ils furent brusquement coupés par Jan qui lança d'un ton abrupt :

294

— Et si nous allions dîner, à présent?

— Bien sûr, répondit André en se levant.

Il aida Kate à se lever avec une exquise politesse.

Lorsqu'ils quittèrent le bar, tous les quatre, Jan emboîta le pas à André, presque d'une manière possessive. Kate, étonnée, ne put s'empêcher de s'en faire la remarque.

Elle croisa une nouvelle fois le regard de Tom, qui semblait surpris, lui aussi, par l'empressement de Jan face à d'André. Ils échangèrent un coup d'œil complice, comme ils l'avaient fait si souvent autrefois.

Le restaurant où ils avaient réservé une table était plein et bourdonnait de conversations joyeuses.

A Amsterdam, les restaurants possèdent souvent une piste pour la danse. C'était le cas ici, et, quand ils entrèrent, un quintet jouait des airs anciens de La Nouvelle-Orléans. Quelques danseurs évoluaient sur l'espace circulaire assez étroit qu'entouraient les tables.

Lorsqu'ils furent assis, un serveur leur apporta les cartes, dans la lecture desquelles ils s'absorbèrent bientôt avec une curiosité gourmande.

Kate avait toujours l'impression d'un étrange manège qui se jouait entre Jan et André. Elle se demanda s'ils ne flirtaient pas subrepticement ensemble. Intriguée, elle interrogea Tom du regard, et il lui adressa un petit signe très discret. Elle connaissait bien cette manière de cligner de l'œil et de relever un quart de seconde le coin des lèvres, qui signifiait, en gros : « Etonnant, hein? »

En effet, le comportement de Jan se révélait de plus en plus étonnant. On aurait dit qu'elle avait délaissé Tom pour André.

Mais que se passait-il donc dans la tête de Jan? se demanda Kate, très intriguée.

Soudain, André se tourna vers Kate et lui demanda si elle voulait danser. Elle accepta et il la conduisit sur la petite piste circulaire de bois lisse.

Comme ils évoluaient dans un slow, André demanda tout à trac, d'un ton toujours courtois :

— Vous avez été mariée, Kate ?

Ils tournaient lentement au milieu d'autres couples enlacés. André serrait à peine Kate contre lui, et elle lui savait gré de cette façon d'agir.

— Non. Je n'ai jamais été mariée. Et vous ?

— J'ai divorcé il y a un an. J'ai deux enfants : une fille de six ans et un garçon de quatre ans.

— Ils vivent à Amsterdam ?

— Non, ils sont à Paris, avec leur mère.

— Vous les voyez souvent ?

— Autant qu'il m'est possible. Ils viennent de temps en temps passer un week-end avec moi, à Amsterdam, sans compter les vacances scolaires.

Tandis qu'ils parlaient, Kate avait remarqué Tom et Jan qui s'étaient levés, eux aussi, et se dirigeaient à présent vers la piste de danse. Elle tressaillit, malgré elle, lorsque Tom ouvrit les bras pour enserrer Jan.

La fameuse griffe, qu'elle commençait à bien connaître, la fit souffrir une nouvelle fois.

— Jan m'a dit que vous êtes sorti avec elle, dans le passé. C'est vrai ? demanda-t-elle.

— Oui. C'était à l'époque de mon divorce, et j'avoue que j'étais dans un état d'esprit assez... Comment dirais-je ? Assez « perturbé ». Jan est une fille vraiment sympathique.

A ce moment précis, il tourna la tête vers Jan et Tom qui dansaient au milieu de la piste.

— Elle a l'air d'être très heureuse, ajouta-t-il d'un ton énigmatique.

— Oui, on dirait, murmura Kate, ravagée.

La musique cessa et elle fut heureuse de pouvoir regagner sa place.

Le dîner se déroula de manière assez enjouée. Les conversations allèrent bon train.

Au moment où ils prenaient leur café, le petit groupe de musiciens entama un tube très populaire et de nombreux convives se levèrent de table pour danser.

Jan se tourna vers André :

— Tu te souviens de la soirée que nous avions passée ici, il y a environ un an ? Les musiciens avaient joué cet air-là...

— Oui, je me rappelle très bien ce soir-là, répondit André en riant. Je n'étais vraiment pas dans mon assiette, à l'époque.

— Le divorce te tourmentait, n'est-ce pas ?

— Oui. C'était dur... Mais tout change, dans la vie, non ? Allons danser, Jan.

Kate et Tom les observèrent tandis qu'ils jouaient des coudes pour rejoindre la piste encombrée.

— On y va, nous aussi ? interrogea Tom d'un ton tranquille.

— Si tu veux.

Comme les autres couples se pressaient autour d'eux, Kate et Tom éprouvèrent quelques difficultés à évoluer.

Kate se rappelait les slows qu'elle et Tom avaient dansés durant la fameuse soirée du mariage de Tanya. Elle se rappelait aussi la nuit qui avait suivi, et ce souvenir lui serrait douloureusement le cœur.

— Tu as repensé à ce voyage à Londres, le mois prochain, pour la réception de mes parents ? demanda Tom.

— Oui. Je réserverai mon billet de mon côté.

— D'accord.

Un instant plus tard, Tom reprit d'un ton dégagé :

— Que penses-tu d'André ?

— Il m'a l'air d'être un type très bien.

— Tu lui as demandé quel était son signe astrologique ?

Kate s'esclaffa.

— Non. Cela ne m'est pas venu à l'esprit. Mais dis-moi, Tom, tu me sembles bien intéressé par l'astrologie, soudain ?

Il la fixa d'un œil narquois et lui confia à l'oreille, sur un ton malicieux :

— C'est un secret. Ne le répète à personne. Je prends

des cours particuliers de rattrapage en astrologie. Il le faut bien, puisque je suis décidé à vivre une vie « normale », c'est-à-dire à prendre femme.

Kate eut l'impression qu'elle allait chavirer. Tom la tenait solidement dans ses bras, heureusement. Un vertige l'avait brusquement saisie lorsque Tom avait parlé de « prendre femme ». Des pinces douloureuses tenaillaient de nouveau son pauvre cœur.

— Allons nous asseoir, murmura-t-elle, déchirée.

— Mais la danse n'est pas finie...

— S'il te plaît, Tom.

Leur table était vide. Jan et André continuaient à danser.

Kate s'excusa auprès de Tom : elle allait devoir le laisser un instant pour se rendre aux toilettes.

Elle était en train de se mettre du rouge à lèvres, lorsqu'elle aperçut Jan, dans le miroir.

— Chouette soirée, non ? lança cette dernière, ravie.

— Très sympathique, oui. Tu avais raison, pour André. Il est tout à fait charmant, assura Kate.

— Il est passé par une période affreuse, après son divorce. Mais il semble avoir pris le dessus, à présent. Tu as envie de le revoir ?

Kate hocha la tête négativement en souriant.

— Non. Je n'ai pas envie de m'engager dans une quelconque histoire, Jan. Tu me comprends ?

Jan posa une main affectueuse sur le bras de Kate.

— Je comprends très bien.

Comme la main de Jan restait appuyée sur son bras, Kate leva les yeux vers son amie, intriguée.

— Hum... J'ai quelque chose à te dire, reprit Jan d'une voix embarrassée. C'est... personnel. Je dirais même plus : c'est d'ordre intime.

Kate redoutait depuis longtemps le moment où Jan lui confierait ses sentiments pour Tom. Il semblait que ce moment fût venu. Elle tressaillit et serra les dents.

— Je t'écoute, dit-elle d'une voix à peine audible.

— C'est délicat...

— Allons, Jan. Maintenant que tu as fait un pas en avant, tu ne peux plus reculer. Dis-moi ce que tu as sur le cœur.

— Je ne trouve pas les mots, avoua Jan, le visage soudain torturé. C'est vraiment difficile à dire...

« Naturellement, c'est difficile, pensa Kate. Tu me prends mon meilleur ami, tu me voles mon seul amour. » Comment cela pourrait-il être facile à dire ?

Son cœur s'était mis à battre comme un tambour dans sa poitrine. Elle attendait l'aveu de son amie avec angoisse.

— Parle, Jan ! Parle enfin ! Je devine ce que tu vas dire.

— Vraiment ? Tu as pu deviner ?

Kate eut un sourire rempli de tristesse. Elle répondit, une boule dans la gorge :

— Tu es amoureuse de lui, c'est cela ?

L'expression de Jan se transforma d'un coup. Un immense soulagement se lisait sur son visage.

— C'est donc si manifeste ? Je ne pensais pas que cela se verrait autant ! Ah ! Si tu savais, Kate ! Je ne dors plus, je ne mange plus. Toutes mes pensées sont pour lui... Je suis malade d'amour.

— J'entends déjà sonner les cloches du mariage, plaisanta Kate d'un ton qu'elle aurait souhaité le plus joyeux possible. Je suis très heureuse pour toi, ma chérie.

Jan la serra soudain dans ses bras en pleurant.

— Oh, merci, Kate ! Tu me comprends, toi. Tu es une vraie amie.

Kate tapota gentiment le dos de Jan, qui était secoué de sanglots réguliers.

— Allons, allons ! Tout va bien se passer, tu vas voir, l'encouragea-t-elle avec chaleur.

Jan renifla, se moucha, renifla encore et plongea une nouvelle fois son nez dans son mouchoir.

— Mon Dieu, je vais avoir le nez rouge... Il ne va plus m'aimer !

— Mais si ! Ne t'inquiète pas, Jan. A propos, tu vas sans doute aller à la réception de Londres, pour l'anniversaire de mariage de ses parents ?

Jan la dévisagea quelques secondes d'un regard vide, puis murmura :

— Tu penses que Tom souhaite que je vienne ?

— Je ne sais pas. Je suppose. Tu devrais lui en parler.

— Oui. Nous avons à parler longuement, confia Jan en essuyant le coin de ses yeux.

Lorsqu'elles revinrent à la table du restaurant, Tom et André étaient en grande conversation.

Jan s'assit, mais Kate choisit de rester debout.

— Je vais vous abandonner, chers amis, déclara-t-elle en souriant. Ce fut une soirée merveilleuse. Mais il faut que je parte, à présent.

— Nous avons prévu de terminer la soirée dans une boîte, répliqua Jan. Tu ne veux pas être de la fête ?

— Ce serait très sympathique d'y aller tous les quatre, renchérit André.

Kate secoua la tête.

— Non. C'est gentil à vous... Mais je dois rentrer.

Elle se précipita dehors. Il pleuvait.

La pluie se mêlait à ses larmes. Le cœur brisé, elle héla un taxi.

11.

Il est curieux de voir à quel point l'amour peut transformer quelqu'un, se dit Kate, le lendemain, tandis qu'elle observait discrètement Jan, au bureau.

Kate n'avait jamais vu son amie aussi radieuse. Jan resplendissait littéralement. Elle jubilait.

— Il m'a enfin demandée en mariage, finit-elle par confier d'une voix vibrante. Tu te rends compte, Kate?

Oh oui, elle se rendait compte de la situation! Et il lui fallait faire un effort considérable sur elle-même pour ne rien montrer de son désespoir.

— Je te souhaite beaucoup de bonheur, murmura-t-elle, hagarde.

— Nous allons nous marier à Noël. N'est-ce pas merveilleux? J'ai annoncé la nouvelle à ma mère, au téléphone et elle a été folle de joie...

Jan continuait de raconter, dans le détail, toutes les péripéties de ce grand événement qui bouleversait subitement sa vie. Kate faisait un effort pour l'écouter, mais il lui semblait entendre la voix de son amie à travers une sorte de brouillard.

— Ma sœur va être demoiselle d'honneur, poursuivit Jan avec une excitation croissante. Et je me demandais si tu accepterais d'être mon témoin. Cela me ferait vraiment plaisir!

— Moi! Ton... témoin? balbutia Kate, chavirée.

Elle avait l'impression de vivre un scénario de cauchemar.

— Oh, ce serait tellement bien! insista Jan. Nous le souhaitons tous les deux de tout notre cœur.

Kate, glacée, se demanda si l'idée venait de Tom.

Comme le téléphone se mettait à sonner sur le bureau de Jan, celle-ci ajouta, toute fébrile :

— Réfléchis-y, Kate. Et donne-moi une réponse dès que possible.

Heureusement, il y avait beaucoup de travail, ce jour-là, ce qui permit à Kate de penser à tout autre chose.

Mais de temps à autre, la dramatique réalité de la situation lui revenait à l'esprit dans toute sa force. Et le cauchemar s'intensifiait.

Elle imaginait la scène, à l'église : Jan et Tom, côte à côte, le regard plein d'amour. Et elle, non loin de là, observant le tableau avec des yeux remplis de larmes... Oh, non! Jamais elle ne pourrait supporter ce spectacle!

Comme Jan raccrochait, après une brève conversation au téléphone, elle confia d'un ton radieux :

— Je vais aller choisir ma bague à l'heure du déjeuner. Avec lui. N'est-ce pas merveilleux?

— Si, répondit Kate d'une voix blanche. C'est fabuleux.

Ce soir-là, Kate rentra chez elle sous la pluie. Le temps s'accordait parfaitement à son état d'esprit. Le ciel pleurait, lui aussi.

Comme elle sortait de la douche, elle entendit la sonnette de l'entrée. Sa première réaction fut de l'oublier. Elle n'avait envie de voir personne.

Mais comme on insistait, elle alla ouvrir, à contrecœur, habillée d'un simple peignoir.

Tom se trouvait sur le seuil de la porte.

— Je peux entrer? demanda-t-il, tandis qu'elle restait figée de stupeur.

— Bien sûr. Entre.

Tandis qu'il pénétrait dans l'appartement, elle constata, une fois de plus, le traditionnel tam-tam de son cœur qui battait la chamade, et l'impossibilité de le maîtriser.

— Je t'ai apporté ça, dit Tom en sortant de sa poche une enveloppe bleue.

— Qu'est-ce que c'est ?

— Ce sont les billets d'avion pour toi. Pour la réception de Londres, avec mes parents. J'ai demandé un vol pour le samedi après-midi, puisque tu es prise le matin.

— C'est gentil à toi, murmura-t-elle faiblement.

Elle essaya de s'éclaircir la gorge, toussota, et dit d'une voix mal assurée :

— J'imagine que je dois te faire mes compliments...

Elle se hissa sur la pointe des pieds et l'embrassa sur la joue.

Tom eut l'air très surpris.

— Pour quelle raison me complimentes-tu ainsi ?

— J'aimerais aussi que tu me dises ce que tu souhaites comme cadeau de mariage.

— Comme cadeau de mariage ? répéta-t-il, l'air stupéfait.

— Mais oui. Ce n'est pas parce que je suis ta meilleure amie que cela doit m'empêcher de te faire un cadeau.

Tom hochait la tête comme s'il ne parvenait pas à saisir où elle voulait en venir.

— Jan et toi, vous allez faire un beau couple, assura-t-elle, des sanglots dans la voix.

— Un beau couple ? Jan et moi ? Mais qu'est-ce que c'est que cette histoire ?

— Vous allez bien vous marier, tous les deux, n'est-ce pas ?

— Mais... qu'est-ce que tu racontes ? C'est du délire !

— Mais Jan m'a dit que...

Elle se sentait brusquement perdue, et ne trouvait plus ses mots.

— Elle m'a raconté que...

— Peu importe ce que Jan t'a dit. Non seulement je ne l'épouse pas, mais je ne sors même plus avec elle.

Abasourdie, Kate n'en croyait pas ses oreilles. Elle avait l'impression que Tom et elle parlaient un langage différent. Leur communication n'avait plus de sens.

— Jan m'a dit qu'elle était allée acheter sa bague avec toi, à midi...

— Je n'ai pas vu Jan de la journée, et encore moins chez un joaillier, assura-t-il d'un ton bougon.

Kate fit deux ou trois pas en arrière, afin de mieux l'observer. Etait-il en train de se moquer d'elle? Lui jouait-il la comédie?

— Je ne comprends plus, avoua-t-elle, totalement bouleversée. Jan m'a dit, pas plus tard que ce matin, qu'elle se mariait, qu'elle allait acheter sa bague et que...

— En effet, elle se marie. Mais pas avec moi.

Kate eut l'impression que son cœur s'arrêtait de battre.

— Jan va épouser André, annonça-t-il d'un ton tranquille. Ce n'est pas moi qu'elle épouse.

Elle hocha lentement la tête. Les idées, peu à peu, se remettaient en place. Elle prenait subitement conscience du quiproquo dans lequel elle s'était fourvoyée depuis la veille.

Pourtant, tout n'était pas encore parfaitement clair pour elle.

— Tu es bien sorti avec Jan, que je sache? hasarda-t-elle.

— Nous sommes sortis ensemble deux ou trois fois. Et nous n'avons pas dépassé le stade des petits baisers très chastes, sans conséquence. Jan m'a confié, hier soir, tandis que nous dansions dans ce restaurant, qu'elle était amoureuse d'André. Et qu'elle avait utilisé cette sortie à quatre comme prétexte pour le revoir.

Il fit une pause et reprit d'un ton net, tandis qu'il la fixait au fond de ses prunelles:

— Je n'ai jamais été amoureux de Jan. Je l'aime bien, certes, mais je ne l'aime pas.

304

— Est-ce que tu ne me parlais pas de ton envie de trouver la femme de ta vie, afin de cesser tes... « papillonnages » ?

Il s'approcha d'elle et écarta très tendrement une mèche qui lui tombait sur le front. Elle prit brusquement conscience de la proximité de son corps, de sa présence magnétique.

Il la serra contre elle et murmura d'une voix si tendre qu'elle crut chavirer de bonheur :

— C'est exact. La chasse aux papillons est close. J'ai décidé de renoncer à agiter mon petit filet dans tous les sens. Je veux mener une existence simple et solide avec la femme que j'aime.

— La femme que tu aimes ? répéta-t-elle dans un souffle.

Ses lèvres se trouvaient à présent tout contre les siennes, et murmuraient des mots magiques, des mots sacrés dont Kate savait qu'elle ne les oublierait jamais.

— C'est toi que je veux, ma Katy.

— Oh, mon tendre amour...

— Je te veux pour la vie. Tu es la femme de ma vie. La seule femme que j'aie véritablement aimée.

— Et tu es le seul homme que j'aime, mon tendre, mon merveilleux amour...

— Oh, comme je t'aime !

Le peignoir glissa bientôt à terre, et Tom la porta dans ses bras robustes jusqu'au grand lit.

Et c'est à ce moment qu'une porte du paradis s'ouvrit pour eux.

Lorsque Kate se réveilla, elle resta quelques instants dans son lit, tout à fait désorientée. Quel jour était-on ? Devait-elle se lever pour aller au travail ? Elle était seule au milieu des draps tout froissés.

Les rayons du soleil jouaient de leurs reflets dans la chambre à coucher. Et brusquement, le souvenir de la nuit lui revint : cette passion partagée, cet amour renouvelé, cette ardeur, ces étreintes...

Elle se leva, toute joyeuse.

Tom avait déposé près du lit un bout de papier.

« Je suis passé chez moi pour me changer. Tu me manques déjà. On se retrouve à notre café habituel pour un petit déjeuner.

» Je t'aime, mon tendre amour. Tom.

» P.-S. : Ne sois pas en retard ! »

Lorsqu'elle sortit, elle sentit sur son visage la fraîcheur du matin. L'air était piquant, le ciel tout bleu.

Elle prit son vélo et roula jusqu'au café où Tom l'attendait. Il faisait les cent pas devant l'entrée.

Il était plus beau que jamais, et la lumière du matin jouait dans ses cheveux, illuminait son merveilleux visage.

— Bonjour, mon ange, murmura-t-il en l'embrassant de manière tendre et appuyée. Tu vas bien ?

— Cela ne pourrait pas aller mieux ! répondit-elle avec un rire plein de gaieté.

— Nous allons prendre notre petit déjeuner, puis j'aimerais que tu m'accompagnes. J'ai une course à faire.

— Que dois-tu acheter ?

— J'aimerais offrir à ma mère une bague avec un rubis pour son anniversaire de mariage. L'avantage, à Amsterdam, c'est qu'on a l'embarras du choix, en matière de joailliers. J'en connais un qui propose des bijoux extraordinaires. Il n'est pas loin d'ici. Tu veux bien m'accompagner ? Je vais avoir besoin de ton avis.

Moins d'une demi-heure plus tard, ils se trouvaient devant le magasin du bijoutier, la main dans la main, admirant la vitrine somptueuse.

— Tu vois la rangée de bagues, à gauche ? demanda Tom d'un ton mystérieux. Ce sont des bagues de fiançailles.

Elle se tourna vers lui. Il avait le visage grave et heureux.

— Je... Je ne sais pas quoi dire, murmura-t-elle, aux anges.

— Choisis celle qui te plaît. Mais avant, je veux que tu répondes à une question très importante. Réfléchis bien. Es-tu sûre de vouloir m'épouser ?

— C'est tout réfléchi, Tom. C'est oui.

Il la prit dans ses bras et la serra très fort contre lui.

— Tu te souviens de cette grande maison que nous avons visitée l'autre jour ? interrogea-t-il, les yeux brillants.

— Bien sûr que je me la rappelle ! C'était une pure merveille.

— C'est une merveille. Elle est à nous, à présent.

— Oh, Tom... Quel bonheur !

Des larmes de joie coulaient sur ses joues. Jamais elle n'avait imaginé qu'elle pût être aussi heureuse.

— C'est une maison idéale pour avoir des enfants, non ? ajouta Tom de ce ton tranquille qui était toujours le sien.

UN ODIEUX PARI, Jane Porter • N°2871

Effarée, Samantha apprend que, pour effacer ses dettes, l'homme qu'elle a été contrainte d'épouser l'a offerte, *elle*, à Cristiano Bartolo, son rival au jeu ! Si elle s'oppose à cette ignoble tractation, elle perdra la garde de la petite Gabriela. Forcée d'accepter, Samantha se prépare à affronter Cristiano, un homme froid et sans scrupules…

UN MILLIARDAIRE TROP SÉDUISANT, *Christina Hollis* • N°2872

 Sur le marché de Portofino, Sienna fait la connaissance de Garett Lazlo, un milliardaire américain à la recherche d'une interprète. Tout en sachant qu'elle joue avec le feu en côtoyant un homme si séduisant, elle accepte de jouer ce rôle. Pour quelques jours seulement…

UN SI DOUX MENSONGE, *Lee Wilkinson* • N°2873

Lors d'un entretien de recrutement, Gail a la stupeur de se retrouver face à Zane Lorenson, l'homme qui hante ses rêves depuis huit ans et qu'elle croyait ne jamais revoir. Très vite, cependant, elle se demande s'il s'agit bien d'un hasard…

SEPT JOURS POUR S'AIMER , *Anne McAllister* • N°2874

 Depuis des années, Sadie est amoureuse de Spencer Tyack. Si bien, qu'après ses études elle est revenue vivre à Butte, dans le Montana, afin de travailler avec lui. Pourtant, jamais Spencer ne l'a regardée autrement que comme une amie et une associée. Mais la situation devient intenable lorsque, dans le but d'emporter un contrat, il lui demande de se faire passer pour son épouse…

PRISONNIÈRE DE LA PASSION, *Carole Mortimer* • N°2875

Si elle ne veut pas voir son héritage tomber dans les mains de son cousin, un individu veule qu'elle exècre, Gabriella va devoir épouser Rufus Gresham, le fils du second mari de sa mère, et vivre avec lui pendant six mois. Comment va-t-elle supporter la présence de cet homme dont elle est tombée amoureuse au premier regard, mais qui l'a toujours méprisée ?

LA VENGEANCE DE VINCENTE FARNESE, *Lucy Gordon* • N°2876

 A la mort de son mari, Elise découvre que celui-ci a dilapidé toute leur fortune et qu'elle ne possède plus rien. Aussi s'empresse-t-elle d'accepter l'aide que lui propose Vincente Farnese, l'homme d'affaires pour lequel son époux travaillait. Pourtant, malgré son soulagement, Elise ne peut se défaire d'un vague sentiment de malaise. Vincente Farnese est-il sincère quand il prétend vouloir l'aider, ou a-t-il une raison secrète d'agir ainsi ?

LA MAÎTRESSE DU PLAY-BOY, *Sharon Kendrick* • N°2877

Depuis qu'elle est sa maîtresse, Rebecca vit dans la peur que Xandros ne la quitte. Comment ce play-boy richissime pourrait-il lui offrir davantage que quelques semaines de passion physique ? Ses craintes se confirment lorsque Xandros rompt brutalement avec elle. Mais, peu après, Rebecca apprend qu'elle est enceinte... et qu'elle attend des jumeaux...

LE FRISSON DU SOUVENIR, *Catherine George* • N°2878

Lorsqu'elle se présente au domicile de Connor Jones, chez qui elle doit travailler comme gouvernante, Esther, stupéfaite, se retrouve face à l'homme qui logeait, dix ans plus tôt, dans le petit *bed and breakfast* tenu par sa mère. Un homme qu'elle n'a jamais oublié... Mais aujourd'hui, tout a changé. Connor est le père d'une petite Lowri, et semble inconsolable de la mort de sa femme...

DANS LES BRAS DU PRINCE, *Robyn Donald* • N°2879

Alors qu'elle passe quelques jours de vacances à Coconut Bay, Giselle fait la connaissance du prince Roman Magnati d'Illyria. Sous le charme, elle cède très vite à ses avances. Avant de découvrir que le prince lui a menti et qu'il s'est servi de sa naïveté pour mettre la main sur Parirua, le domaine qu'elle possède en Nouvelle-Zélande...

Composé et édité par les
éditions Harlequin
Achevé d'imprimer en février 2009

à Saint-Amand-Montrond (Cher)
Dépôt légal : mars 2009
N° d'imprimeur : 82080 — N° d'éditeur : 14139

Imprimé en France